서울대병원노동조합
20년사

신새벽

신새벽

서울대병원노동조합 20년사

초판 1쇄 발행 2013년 1월 20일
기획 서울대병원노동조합 20년사 편찬위원회
편찬위원장 김애란
편찬위원 전덕례 김명구 김유미 안지희 현정희 최선임 유행선 오은영 김진경 이향춘
글쓴이 김영수 정경원
펴낸이 양규헌
표지 디자인 김선태(토가디자인)
내지 디자인 정육남

펴낸곳 한내 http://hannae.org

주소 서울특별시 영등포구 영등포동2가 94-141호 동아빌딩 303호
전화 02-2038-2101 **팩스** 02-2038-2107
등록 2009년 3월 23일(제318-2009-000042호)

ISBN 978-89-962441-5-8 03330

값 30,000원

*이 도서는 전국공공운수사회서비스노동조합 의료연대본부 서울지역지부에서 발주한 프로젝트의 결과물로 만들어졌습니다.

새벽

서울대병원노동조합
20년사

기획_ 서울대병원노조20년사 편찬위원회
저자_ 김영수 · 정경원

한내

다시 시작이다

부러웠다. 아주 많이 부러웠다.

그 시대를 상상하며 내 마음도 덩달아 콩닥거렸고 환하게 벅차올랐다.

현장에서 만난 선배 조합원들은 노동조합 활동 초기에는 깃발만 꽂아도 묻지도 따지지도 않고 다 달려갔었노라고 무용담처럼 얘기했다. 그때 그 시절, 얼마나 많은 조합원들이 자발적으로 움직이며 권리를 되찾고 즐겁게 투쟁했는지 듣는 것만으로 좋았다.

그런데 그런 거대한 움직임을 만들기 위해 간부들을 비롯해 많은 조합원들이 얼마나 치열하게 토론하고 투쟁했는지 지나간 역사는 말을 하고 있다. 저절로 얻은 것이 단 하나도 없다고 말이다.

노동조합 사무실을 주지 않아 병원 로비에 책상과 의자를 갖다 놓고 업무를 보는가하면, 전임간부를 인정하지 않아 해고를 무릅쓰고 근무지를 이탈하며 노동조합 활동 보장을 위해 투쟁했기 때문에 노동조합 간판을 세울 수 있었던 것이다.

신자유주의는 심각한 양극화와 사회 불평등뿐 아니라 노동권을 축소시키고 노동조합운동에 위기를 가져왔다. 특히 이명박 정권은 각종 악법과 제도적 장치를 만들어 노동자들의 숨통을 조이고 파업투쟁에 대해 강력하게 대응했다. 비정규직은 늘어나고 민주노조는 퇴색하거나 무너지고, 해고지 복직 투쟁은 곳곳에서 일어나는 참혹한 상황이 지속되었다.

이런 상황에서 우리는 서울대병원노동조합이 조합원과 함께 토론하고 투쟁하여 만들어 온 원칙과 역사를, 한국 노동운동사에서 서울대병원노동조합이 지닌 의미를 정리하고 평가를 할 필요가 있다고 판단했다. 노동자로서 자존심을 지켜내며 민주노조 원칙을 갖고 선배노동자들은 어떻게 치열하게 투쟁해왔는지 그 뿌리부터 찾아 노동조합 활동을 처음부터 제대로 시작해야 한다는 마음이 모아졌다.

그래서 노동조합 20년사를 발간하기로 결정했다. 노동조합 결성부터 노동조건 개선 및 임금인상, 의료공공성 쟁취 투쟁 과정은 물론 조합원과 현장토론 및 간담회를 통해 눈높이를 맞추고 어떻게 소통해왔는지 시기별로, 사안별로 정리했다. 전노협을 거쳐 민주노총 시기 활동과 산별협약 10장 2조를 문제제기하면서 보건의료노조를 탈퇴하게 된 과정과 쟁점 사항에 대한 내용도 포함했다. 또한 공공기관이기에 자유로울 수 없었던 정부지침과 지나친 개입 및 탄압은 서울대병원노동조합이 투쟁의 선봉에 설 수밖에 없었던 여러 가지 조건이 되었음을 밝혔다.

몇 해 전 어느 노동운동 활동가가 말했다. '서울대병원 노동조합 역사는 한국 노동운동사의 축소판이다' 라고. 기업별 노조 → 병원노련 → 보건의료노조 → 탈퇴 → 공공연맹 가입 → 공공운수노조에 이르기까지 조직형태에 많은 변화가 있었고 노동법 개악저지와 직권중재 등 각종 악법과 제도 철폐를 위한 정부와 자본과의 투쟁을 끊임없이 해왔기 때문이다.

이제 서울대병원 노동조합 20년의 역사를 고스란히 세상에 내놓았다. 때로는 아프게, 때로는 웃고 떠들며 활동해 온 시간들을 정리하면서 여전히 우리에게 남은 과제와 넘어야 할 한계도 더불어 생각해 본다.

부끄럽지 않은 후배, 당당하고 자랑스러운 선배, 새로운 노동조합 역사를 만들기 위해 우리 노동조합은 신발끈을 고쳐 매고 다시 시작하는 마음으로 힘찬 발걸음을 성큼 옮길 것이다.

마지막으로 지금의 서울대병원노동조합을 만들기 위해 구속과 해고, 갖은 탄압과 불이익도 두려워하지 않고 투쟁해 온 선배님들과 노동조합을 지키기 위해 타협하지 않고 언제나 당당하게 투쟁하는 조합원들께 깊은 감사를 드린다. 그리고 흩어져버린 기록과 기억을 모아 서울대병원노동조합의 역사를 한국노동운동사에 남도록 정리해 주신 노동자역사 한내와 김영수, 정경원 님에게 감사드린다.

민주노총 공공운수노조 의료연대서울지부 지부장
이 향 춘

| 서문 |

서울대병원노동조합 20년사 『신새벽』은 1987년 7월 31일 노동조합의 결성부터 시작하여 2010년까지 전개되었던 노동조합의 일상활동과 다양한 투쟁을 기록하고 있다. 초창기에 활동했던 사람들은 20년이라는 세월 속에서 자신의 존재를 발견하고 놀랄 것이고, 최근에 입사하거나 노동조합에 가입한 사람들은 20년 이상의 세월을 담고 있는 노동조합의 두껍고 무거운 역사 앞에서 놀랄 것이다.

세월의 앞 뒤 한켠에 서서 울고 웃었던 노동조합!
세월을 보듬으면서 알싸한 기분에 젖어드는 조합원!
세월의 새로운 주인임을 낯설어 하지 않는 노동자 계급!

노동조합의 결성, 노동조합의 약진과 후퇴, 그리고 노동조합의 새로운 희망, 이 모든 것들은 파괴와 창조의 변증법이다. 자본가들은 노동자의 삶을 처절하게 파괴하거나 전쟁으로 인간의 목숨을 앗아가면서까지 자본주의 체제를 지속시키기 위해 새롭고 창의적인 통제방식을 만들어 낸다. 노동자들은 '파괴적 창조, 창조적 파괴' 를 자신의 무기로 삼는데 많은 세월의 비용을 지불한다. 심지어 창조를 위해 파괴되고 변화되는 것 자체에 대해 두려워하기도 한다. 존재기반을 파괴하여 새롭게 창조되는 자신의 삶에 대해 두려워하지 말자.

새로운 창조는 퇴행적 변화이든 발전적 변화이든 삶의 변화와 함께 한다. 삶은 파괴와 창조의 연속이다.

『신새벽』은 서울대병원노동조합의 20년을 크게 네시기로 구분하고 있다. 그것은 노동조합 건설과 노동조합 인정 투쟁시기, 산별노조 건설에 앞장섰던 시기, 구조조정에 맞선 투쟁기, 비정규직 철폐와 노동자단결을 위한 도약으로 나뉘어져 있다. 이는 한국사회 민주노조운동이 겪어왔던 과정이기도 하다. 집행부별로 정리하지 않은 것은 서울대병원노조의 역사가 노조 간부들의 역사가 아닌 조합원들의 역사임을 분명히 하는 것이며 큰 흐름을 공유하기 위한 것이기도 하다. 노동조합의 20년을 기계적으로 분리할 수는 없지만 서울대병원노조는 시기별로 한국사회 운동과제를 고민하며 대응해 왔다. 의료서비스를 제공한다는 명목으로 희생과 봉사를 강요당하고 국립대병원의 위치 때문에 겪어야 했던 정권의 탄압은 서울대병원 노동자들에게는 견디기 힘든 이중고였다. 이러한 난관을 서울대병원 노동자들은 투쟁으로 돌파해 왔다.

『신새벽』은 서울대병원노동조합의 구체적인 족적과 그것들이 갖고 있는 의의를 연결시키려고 노력하였다. 제1장은 노동조합을 결성할 당시의 사회와 왜 노동조합을 결성해야 했는가의 문제와 그 의미, 그리고 병원과의 노동조합 인정 투쟁과정을 그리고 있다. 옛날이야기 같은 시기이기도 하지만 현재에서 가장 많이 배워야 할 시기이다. 제2장은 산별노조 건설과 투쟁시기이다. 조직발전의 역사적 과정을 상급조직 건설운동, 산별노조 건설운동과 투쟁을 기술하고 있다. 제3장은 구조조정에 맞선 투쟁들과 보건의료노조 산별협약의 문제가 발단이 된 올바른 산별노조운동을 위한 보건의료노조 탈퇴 및 새로운 산별노조 건설운동의 과정을 기술하고 있다. 제4장은 비정규직 철폐투쟁에 대한 서울대병원노동조합의 실천투쟁과 올바른 산별노조 건설을 위한 노력들과 공공대산별 건설로의 도약과정을 기술하고 있다. 마지막으로 제5장은 서울대병원노동조합의 의의와 성과, 그리고 과제를 정리하고 있다. 물론 각 시기의 투쟁과 임단협, 근골격계 투쟁, 노동조합의 일상활동은 해당 시기별로 정리되어 있다. 의료공공성투쟁은 단체협약의 핵심요구였기에 별도로 분리하지 않았으나, 임단협에 묻히지 않도록 중요 투쟁으로 서술하였다. 노동조합의 가장 기본 기능인 단체협약에서 의료공공성을 다룬다는 것 자체가 서울대병원노동조합의 역사가 빛나는 이유일 것이다.

서울대병원노동조합 20년사는 많은 사람들의 노력으로 이루어졌다. 서울대병원노동조합은 여기저기에 흩어져 있었던 자료들을 꼼꼼히 챙겼고, 노동자역사 한내는 이러한 자료들을 체계적으로 정리하여 서울대병원노동조합 운동을 역사의 한 축으로 남게 하였다. 그리고 공식적인 자료로 확인할 수 없는 소중한 자료들을 수많은 분들이 남겨 주었다. 면담에서 성실하게 답변해 주었던 분들이다. 그런데 무엇보다 중요한 역할은 바로 서울대병원노동조합의 조합원들이다. 이들의 삶이 곧 20년 역사이다. 서울대병원노동조합 20년사는 바로 조합원들의 삶을 기록하려 했다.

모든 기록이 다 정확한 것은 아니다. 불충분한 지료, 자료에 대한 곡해, 왜곡된 기억, 기록자의 편견 등이 원인으로 작용할 수 있다. 그러나 서울대병원노동조합 20년사 『신새벽』은 보다 정확하게 기록하려고 노력하였다. 정확하게 기록하지 못하는 한계가 존재할 수 있지만, 그 한계 또한 독자들의 넓은 혜량만을 기대할 따름이다.

서울대병원노동조합 20년사 『신새벽』은 슬픔보다 희망을 창조하는 파괴, 슬픔을 파괴하여 희망을 만들어 나가는 창조의 지렛대다. 『신새벽』이 서울대병원 노동자들만의 희망이 아니라 보건의료운동과 민주노조운동, 나아가 노동자 계급운동에게 희망을 던지는 우리의 역사이길 바란다.

2013년 1월

저자 **김영수 · 정경원** 씀

| 차례 |

2 산별노조 건설을 향하여(1993~1997)

3 구조조정 저지 투쟁(1998~2004)

5 서울대병원노동조합 활동의 의의와 과제

01

서울대병원노동조합 설립과 투쟁(1987~1992)

1 노조를 만들기까지

1) 저항

몸부림

간호사들은 종교단체, 봉사단체를 통해서 도시빈민지역, 공단지역 노동자 진료 등으로 사회활동을 하였다. 1980년대 초반에는 인천 도시산업선교회의 지역선교사업의 일환이었던 지역 진료사업을 진행하였고 이것이 확대되어 부평지역 진료봉사활동으로 이어졌다. 좀 더 체계화된 것은 1986년 구로의원이 생기고 나서다. 구로의원은 노동자들의 건강문제 상담과 교육을 통해 노동자 역량 강화에 기여하고자 하였다. 곳곳에 학생활동 경험자들이 결합하여 활동하였다.

이즈음 서울대병원은 마치 중세시대를 연상케 하는 위계질서로 꽉 막혀 있었다. 노동법이 지켜지지 않았으며 최소한의 인간적 권리도 보장받지 못한 채 의사와 환자 사이에서 병원노동자들은 하루하루를 지내고 있었다. 더 이상 참을 수 없었던 이들이 숨이라도 쉬며 일하자고 모임을 만들었다. 방사선과 40여 명 중 30명이 의기투합하여 '평목회' 를 만든 것이다. 평목회는 노동조합은 아니었지만 관리자들의 횡포에 대항하여 노동자가 함께 모여야 한다는 절박함에서 만들어진 조직이었다.

서울대병원에 노동조합이 필요하다고 입사하면서부터 느꼈습니다. 이건 완전 중세 농노제 같은 구조였어요. 특정 계급만 사람이고 다른 사람들은 사람도 아니었던 거죠. 명색이 서울대병원인데, 최고의 지식이나 학식을 가진 사람들이 모여 있는 조직인데 너무나 폐쇄적이었어요. 노동법도 지키지 않고 엉망이었고. 당시 저는 방사선과에서 근무했는데 도저히 참을 수 없어서 우리가 뭔가 해야겠다고 뜻있는 사람들끼리 평목회라는 걸 결성했습니다. 83년도에 방사선과내에 평목회를 만들어서 정관도 만들었어요. 노조하기 전에. (구술자 S)

평목회 회원들은 제시간 지키기, 옳지 못한 일은 하지 말기 등 저항방식을 고안해 실행하곤 했지만 그것으로 노동조건을 바꾸기에는 한계를 느꼈다. 한편으로는 평목회라는 조직이 있다는 것을 안 상급자가 그 회원을 따로따로 불러 회유하고 협박했다. 결국 조직은 해체되었다. 노조 초대 총무부장을 맡았던 김명구는 당시 상황을 회상하며 노동조합의 필요성에 대해 강조하였다.

근무시간이 9시부터 6시인데, 8시까지 직원들을 오게 했어요. 그래서 이게 뭐냐고 항의했더니 의사들이 일찍 나와서 컨퍼런스를 하는데 왜 다른 직원들이 안 나오냐고 하는 겁니다. 대부분 찍소리도 못하고 있었던 거죠. 이런 것부터 고치자 해서 동료 한 사람하고 제시간 지키기 운동을 했습니다. 9시면 8시 50분까지 나가자. 그래서 많이 밉보였죠. 윗사람들한테. 가장 문제는 차별이었는데, 가운 같은 것도 허리띠를 끊어서 없애버린다든지 해서 신분 차이를 나타내는 겁니다. 말도 안 되는 소리라 이거지. 그런 것뿐만 아니라 우리가 봤을 때 이건 사람이 아니야. 사람대접을 받아야 하는데 아니야. 이건 고쳐야겠다. 그러다가 홍콩에 가서 병원 노동조합을 둘러볼 기회가 있었는데 우리도 노조가 있어야겠구나, 싶었습니다. 그래서 병원 적성도 안 맞고 해서 그만두려고 하다가 남아있게 되었습니다. (구술자 S)

1987년 6월의 거리

1987년 4월 13일 전두환은 권력 연장을 위해 '호헌' 발표를 했다. 이에 대항하여 노동자들은 제5공화국 헌법을 폐기하라며 항의했다. 보건의료 노동자들도 1987년 4월, 서울 경기지역 간호사 460명이 호헌반대서명을 발표하였다. 그 파장이 실로 컸다. 언론에서는 '하물며 간호사까지도 서명하다?' 라는 발문으로 보도하였다.

서울대병원 노동자들의 활동이 곧 병원노조 운동의 핵심이었다고 보아야 하기 때문에 서울대병원노조의 역할이 중요했어요. 노조결성 이전, 1987년 6월항쟁 기간에도 간호사들이 모임을 했어요. 그때 수원지부에 서명운동 할 때에도 400명 정도 간호사들이 서명을 했는데, 서울대병원의 김유미 위원장이나 서울대병원의 간호사들이 있었죠. 그 당시에 다른 병원에 있는 간호사들 연대해서 서명도 했고요. 그 전까지는 네트워크라고까지 얘기하긴 어렵지만, 간호사들이 무료진료 활동을 선배들하고 지역에 내려가서 농촌 의료봉사 활동을 많이 하곤 했죠. 근데 현장에 일하는 간호사들이 모여서 뭔가를 의견표현을 한 거는 1987년도에 서명운동한 것이 처음이었고요. 이후에 보건의료운동으로 이어지는 징검다리였다고 이해할 수 있을 것 같아요. (구술자 P)

6월항쟁이 한창이던 때 간호사들이 모여 '참간호 준비위원회'를 만들었다. 민주화투쟁을 한 간호사들은 간호협회에 대항하는 조직을 만들자는 이야기를 나누었다. 당시 간호협회라는 조직이 있었지만 간호사를 대변하는 조직은 아니었다.[1] 간호협회와는 다르게 좀 더 어려운 사람들, 국민을 위한 의료봉사체계를 만드는 일을 해야한다는 생각에 평간호사회를 만들어보자고 하였다. 그러나 구상한 조직 성격이 불분명하고 병원이라는 공간을 넘어선 활동을 하기에는 힘든 조건이 많았다. 하지만 이러한 고민은 이후 노동자의 권리를 대변하는 노동조합 결성으로 확대발전하였다.

1987년 7월 30일 서울대병원노조를 만들기 전에 6월항쟁이 있었잖습니까. 그 당시에 저희들 중 많은 사람들이 경험을 했던 거고, 저희 간호학과 출신 간호사들이 시국선언에 같이 했고요. 당시 간호협회가 굉장히 비민주적이었기 때문에, 간호사들은 간호협회에 대항하는 새로운 간호사조직을 만들어볼까 하는 생각도 했거든요. (구술자 D)

서울대병원 노동자들은 6월항쟁에 개인으로 참여하였다. 밤 근무

1) 대한간호협회 1923년 창립되었다. 1989년 당시 면허를 소지한 등록 간호사 수는 8만 2,657명. 간호원에서 간호사로 명칭이 변경된 것은 1988년 3월.

를 하고 아침에 거리로 나갔고, 낮 근무를 하고 저녁에 거리로 나갔다. 다음날 출근하면 말은 안 했지만 검게 그을린 얼굴이 6월의 거리를 누볐음을 서로 알게 했다.

이러한 경험은 병원에서의 민주화 요구로 나타났다. 1987년 7~8월, 민주노조 결성이 본격화되었다. 사회민주화에 참여했던 경험이 현장에서 자신들의 조직 결성으로 이어진 것이다.

2) 노동조합 설립

발기인 40명의 007작전

전두환정권이 개정한 노동법에 따르면 노동조합 설립을 위해서는 발기인 30명이 모여야 했다. 사업장 규모가 크건 작건 철저한 통제구조 속에서 노동조합 설립 발기인 30명이 모이는 것은 쉬운 일이 아니었다. 따라서 노동조합 설립에 관한 규정은 실제 현장에서 단결권을 침해하곤 하였다.

어려운 조건 속에서도 서울대병원 노동자 몇 명이 의기투합하여 발기인 모집을 비밀리에 시작한 것은 6월항쟁 때였다. 그 전까지는 의료체계에 대한 막연한 고민에 머물렀지만 병원 내부의 문제점이 보이기 시작했고, 의료체계의 문제를 해결하기 위한 출발점이 간호사, 간호조무사, 병원 종사자들이 병원의 주인으로 서는 것임을 알았던 것이다.

병원에서 일을 하면서 간호사들은 그래도 병원에서 햇빛을 받는 존재라는 걸 느꼈어요. 학교 다닐 때만 해도 그저 의료체계만 생각했는데 병원 와서 보니까 병원 내부에 모순이 있었어요. 가난한 환자들, 중증 환자들, 쓸데없는 검사를 받아야 하고. 이런 여러 가지 병원 내 문제들로부터 환자들을 위해 뭔가 해야 한다는 생각. 굉장히 능력있는 간호조무사들인데도 병원에서 당하는 모습. 이런 사람들을 보면서 함께 참의료 문제를 제기해야겠다는 생각을 했어요. 병원의 주인들이 뭉칠 수 있는 게 뭐가 있을까 그러다가 노동조합 얘기를 들었어요. (구술자 D)

노동조합이 뭔지 알기 위해 몇몇 간호사들이 모여 노동법해설서를 보면서 공부를 하였다. 노동문제 상담소를 찾아가 서울대병원에도 노동조합을 만들 수 있을지 물어보았다. 답은 주체들의 의지 문제였다. 노동조합을 만들려면 해고를 각오해야 했다.

석탑의 [노동법해설]을 보면서 간호사들 몇 명이 공부를 했어요. 아, 노동조합을 만들면 되겠다, 어떻게 만들지? 그래서 상담소 같은 데 가서 물어봤어요. 과연 서울대병원에도 가능한가, 이랬더니 연대 세브란스병원이나 사립대 병원에는 세워진 데가 있는데 국립대 병원은 처음이라 가능할지 모르겠다고 하더라고요. 당시 국책연구소들도 노조를 만들고 있던 터라 우리도 가능하지 않겠냐, 대신 잘릴 생각을 하고 시작하라고 했어요. 그래서 완전 결사조직 만들 듯이 뜻있는 사람들이 같이해야 한다고 방사선과, 간호조무사들을 만나러 다녔던 거죠. (구술자 D)

전덕례, 김유미 등이 간호사들을 만나러 다녔다. 소아수술과에 근무하는 간호사들이 가장 적극적이었다. 간호조무사들도 뭉쳤다. 몇 년 전 노동조합에 대해 알게 된 전찬례는 제안을 받고 그 자리에서 승낙하였다. 급여체계가 잘못되어 차이가 벌어진 수당에 불만을 가진 간호조무사들이 부당함을 호소하기 위해 관련 자료를 찾아다녔고 한국노총을 방문하여 상담을 받은 적이 있다. 그때 노동조합이라는 조직이 필요함을 알았다. 하지만 발기인 30명을 모아야 한다는 것을 알고 병원에서는 쉽지 않겠다는 생각에 조직 만드는 일을 엄두도 내지 못하고 있었다. 그러다가 노조 설립 발기인 제안을 받았으니 그 자리에서 흔쾌히 승낙을 했던 것이다.

앞서겠다고 맘먹었던 몇 사람들을 여기저기에서 물색해서 30명을 채워야 되는 거였어요. 초대위원장 했던 분이 근무 때 찾아와서 노조 만들자고 제안해서 저는 그 자리에서 하겠다고 했어요. 노조 발기인 하기 몇 년 전부터 저도 고민하고 있었거든요. 공무원 급여체계에는 기능직과 일반직의 차이가 있는데, 우리 수당도 차별돼서 나온 적이 있어요. 기능직이 차별된 거죠. 어떤 직은 4만 원 어떤 직은 1만5천 원 식으로. 저희 입장에서는 차별받는 게 억울해서 공무원에 대해 알아보고 여기저기 알아보다가 어떻게 해서 한국노총까지 가게 됐어요. 거기서 노동조합 책자를 받아서 읽어보고 아, 이런 게 있었구나 했죠. 그렇지만 숨어서 해야 되고 어려운 부분이 있다는 것 때문에 우리 직종만 갖고 할 수는 없다는 생각이 들어서 그냥 책만 묵혀두고 있던 터였어요. 그러다 몇 년 지나서 노동조합을 했으면 좋겠다는 제안이 왔던 거죠. 저는 그때 당시의 기억이 있었기 때문에 흔쾌히 그럼 같이 합시다, 했어요. 그 과정에서 30명을 맞춰서 한꺼번에 우르르 가면 발각이 되니까 몇 명씩 몇 명씩 조를 짜서 숨어서 한 장소에 모였는데 그게 서울역 앞에 있었던 한국노총 산하의 연합노련 사무실이었어요. (구술자 O)

노조 창립발기인 중 남성은 두 명이었다. 이들이 발기인으로 결합하게 된 과정은 이렇다. 1987년 5월경 방사선과 최방식은 소아수술장에 근무를 하였는데, 그가 야간 근무를 하면서 소아수술장 간호사들과 안면을 트고 지냈고, 선배인 김명구와 연결을 해줬다. 간호사들 중에 진보적인 성향을 가진 이들이 많이 있고 이들이 조직을 만들기 위해 움직이고 있다는 이야기를 한 것이다. "그럼 잘됐다. 나도 만나보자."

85년도에 어린이병원이 개원이 되면서 근무하게 되었어요. 처음엔 몰랐는데, 회복실과 수술실에 근무하던 간호사들이 진보적인 성향이 있었습니다. 그쪽에서도 노조를 만들고 있었던 겁니다. 그게 초창기에 간부를 했던 전덕례 위원장 중심으로 만들어지고 있었던 건데. 그걸 안 것이 87년 5월 넘어서였어요. 최방식이라고 당시 신입직원이었는데 사회문제 가지고 나랑 얘기를 좀 하던 후배가 알려준 겁니다. 내가 책 소개해주면 열심히 읽곤 했던 후밴데, 이런 조직이 있는데 한번 같이 해보지 않겠느냐 그러더라고. 그래서 그때 시작했던 거죠. 노조 만들기 전에 어디서 만나자고 했었는데. 그때 아마 우리 발기인이 42명인가 41명이 되어야 노조를 만들 수 있다고 했어요. 그때 사회적 조건이 민주화운동 일어나고 그랬었음에도 그게 잘 안 모였죠. 정족수 미달로 세 번인가 안 되고 네 번째엔가 성공했던 거로 기억해요. (구술자 S)

6월항쟁 이후 사회 분위기가 바뀌었다 하여도 병원은 아직 통제가 철저했다. 노동조합의 필요성은 인정하지만 막상 나서서 만들자고 하면 행동에 옮기지 못하는 이가 많던 상황이었다. 전덕례는 근무가 끝나면 대학 후배, 신뢰할 만한 간호사들을 찾아다니며 노동조합 설립 발기인을 모았다. 처음에는 주저하다가도 뜻을 함께하는 간호사들이 있다는 것을 알고 참여하겠다는 이들이 점점 늘었다. 김명구는 방사선과에서 믿을만한 후배들을 모아 노동조합을 만들자고 하였고 동의도 받았다. 이들이 모두 발기인대회에 참여하지는 않았지만 노동조합 결성 움직임이 있다는 비밀을 지켜줬다. 그것만으로도 노조 결성은 성공을 예고한 것이었다.

정말 믿을만한 후배들 몇 명을 불렀어요. 너 노동조합에 대해서 알고 있냐. 우리 병원 노조 필요하다고 그러니깐 정말 필요하대요. 발기인 정족수가 안 되니 거길 좀 가자. 그랬더니 취지는 찬성한다는데 이 사람들이 겁을 먹어가지고 안 가는 거야. 난 믿고 그랬던 사람들인데. 그 사람들이 인감증명까지 다 써주겠다 그거야. 근데 중요한 거는 현장에 사람이 많아야 하잖아. 그런 후배들이 꽤 있었어요. 그런데 난 그 입장을 이해해요. 왜냐면 그 사회가 겨우 그때 전두환 압제에서 풀려나가지고 6.29 이후 간신히 풀어지기 시작한 시절이기 때문에. 힘들죠. 겁이 나니깐 안 했던 거야. 그래도 디행인 것은 비밀을 유지해준 것이지. 내가 서울대병원을 사직하여 떠날 때도 그러더라고. 형님한테 마음의 빚을 진 게 있다고. 근데 난 그렇게 생각하지 않는다고 했지. 너희가 그렇게 비밀을 지켜줬기 때문에 오늘날의 노조가 있고 난 굉장히 고맙게 생각한다고. 그래서 그 당시 남자들은 딱 두 명 했다니깐. 나하고 그 후배하고. (구술자 S)

두세 번 시도하였으나 참여 인원수 부족으로 실패하다가 마침내 7월 31일 금요일 40명의 발기인이 모였다. 법적 요건을 채울 인원수는 30명이었으나 혹시 안 오거나 사정이 생길 것을 고려하여 40명이 넘는 인원을 모아 확답을 받았던 것이다. 병원 관리자의 눈을 피해 병원 앞 커피집, 집앞에서 은밀히 만나 이야기를 나눴다. 발기인대회 날짜를 정하고 한꺼번에 움직이면 병원 관리자들이 눈치 챌 수 있으니 삼삼오오 나눠 이동하기로 하였다. 약속 장소에 모이기로 한 시간은 저녁 7시 반. 해가 지는 시간이었지만 찌는 듯 더웠다.

연합노련 사무실은 서울역 맞은편 목영자 산부인과 건물 3층에 있었다. 종로에서 만나 이동한 팀도 있었고, 버스를 몇 번 갈아타고 간 팀도 있었다.

약속시간에 연합노련 사무실에 도착한 이들은 서로를 보며 놀랐다. 40명이라는 인원, 간호사와 간호조무사가 같이 모여 있는 광경. 직급도 직종도 나이도 문제 삼지 않고 오로지 노동조합, 노동자의 권리를 위해 모였다.

지금은 생각이 바뀌었지만 그 당시 생각으로 얘기하면, 간호부에서 간호사들하고 간호조무사들하고 신분차이가 천양지차였어요. 근데 약속장소에 갔더니 간호조무사들이 몇 명 와있더란 말이야. 그거 자체가 놀라운 거예요. 그리고 약사가 3명인가 와있었고. 거기 참가한 간호조무사들이 주로 수술장 중심이었어요. 그러니까 아지트가 소아수술장이야. 거기에 전덕례 씨가 근무하고 있었거든. 그리고 당시 참여한 사람들 중에 제가 나이가 제일 많은데. 일부는 그러더라고요. 아니 형님 간호사들 밑에 와서 뭐 그런 걸 하냐고. 그건 아니라고 했어요. 중요한 건 목표다. 이상적인 목표를 위해서라면 직급 직종 차이 그런 게 필요 없는 거죠 나이도 그렇고. 다들 그런 생각으로 했기 때문에 노조가 잘 됐던 거죠. (구술자 S)

세브란스병원노조 위원장도 와 있었다. 연합노련 담당자의 도움으로 정관, 임원선출, 회의록 작성 등 절차를 밟아 진행하였다. 임원은 미리 정한 대로 위원장, 부위원장, 운영위원 5인 등 설립신고를 위한 요건에 따라 선출하였다. 8시경 시작한 회의는 1시간 정도 걸려 마무리 되었다. 짧은 시간이었지만 긴장감이 감돌았다.

서울대병원노조 발기인은 강경원, 권영주, 김명구, 김문진, 김미자, 김성미, 김유미, 김정남, 김정희, 마금령, 박미란, 박미영, 박영숙, 서효순, 소은향, 심명자, 안지희, 오진주, 우경래, 유윤숙, 유정숙, 이경숙, 이경옥, 이경희, 이명숙, 이미숙, 이미희, 이숙자, 이옥희, 장계숙, 전경자, 전덕례, 정인숙, 조계숙, 채현숙, 최강희, 최방식, 최성숙, 한순묘, 함은옥 등 40명이었다.

모든 절차를 밟았지만 그냥 돌아갈 수 없었다. 다음날 설립신고를 해야 하는데 걱정이 앞섰기 때문이다. 도움을 받긴 했지만 연합노련을 완전히 믿을 수도 없었다고 한다. 그래서 다방에 몇 명이 다시 모였다. 설립신고서 제출을 위한 작전을 짜기 위해서였다.

종로구청 앞에 미리 모여 있다가 9시 정각에 들어가 설립신고서를 제출하기로 했다. 많은 인원이 움직이면 이상하게 보일 수 있으니 두 명만 가기로 했고 평범한 외모를 가진 간호사가 가는 것으로 했다. 한편으로 병원에서는 설립신고서를 제출하자마자 보고대회를 하기로 작전을 짰다. 임원이 잡혀갈 때를 대비해 김명구를 2선으로 선정하였다. 전덕례 등 한두 명만 아는 비밀이었다.

밤 10시가 되어 다방을 나와 집으로 돌아갔다.

설립신고를 하는데 만약에 저녁에라도 새면 어쩌나 걱정이 되어 몇 명이 다시 다방에서 만났어. 밤에. 연합노련도 믿지 못했거든요. 설립신고를 누가 해야 하느냐 어떻게 해야 하느냐 얘기한 거죠. 사무국장하고 한 사람 더해서 가자. 관공서가 아홉시면 열어요. 그때는 토요일도 근무를 했으니까. 신고지가 종로구청이니 근처 어딘가 숨어 있다가 아홉시 되면 딱 갖다가 내밀어라. 혹시 병원에서 알면 말릴 수도 있으니까 병원 관계자가 얼굴 모르는 사람. 그때는 간호사들 얼굴을 잘 모르잖아. 그렇게 해서 작전을 짰어요. 봉투에다가 회의순서 기록물 필요한 요건들 마련해서 아홉시에 맞춰서 가기로 했고. 다음날 아홉시 정각에 구청으로 들어갔어요. 다행히 정보는 안 샜죠. (구술자 S)

노조 설립신고와 보고대회

발기인대회를 주도했던 이들은 밤새 잠을 잘 수 없었다. 불안했다. 설립신고서를 내러 갔더니 이미 유령노조를 만들어 설립을 마친 곳이 있었다, 회사 간부가 설립신고서를 탈취해갔다는 이야기를 들었기 때문이었다. 발기인 40명을 일일이 다 아는 사이도 아니고 각 직종별로 필요하다고 해서 모이긴 했지만 서로에 대해 확신을 갖지 못하던 때였다. 그렇기에 설립신고서 제출할 때까지 비밀이 지켜질지도 고민이었다. 하룻밤이 1년 같이 길었다. 잠을 청해도 눈만 말똥말똥 해졌다. 같이 모여 있었다면 무섭고 불안하지 않았을 텐데. 당시 긴장감을 김유미는 이렇게 이야기한다.

처음 노조 결성하고 그 하룻밤이 되게 두렵고 불안했어요. 그때 다들 같이 모여 있었어야 되지 않았나 싶어요. 다 흩어져서 그 다음에 다시 모여서 설립신고하러 갔는데 그날 밤이 굉장히 무섭고 떨렸어요. 사실은 저희 남편한테도 노조 하는 얘기를 하지 않았거든요. 사실을 알면 어떻게 될지 모르겠고. 남편은 운동하는 사람이 아니라 연애할 때도 그런 거 가지고 티격태격 싸우고 그랬거든요. 개인적으로 제일 어려움은 가족에 대한 미안함이나 죄책감이 컸던 것 같아요. (구술자 D)

무사히 설립신고를 마쳤다. 서울대병원노동조합 설립 사실은 언론의 주목을 받았다. 10시경 라디오뉴스에서 '서울대병원노조 설립신고' 보도가 흘러나왔다. 병원에서 일하던 노동자들도 깜짝 놀랐고 바로 전날부터 가슴 졸이고 있던 발기인들도 놀랐다. 언론이 도왔다. 이렇게 만천하에 공표되었으니 병원이 무슨 짓을 하지는 못하리라.

1987년 8월 노조를 창립하고 난 이후 조합원과 함께 했던 보고대회

12시. 병원 식당에 대자보가 붙었다.

'서울대병원노동조합 설립 선포'

그리고 김명구의 사회로 노조 설립 선포식이 시작되었다. 밥을 먹던 직원들이 눈이 휘둥그레져서 쳐다봤다. 8월 3일 정식으로 1차 보고대회를 열고 머리를 맞대고 만든 설립취지문을 노동자들에게 나눠줬다.

위원장이 창립취지문을 읽었다.

서울대병원 노동자들은 "일하는 자가 주인이 되어 자주적으로 단결하여 노동조건을 개선하고, 사회경제적 지위 향상과 복지증진을 도모하며 보람 있는 직장생활, 더 나아가서는 비인간화되어 가는 사회에서 인간다운 생활을 영위하기 위해서" 노동조합을 결성하였다.

8월 7일 설립신고증을 받고 노동조합 결성 2차 보고대회를 열었다. 노동자들의 관심이 점점 모아졌다.

병원의 한 간부는 “종합병원에서 노조가 수련의 간호원 병리사 등 여러 이질적인 목소리를 조화롭게 대변할 수 있겠느냐”며 노조활동이 잘 이뤄지지 않을 것이라고 했다. (동아일보 1987.8.6.)

병원의 간부가 노조 설립을 반길 리는 없으니 이러한 인터뷰를 하는 것은 어쩌면 당연한 것이었다. 하지만 노동조합 설립을 인정하지 않을 수 없었다.

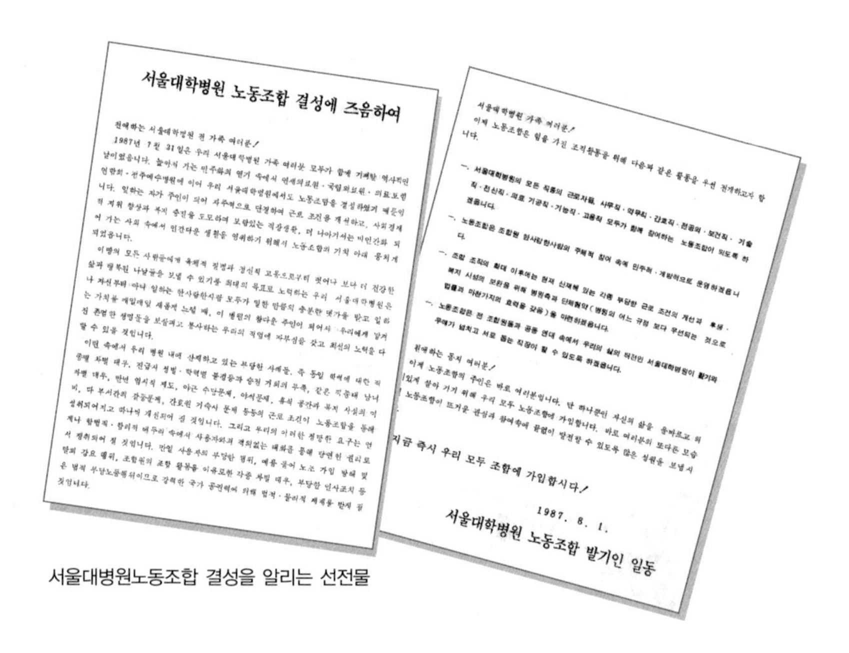

서울대학병원 노동조합 결성에 즈음하여

친애하는 서울대학병원 전 가족 여러분!

1987년 7월 31일은 우리 서울대학병원 가족 여러분 모두가 함께 기뻐할 역사적인 날이었읍니다. 높아져 가는 민주화의 열기 속에서 연세의료원·국립의료원·의료보험연합회·전주예수병원에 이어 우리 서울대학병원에서도 노동조합을 결성하였기 때문입니다. 일하는 자가 주인이 되어 자주적으로 단결하여 근로 조건을 개선하고, 사회경제적 지위 향상과 복지 증진을 도모하며 보람있는 직장생활, 더 나아가서는 비인간화 되어 가는 사회 속에서 인간다운 생활을 영위하기 위해서 노동조합의 기치 아래 뭉치게 되었읍니다.

이 땅의 모든 사람들에게 육체적 질병과 정신적 고통으로부터 벗어나 보다 더 건강한 삶과 행복된 나날들을 보낼 수 있기를 최대의 목표로 노력하는 우리 서울대학병원은 나 자신부터 아니 일하는 한사람한사람 모두가 일한 만큼의 충분한 댓가를 받고 일하는 가치를 매일매일 새롭게 느낄 때, 이 병원의 참다운 주인이 되어서 우리에게 맡겨진 존엄한 생명들을 보살피고 봉사하는 우리의 직업에 자부심을 갖고 최선의 노력을 다할 수 있을 것입니다.

이런 속에서 우리 병원 내에 산재하고 있는 부당한 사례들, 즉 동일 학력에 대한 직종별 차별 대우, 진급시 성별·학력별 불평등과 승진 기회의 부족, 같은 직종내 남녀 차별 대우, 만년 임시직 제도, 야근 수당문제, 야식문제, 휴식 공간과 복지 시설의 미비, 타 부서간의 잡동문제, 간호원 기숙사 문제 등등의 근로 조건이 노동조합을 통해 성취되어지고 하나씩 개선되어 질 것입니다. 그리고 우리의 이러한 정당한 요구는 언제나 합법적·합리적 테두리 속에서 사용자와의 격의없는 대화를 통해 당연한 권리로서 쟁취되어 질 것입니다. 만일 사용자의 부당한 행위, 예를 들어 노조 가입 방해 및 탈퇴 강요 행위, 조합원의 조합 활동을 이유로한 각종 차별 대우, 부당한 인사조치 등은 범적 부당노동행위이므로 강력한 국가 공권력에 의해 법적·물리적 제재를 받게 될 것입니다.

서울대학병원 가족 여러분!

이제 노동조합은 힘을 가진 조직활동을 위해 다음과 같은 활동을 우선 전개하고자 합니다.

一. 서울대학병원의 모든 직종의 근로자들, 사무직·약무직·간호직·전공의·보건직·기술직·전산직·의료 기공직·기능직·고용직 모두가 함께 참여하는 노동조합이 되도록 하겠읍니다.

一. 노동조합은 조합원 한사람한사람의 주체적 참여 속에 민주적·개방적으로 운영하겠읍니다.

一. 조합 조직의 확대 이후에는 현재 산재해 있는 각종 부당한 근로 조건의 개선과 후생·복지 시설의 보완을 위해 병원측과 단체협약(병원의 어느 규정 보다 우선되는 것으로 법률과 마찬가지의 효력을 갖음)을 마련하겠읍니다.

一. 노동조합은 전 조합원들과 공동 연대 속에서 우리의 삶의 터전인 서울대학병원이 활기와 우애가 넘치고 서로 돕는 직장이 될 수 있도록 하겠읍니다.

친애하는 동지 여러분!

이제 노동조합의 주인은 바로 여러분입니다. 단 하나뿐인 자신의 삶을 올바르고 의미있게 살아 가기 위해 우리 모두 노동조합에 가입합니다. 바로 여러분의 보다나은 모습 노동조합이 뜨거운 관심과 참여속에 끝없이 발전할 수 있도록 많은 성원을 보냅시다.

지금 즉시 우리 모두 조합에 가입합시다!

1987. 8. 1.

서울대학병원 노동조합 발기인 일동

서울대병원노동조합 결성을 알리는 선전물

폭발적인 노동조합 가입

노동조합 설립 1주일이 지나도록 노조사무실을 제공받지 못했다. 병원 2층 현관 왼쪽, 병원에 온 아이들 휴게소를 임시사무실로 썼다.

그곳은 환자들과 가족들이 수시로 왔다갔다하는 곳이라 많은 사람들이 보는 앞에서 노동조합 만들었다고 노동자를 끌어내기는 힘들 것이라는 판단에서였다. 그 앞에 신문지를 깔고 책상을 하나 갖다 놓았다. 병원 2층은 가입원서를 받고 병원 측의 부당노동행위 사례를 접수하는 노조 활동 공간이었다.

김명구, 전덕례, 최성숙이 노동조합의 근거지에 앉아있었다. 병원에서는 복귀를 하라고 했다. 근무지이탈로 해고하겠다고 협박했지만 눈 하나 깜짝하지 않았다.

"해고? 하려면 하시오!"

> 사무실을 안 주니깐 그 앞에서 신문지 깔고 앉아서 나하고 전덕례 씨하고 최성숙 셋이서 근무를 한 거야. 근데 병원에서는 어떻게든 노동조합 세를 막으려고. 노조 사무실 주긴 준다, 근데 전임자는 2명밖에 못준다 이거야. 두 사람은 임원이고 나는 총무부장이니깐 안 된다 이거야. 그래서 난 소아진단방사선과에서 무단으로 나와버렸지. 상급자가 사령장을 가지고 왔더라고. 3일안에 원대복귀를 안 하면 근무지이탈로 해고시킨다. 그래서 해고시켜도 할 수 없다고 그랬어. 해고시키라고. 끝까지 버텼죠. 그냥 앉아 버티면서 유인물 나눠주고, 가입원서 받고. (구술자 S)

병원은 노동조합 설립을 막을 수 없었으니 대신 교묘하게 탄압을 하였다. 노조 사무실을 제공하지 않고 전임자를 인정하지 않고 가입원서 받는 것을 방해하는 부당노동행위를 한 것이다. 노조에서도 물러서지 않았다. 항의집회를 열었다. 병원 관계자는 소방호스를 빼들고 달려들었다.

"이 빨갱이 새끼들 다 죽여버려야 돼!"

이 소식은 빠르게 퍼졌다.

"우리 형님 정말 죽겠다." "우리가 가서 보호하자." "선배 간호사들 정말 큰일 나겠어."

일손을 멈추고 노동자들이 2층 로비로 몰려들었다. 병원 관리자들은 노동자들이 로비로 모이지 못하게 문을 막고 문 안쪽에 의자를 쌓아놓았다. 노동자들은 다 같이 모여 힘을 모아 문을 확 밀쳤다. 문이 열리고 노동자들이 쏟아져 들어오자 이번에는 바닥에 물을 뿌려 앉지 못하게 훼방을 놓았다. 하지만 어떠한 방해도 노동자들을 막지 못했다. 병원 측의 탄압은 오히려 노동조합 가입자 수를 늘리는 데 기여했다.

병원에서도 교묘하게 방해를 한 것이 사무실을 바로 안 줬어. 거기서 엄청 버텼어. 나중에는 항의집회를 그 로비에서 했어요. 그랬더니 비상기획실장이라는 친구가 와가지고 소방호스 들고 우리한테 뿌리려고 난리를 치니까 방호과 경비아저씨들이 말렸지. 그랬더니 이 빨갱이 같은 새끼들 다 죽여야 된다고. 근데 그 소릴 듣고 꾸역꾸역 올라오는 거야 직원들이. 안 되겠다 우리 선배 간호사들 큰일 당하겠다고. 결국 노조 가입률을 높여준 거야 그렇게 해갔고. (구술자 S)

노동조합 설립 후 1주일 만에 가입대상 인원의 40%인 700여 명이 조합원으로 가입했다. 하루에 수백 명이 가입했다는 이야기가 퍼지자 가입자 수는 더 늘어났다.

조합원 가입이 저절로 이뤄진 것은 아니다. 노동조합 설립 소식에 호응은 좋았으나 층층시하 감시체계를 뚫고 조합가입원서를 제출하는 데는 용기가 필요했다. 그나마 인원이 많아 여럿이 한꺼번에 가입을 하는 부서는 사정이 괜찮았다. 직원수첩에 이름조차 없었던 급식과, 청부실 노동자들은 물밀듯이 노동조합에 가입했다. 방사선과, 임상병리과, 간호사, 간호조무사 모두 가입률이 높았다.

발기인들은 조합원 가입을 위해 일일이 찾아다녔다. 병원 안에서는 보는 눈이 많아 꺼려하면 밖에서 따로 만나 노조의 필요성에 대해 설명했다. 밤새 돌아다니면서 받은 가입원서였다.

병원 간부들은 노조 가입을 못하도록 협박했다. 부서별로 책임자를 두고 "가입하지 마라.", "너희들 뿐 아니라 후배들도 취직하기 힘들어진다."며 위협했다. 하지만 '빨갱이' 소리를 들으면서도 '뻔뻔하다' 는 소리를 들어도 노동조합 기반을 닦기 위한 노력은 계속되었다. 가입원서 받는 것 자체가 투쟁이었다.

뻔뻔하지 않으면 못했을 정도로 가입원서 받으러 다닐 때 수모를 당했어요. 함부로 말하는 사람도 많았거든. 환자와 보호자, 일하는 사람들 많은 데서 "저것들 또 받으러 왔다." 하면서 함부로 말했고. 그때는 정말 모두가 미쳤던 거 같아요. 그래도 더 강하게 나가니까 나중에는 못 건드리더라고. (구술자 J)

특히 소외받았던 사람들, 직원수첩에도 안 나왔던 사람들이 가입을 많이 했어요. 청소하고 급식과 아줌마들, 환자 운반원들은 직원취급도 안 했어요. 그래서 직원수첩에도 없어. 그 사람들이 물밀듯이 온 거야. 보건직 같은 경우도 내가있으니깐 웬만한 사람들 다 가입하고. 임상병리과도 그때 조직적으로 했던 사람이 있어서 가입 다 받아온 거야. 간호부는 전덕례 씨 서울대 후배들이 많이 받아와서 순식간에 몇백 명이 넘었어요. (구술자 S)

병원 관계자들은 노조 설립을 주도했던 이들을 회유하고 협박했다. 대학 교수들이 찾아와서 훈계하고, 후배들 취업길 막힌다고 협박했다. 취업할 때 소개했던 사람부터 가족까지 동원하여 노동조합에 가입하는 것을 방해하였다. 노동조합 설립에 공이 큰 상징적 인물들을 승진시키는가 하면 열심히 했던 열성 조합원은 승진에서 제외시키는 방법도 썼다.

처음 설립할 때, 다른 사람 다 가입했는데 저는 안 했어요. 왜냐하면 저는 총무과 교수님 아는 사람 소개로 들어왔기 때문에 '니가 감히 어떻게 거기를 나가냐' 그래서 노동조합에 가입하지 못하고 혼자 있다가, 한 3개월을 두고 보다가 도저히 안 들어가면 안 되겠다 싶어서, 저 스스로 찾아 갔어요. 노동조합에 가입하고 난 이후에 싸움을 하는데, 우리 신랑한테 찾아가고 전화하고 아버지한테 연락하고, 가족을 총동원 하는 거예요. (구술자 C)

하지만 조합원 모두 해고, 구속을 두려워하지 않고 '무방비' 상태로 활동했다. 각 부서에서 조합 가입자를 탄압하였지만 워낙 많은 수가 가입하였고 대항하는 힘도 컸기 때문에 병원 측에서도 어찌하지 못할 상황이었다.

저 같은 경우도 처음 노조 만들어가지고 병원 바닥에도 앉고 우리 아이 업고서 병원장실도 쳐들어가고 그랬거든요. 그랬더니 우리 학교의 학과장님까지 저를 찾아와가지고 간호사로서 창피하지 않냐, 어떻게 시장아줌마도 아니고 바닥에 철퍼덕 앉고 그 다음에 애를 업고 원장실에 가고 그러냐, 할 거면 이성적으로 해야지 그게 말이 되냐. 사실 저희 후배들한테도 미안한 게 남아 있어요. 나중에 저희 동기 애들하고 만나니까 저희가 노조 앞장서고 나서부터는 우리 서울대 출신들 취업이 어려웠대요, 서울대병원에. 특히 학생운동 하는 애들은 완전히 안 될 것 같고. 그러면서 어떤 애는 언니 한번 만나서 따질라 그랬다고 하더라구요. 나중에는 미국의 노동조합이든 회사든 내가 원하는 데가 있으면 다 보여주고 만나고 싶은 사람 다 만나게 여행을 가서 하게 해주겠다는 얘기까지 하더라구요. (구술자 D)

처음에는 의사들도 노조에 가입을 했다. 주로 가정의학과 의사들이었다. 이들이 노조에 가입하자 병원 측은 가정의학과를 폐지하겠다고 협박했다. 의사들은 이 협박을 견디지 못하고 바로 탈퇴하고 말았다. 이후 1988년 규약개정으로 전문의와 수련의를 조합원 가입 범위에서 제외하였다.

3) 왜 노조를 만들었나

근로기준법이 지켜지지 않았던 서울대병원

1970~80년대 한국 노동자들은 개발주의(도시화, 기계화), 국가주의(관료 중심의 통제, 지배 등), 반공주의(자본 주도의 민족주의)라는 지배이념으로 포섭 · 동원되었다. 물론 지배이념은 구체적인 정책에 따라 시대별로 달랐다. 반공주의가 1948년부터 기승을 부리다가 한국전쟁을 거치면서 확고하게 뿌리를 내렸고, 개발주의는 1961년 군부쿠데타 이후 5년 단위의 경제개발정책을 추진하면서 본격화되었다. 박정희 정권의 경제정책은 관료의 주도 하에 노동자들에 대한 장시간 저임금 노동착취를 구조화하였다. 박정희 정권은 한쪽에는 반

공주의 정책으로 다른 한쪽에는 개발주의 정책을 내세워 국가주의의 실질적인 토대를 강화하였다. 그래서 국가주의는 1948년부터 친일파나 그 후손, 그리고 미국에서 유학했던 사람을 중심으로 관료적인 지배체제의 터를 닦아 오다가 1972년 유신체제의 수립과 함께 본격화된 한국적 이데올로기로 만개하였다. 한국적 민주주의, 한국적 민족주의, 혹은 한국적 가치 등은 국민들의 일상생활을 지배하고 국민의 다양한 생각과 행동을 빨아들이는 절대적 힘으로 작용하였다. 각종 한국적 이데올로기는 노동자들을 개발주의, 국가주의, 반공주의라는 의식의 감옥에서 쉽게 벗어나지 못하게 하였다.

1960~70년대 근로기준법의 보호로부터 배제된 노동자 집단이 다수였고, 법적으로 보장된 노조 결성, 휴가, 노동시간, 최저임금 등 권리는 고용주와 정부의 자의적인 전횡에 의해 언제든 묵살될 수 있었다. 가부장적 전제적 권위가 지배적이었다. 특히 이런 지배의 주요 대상은 여성노동자들이었다. 여성노동자들이 10시간 이상의 장시간 노동으로 녹초가 되어 통근버스를 탔을 때는 지쳐 움직이지도 못하였다. 때문에 노동에 의해 자기 삶이 변하고 노동조건이 변해야 한다는 생각을 갖는 것조차 쉬운 일이 아니었다. 보건의료부문의 노동자들도 마찬가지였다.

사실 노동조합 생기기 전에는 서울대학병원의 규정이 간호사들 나이트 수당 같은 게 근로기준법과 전혀 상관이 없었지요. 이를테면, 시설 아저씨라던가, 청소하는 아주머니들, 이런 분들의 각종 수당도 전혀 없었고, 대신 간호사들은 일률적으로 얼마, 그런 형태였기 때문에 근로기준법에 명시된 거조차 전혀 보장하지 않고. 근로기준법 지키지 않아도 그게 전혀 문제가 되지 않았던 거고. (구술자 A)

노동조합이 생기고 나니까 그동안 말도 안 되는 조건에서 일했다는 걸 알았던 거죠. 대표적인 게 당직. 임상병리과 같은 경우는 통상근무니까 아침에 출근하고 저녁에 퇴근하잖아요. 토요일 일요일에 응급실이나 혈액은행 가서 당직을 해야 해요. 그때 당직비가 2,500원이었어요. 시간외근무라 법적 수당을 줘야하는 건데 일괄로 당직비를 계산해서 준 거죠. 저는 집이 멀었는데 그걸로는 차비하고 밥값도 부족한 금액이었어요. 그래서 노동조합 만들고 나서 제일 먼저 한 게 3년치 미지불수당 청구소송인 거죠. (구술자 T)

정부와 병원은 국제노동기준을 무시하면서 보건의료부문 노동자들을 착취하고 탄압하였다. ILO권고안 제157호(1977년)에 따르면, 보건의료부문에 종사하는 노동자들은 아래와 같은 기본적 권리를 보장받아야 했다. 첫째, 보수는 생계비의 변동과 국내 생활수준의 향상을 고려하여 수시로 조정되어야 하고, 그 보수는 우선적으로 단체협약에 의하여 결정되어야 한다.(25조) 둘째, 일반 근로자의 통상 주당 노동시간이 40시간을 넘는 경우에는 1962년의 노동시간 단축 권고조항인 제9조에 따라 간호사의 보수를 줄이지 않고 노동시간을 점진적으로 그러나 가능한 한 빠르게 주40시간까지 단축하기 위한 조치가 취해져야 한다.(32조) 셋째, 충분한 식사시간을 주어야 하고, 통상노동시간에 포함된 충분한 시간의 휴식시간을 주어야 한다.(34조)

서울대병원노동조합이 1988년 3월부터 5월까지 조합원 의식구조 및 노동조건에 관한 설문조사를 하였는데, 그 내용을 보면 단체협약을 체결한 후인데도 근로조건과 시간에 대해 만족하지 못하는 경우가 60.6%였다. 점심식사 후 활용할 수 있는 시간은 15~30분(30.42%), 15분 이내(46.33%)였고 병원 내 현재 직원휴식공간과 시설에 불만을 가진 경우가 95.81%였다. 노동자가 쉴 공간이 거의 없다고 볼 수 있다. 지하식당 가격에도 불만을 가졌다(76.24%). 급식과 인원을 충원해주지 않고 지하식당을 임대해 준 이후에 식사의 질과 양은 더 나빠졌다.

환기도 문제였다. 병원이라는 공간이 위생적이어야 하고 병원노동자 근무를 위한 안정성이 확보될 수 있어야 하지만 환기가 제대로 안되거나(59.18%) 전혀 안 되는 곳(19.06%) 투성이었다. 때문에 근무지에 대한 위험도를 느끼는 경우가 72.83%에 달했다.

이러한 상황이니 근무를 마치면 상당히 피곤하거나(47.44%), 쓰러질 정도로 피곤함을(8.32%) 느꼈다. 일을 끝내고 집으로 돌아갈 때는 잠에 빠져 버스 창에 머리를 콩콩 박으며 잠들었고 내려야할 곳에 내리지 못한 채 종점까지 가기 일쑤였다.

지속되는 장시간 노동으로 입사 후 건강상태는 악화되었다. 없던 병이 생겼다. 변비(31.23%), 두통(7.61%), 피부병(4.61%), 불면증(4.51%), 다리통증(20.14%), 호흡기 질환(5.59%), 눈병(4.09%), 신경쇄약(3.37%), 기타(월경불순 외 12여 종 18.85%). 서울대병원노동자들은 종합병원 자체였다. 하지만 일하다가 몸이 아파도 94.93%의 노동자는 참는다고 했다.

전체직원 중 여성이 대다수를 차지하는 병원에서 여성들은 74.02% 이상이 차별을 경험하였다.

같은 일을 하면서 근무수당이 적거나 호봉 차이가 나고, 근무 연한과 관계없이 여성만 승진기회를 주지 않고 말단으로 묶어두는 경우가 많았다. 생리휴가를 받지 못하는 여성노동자가 73.78%나 됐는데, 생리휴가를 못내는 이유는 근무시간과 인력 때문에(48.52%), 상사의 압력에 의해서(29.11%)였다. 휴가를 낸 뒤에는 은밀한 압박과 반말을 들어야 했다. 이러한 현실을 반영하여 노동조합 여성부가 중점을 두어야 할 사업으로 승진 · 차별 등 직장 내 여성차별 근절(36.44%), 바람직한 여성상에 대한 교육활동(28.88%)을 꼽는 조합원이 많았다.

영등포병원 사정은 더 열악했다. 영등포병원으로 전보되는 것을 꺼리는 본원 노동자가 95.31%에 달하는 것만 보더라도 알 수 있다. 만약 영등포병원으로 옮겨야 한다면 그냥 남아 항의(26.23%), 병원을 그만두겠다는(9.36%) 경우가 있었고, 가야 한다면 현재보다 나은 조건의 대우를 해줘야 한다(69.39%)는 것이다. 실제 영등포병원 간호사 조합원 설문지 결과를 보면 출퇴근시의 어려움과 과도한 인력난, 열악한 근무환경 등으로 불만이 많았다. 지금의 중마루공원 자리에 위치했던 영등포병원은 시립병원으로 서울대병원이 위탁운영을 하고 있었고, 서울대병원 노동자들은 파견 형태로 근무를 하였다. 영등포병원은 인력충원 대신 실습학생을 활용하고 있었다. 출퇴근길도 문제였다. 여성들이 마음 놓고 다니기 힘든 주변환경이 가장 심각했다. 남자가 쫓아온 경우도 있었고 술집 앞에서 욕을 하거나 희롱을 당하기도 했다. 도난사고도 가끔 있었다. 병원에서 시달리는 것도 힘든데 출근길에 긴장과 경계로 늘 스트레스에 시달렸다. 주변환경 정리, 퇴근차 운행, 가로등 · 출퇴근 시 안전요원 배치 등 요구가 빗발쳤다. 병원 시설도 문제였다. '선풍기 한 대' 로 해결하고 있는 '냉난방 대책' 과 식사할 시간도 없는 상황에서 일을 해야 했다. 100% 나일론 바지와 가운이 비오듯 쏟아지는 땀에 감겨 살갗에 들러붙어 의자에 앉아도 올라오지 않는 바지를 입고 근무해야 했다. 노동조건이 이러니 '병원근무가 죽기보다 싫어진다' 고 답한 노동자도 있었다.

서울대병원 직원으로 파견근무를 하는 것이므로 서울시 차원에서 인력이나 기타 경비가 정해져야 한다는 것은 사실상 차별이었다. 파견근무 자체를 없애는 게 어렵다면 최소한 비슷한 환경에서 일할 수 있도록 해야 한다. 대우, 승급, 승진, 근무조건, 출퇴근문제를 적극 개선하고 시립 수준에서 해결하기 어려운 문제는 본원에서라도 예산을 세워 지원해야 하는 것이다. 그런데 관리자들은 노동조건 개선을 위한 노력을 기울이지 않는다는 게 문제였다.

최저생계비에도 미치지 못했던 임금

병원 측은 1989년 4월 24일 임시주보를 통해 "서울대병원의 노사관계 무엇이 문제인가?"를 만들어 환자, 보호자, 외래 환자들에게 배포하였다. 서울대병원 노동자들이 마치 거액의 임금을 받으며 불법 부당한 단체행동과 시위만을 일삼는 집단인 양 매도하기 위한 것이었다.

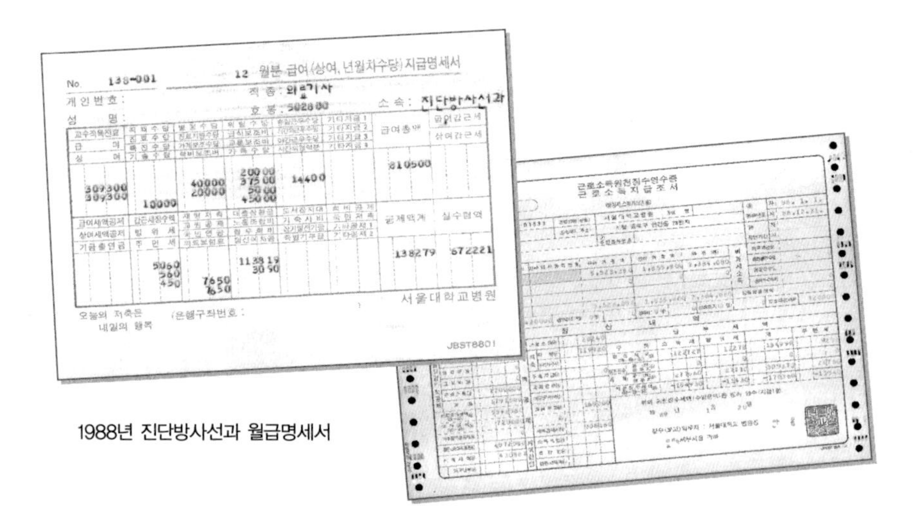
No. 138-001
12 월분 급여(상여, 년월차수당)지급명세서
개인번호 :
직종 : 의료기사
성명 :
호봉 : 502800
소속 : 진단방사선과
309300
309300
10000
40000
20000
20000
37500
5000
45000
14400
급여총액 810500
공제액계 138279
실수령액 672221
5060
560
450
7650
7650
113819
3090
서울대학교병원
오늘의 저축은 내일의 행복
(은행구좌번호 :
JBST8801
근로소득원천징수영수증
근로소득지급조서

1988년 진단방사선과 월급명세서

병원이 작성한 임금표 (1989. 4. 25.「신새벽」)

(단위: 원)

	고용직 (사무보조)	간호조무사	고용직 (남자청부)	기능직 (전기공)	사무직 (6급)	보건직 (전문대졸)
초임	370,550	408,750	467,500	494,750	470,800	501,750
5년 경력	435,750	475,300	539,750	572,950	573,850	611,050

직원들이 연월차 휴가를 쉬지 않고 받는 수당을 포함하여 계산하였고, 실제 5년 경력자로서는 진급할 수 없는 수준의 직급을 기준으로 5년 경력의 임금표를 만들었다. 이외에 이보다 현저히 낮은 임금으로 불안정한 취업조건으로 수당, 상여금도 못 받는 임시직, 시간제 근무자는 아예 대상에서 제외하였다.

노조가 작성한 임금표

(단위: 원 / 월 상여금 중 체력단련비 포함)

		고용직 (사무보조)	간호조무사	고용직 (남자청부)	기능직 (전기공)	사무직 (6급)	보건직 (전문대졸)
초임	기본급	145,900	168,800	206,200	223,100	209,600	221,300
	수당	122,500	122,500	122,500	122,500	120,500	130,500
	월평균상여금	72,950	84,400	103,100	111,550	104,800	110,650
	계	341,350	375,700	431,800	457,150	434,900	452,450
5년 경력	기본급	157,600	180,500	221,400	241,100	232,800	248,400
	수당	152,500	152,500	152,500	152,500	160,500	170,500
	월평균상여금	78,800	90,250	110,700	120,550	116,400	124,200
	계	388,900	423,250	484,600	514,150	509,700	543,100

노조는 1989년 9월 서울시내 10개 종합병원의 각 직종별 임금수준을 비교한 결과를 신새벽을 통해 공개하였는데 서울대병원 노동자

의 임금수준은 최하위를 맴돌고 있었다. 오죽했으면 노동조합 결성 이래 몇 년간 임금인상 투쟁 구호가 "꼴찌를 면하자!"였을까. 아래 표는 노조가 조사한 것 중 7개 종합병원만 적은 것이다.

7개 종합병원 임금 비교표 (1989. 9. 22. 「신새벽」 속보)

기본급(월평균)

(단위: 원)

구분	서울대	연세대	한양대	고려대	강남성모	백병원	순천향
사무직 (대졸남자 군 경력자)							
초임	248,400 (493,100)	383,800 (601,860)	418,700 (595,490)	480,000 (832,000)	372,820 (625,200)	314,000 (565,410)	265,400 (529,350)
5년	343,600 (705,900)	436,300 (763,790)	495,700 (834,850)	555,000 (998,870)	416,820 (795,590)	371,500 (737,720)	290,100 (662,130)
10년	435,600 (868,900)	491,700 (984,690)	603,500 (1,060,680)	676,000 (1,336,240)	473,820 (1,001,210)	426,000 (866,000)	403,700 (1,001,130)
간호사 (4년제)							
초임	285,800 (560,200)	362,800 (632,700)	341,400 (621,320)	433,000 (769,450)	372,820 (631,230)	291,000 (533,870)	265,400 (529,350)
5년	373,100 (731,150)	415,300 (711,450)	418,400 (757,460)	583,000 (934,360)	416,820 (769,590)	348,500 (684,270)	290,100 (652,130)
10년	477,700 (928,050)	480,700 (994,600)	495,400 (935,030)	583,000 (1,117,670)	473,820 (927,210)	402,000 (800,000)	290,100 (797,350)
보건직 (2년제 남자 군 경력자)							
초임	232,800 (481,700)	362,800 (639,780)	326,000 (615,580)	439,500 (765,170)	317,820 (560,730)	291,000 (533,870)	265,400 (557,550)
5년	325,000 (659,000)	415,300 (800,830)	403,000 (756,080)	512,000 (926,130)	381,820 (759,630)	348,500 (704,270)	290,100 (654,500)
10년	418,200 (884,800)	480,700 (1,036,690)	480,000 (938,000)	584,500 (1,105,310)	443,820 (971,710)	402,000 (330,000)	290,100 (770,550)

간호조무사							
초임	168,800 (375,700)	218,800 (354,360)	221,000 (390,700)	280,000 (502,000)	232,820 (404,230)	210,000 (409,750)	190,900 (367,600)
5년	223,500 (487,750)	247,800 (448,190)	298,000 (448,190)	350,000 (652,080)	274,820 (488,680)	245,000 (516,200)	265,400 (491,970)
10년	242,600 (526,400)	282,200 (522,980)	282,200 (522,980)	392,000 (767,630)	304,820 (557,630)	280,000 (594,330)	265,400 (598,460)

제가 1985년에 입사했는데 임금이 워낙 낮아서 첫 월급이 25만 원인가 나왔어요. 집에서 깜짝 놀란 거야. 서울대병원이라면서 무슨 임금이 이러냐. 저는 사회초년생이라 돈에 대한 개념이 별로 없어서 많이 주는 건지 적게 주는 건지 모르는데 집에 어른들이 보기에는 말도 안 되는 거죠. 제가 공채 1기인데 공채 봐가지고 에이스들을 다 모아놓고 이렇게 열악하냐, 명예로 일하는 데냐. 그래서 노동조합 만들고 최대 요구가 서울에서 꼴찌를 면하자, 그게 구호였어요. (구술자 T)

고대나 연대 이런 데 임금이 훨씬 높았죠. 그런데 노조활동을 열심히 하면서 인상된 거죠. 그 당시는 임금인상이 많이 되던 시기였고, 서울대병원 임금이 다른 데 비해서 많이 올랐어요. 하지만 임금이 높아졌다고 해서 일하기 힘들지 않느냐, 그건 아니라는 거죠. 일은 훨씬 힘들어요. 노동강도가 훨씬 세졌어요. 저는 그렇게 일하라 그러면 못할 것 같아요. (구술자 P)

위에서 알 수 있듯이 애초 임금격차가 심해 몇 년간 열심히 임금인상을 하여도 다른 병원 임금을 따라가기 바빴다. 임금체계 자체에도 문제가 있어 기본급 비율이 다른 병원에 비해 낮았다.

서울시내 대학병원 임금체계 실태 (1990.10.17. 「신새벽」)

구 분	서울대	연대	한양대	백병원	순천향	중대
수당의 종류	위험, 기술, 근속, 가계보조, 급식, 교통보조, 가족	근속, 가족, 중식	위험, 급양, 병원, 기술	행정, 기술, 위험, 급양, 근속, 가족	조정, 급양, 위험, 근속, 가족	
호봉차액	사무,기술 5,800-10,000 기능, 고용 2,900-5,900	전직종 5,800-10,000	전직종 15,400	일반기술직 7,000-15,000 기능,고용직 7,000-12,000	일반직 11,100-75,100 기능직 3,600-43,400 용원 600-10,700	의료사무직 15,000-20,000 기능,고용직 7,000-18,000
상여금지급방법	기본급의 500%	통상임금 500%	기본급의 550%	기본급의 500%	기본급의 500%	기본급의 500%
체력단련비	기본급의 100%					
정근수당		기본급+직책 100-200%	기본급의 100-200%	기본급의 20~200%	기본급의 100-200%	기본급의 100-200%

아래의 표는 1992년 서울대병원 노동자들의 임금을 기본급, 통상임금, 평균임금으로 구분하여 정리한 것인데 몇 해간 임금인상 투쟁을 꾸준히 전개하였음에도 여전히 문제를 안고 있었다.

1992년 서울대병원 임금 평균표

구분	사무직	간호직	보건직	약사	기능직	고용직	간호보조	전체평균
기본급	521,580	449,780	468,410	494,310	362,690	308,400	278,550	406,030
통상임금	735,860	619,430	660,730	663,150	547,933	485,520	434,040	586,410
평균임금	996,650	844,320	894,940	910,310	729,280	639,720	573,310	789,430

서울대병원 노동자들의 전체 평균 기본급은 약 40만 원이었고, 전체 평균 통상임금은 약 58만 원이었다. 4인 가족을 기준으로 볼 때, 제조업 노동자 최저임금 수준의 약 50%에 불과했다. 또 다른 특징은

직종 간의 임금격차가 상당했다는 점이다.

불합리한 직급체계

서울대병원 노동자들은 자신의 노동이 정당한 평가를 받고 있는지에 대해 정보를 갖고 있지 못했다. 노동조합이 1989년에 실시한 설문조사에 따르면 본인의 직무, 인사, 보수 복무규정에 대하여 알고 있는 경우는 56% 정도였고 보수규정조차 모르는 이유는 규정집을 본 적이 없거나 보고 싶어도 없어서 볼 수 없었기 때문이었다. 그나마 자신의 보수에 대한 정보를 알게 된 것은 노동조합에서 내는 「신새벽」을 통해서였다. 노조를 설립하기는 하였으나 경험이 없던 간부들은 설립과정에서 병원 내 직종에 대해 알게 되었다.

저희도 노조 결성하고 나서야 알았지 이렇게 병원에 다양한 직종이 있는지 몰랐어요. 그리고 서울대병원노조 만들었을 때 신문에 딱 나온 게 뭐였냐면 서울대병원인 경우는 다양한 직종들이 모여 있기 때문에 이런 직종들이 모여서 노동조합을 하나로 이끌어 낼 수 있을지 그게 의심스럽다. 이렇게 나왔었어요. (구술자 D)

서울대병원에는 수많은 직종(세분하면, 50개 이상의 직종), 무학에서 석 · 박사까지의 학력 차이, 다양한 연령대, 임금 · 근로조건도 직종별 격차가 심해서 요구가 다양했다.

간호사들 내에서도 서울대 출신들과 그렇지 않은 사람들과의 갈등. 서울대 출신이 아닌 간호사들한테는 같은 간호사들이 선생님이라고 안 붙이는 문제. 서울대 출신이 아닌 간호사들에게 선생님이라고 붙이면, 서울대 출신 선배들이 너는 걔네한테 왜 그렇게 얘기를 하냐. 그리고 간호조무사들이 힘들게 고생하는걸 보면서 이게 개인적으로 풀어야 할 문제가 아니라 조직의 문제구나라고 생각했어요. 그래서 우리 병원 내부에서 민주화 부분이 필요하겠다 싶었죠. 그래서 노동조합이라고 하는 것을 만들어 보는 게 어떻겠냐! 이렇게 되었던 거예요. (구술자 D)

노조설립 이후, 임단협 요구사항을 결정하기 위해 공청회를 개최하였는데, 그 공청회장은 서울대병원의 노동조건뿐만 아니라 조합원들의 바람을 드러내는 자리였다. 특히 직재개편의 필요성이 드러난 자리였다.

임시직 문제가 제일 마음이 아팠어요. 예를 들면, 환자 운반하는 아저씨들이라든지 또는 설비 일하는 아저씨, 청소하시는 아주머니들이 몇 십 년을 임시직으로 계속 계셨던 거예요. 이분들이 "우리는 병원직원이라는 생각을 못하고 만년 임시직이다." 이런 얘기할 때 눈물을 많이 흘렸죠. 이분들이 얼마나 힘들게 살고 있는지 몰랐거든요. 환자 운반하는 아저씨들이랑 마주쳐도 그냥 인사만 했지 그렇게 힘들게 살고 있는지 몰랐거든요. 실제로 88년에 가장 요구가 컸던 게 직제개편이거든요. 그래서 직제개편을 하자고 그랬는데, 결국 우리 내부의 분란 때문에 좌절이 됐어요. (구술자 D)

서울대병원노동자들이 노동현장의 비민주적인 문제점으로 꼽는 것이 직급체계였다. 조합원들은 T/O제 폐지(52.34%), 직종간 호봉급(28.06%) 문제를 우선 고쳐야 한다고 요구했다. 노동조합 설립 이후 힘을 쏟았던 동일학력에 대한 직종별 차별대우 개선, 진급 시 성별 학력별 불평등과 승진기회 부족 개선, 같은 직종 내에서 남녀 차별대우 개선, 만년 임시직 제도 개선, 야근수당문제 개선, 야식문제

개선 등을 요구하고, 그러한 요구를 당연한 권리로 쟁취하기로 하였다. 이는 서울대학병원의 사무직, 약무직, 간호직, 전공의, 보건직, 기술직, 전산직, 의료기공직, 고용직 등 모든 직종 노동자들이 함께 참여하는 노동조합, 서울대병원이 활기와 우애가 넘치는 노동현장이 되도록 하는 과정이었다.

그때는 사무 기술직과 일반 운영직, 아무튼 각 직급별로 혹은 직종별로 불만들이 참 많았어요. 사무직은 사무직대로 고용직은 고용직대로. 그러니까 체계가 막 엉망이었어요. 병원에 돈을 주고 들어와서, 같은 고졸인데도 어떤 사람은 사무직이고 어떤 사람은 고용직이고. 또 어떤 사람은 보건직이거든. 아무튼 직종의 체계가 엉망이었어요. (구술자 O)

조합원들의 관심이 집중된 것은 직제 문제였다. 이를 노동조합 설립 초기, 서울대병원의 직제 실상을 노조가 조사한 자료를 기반으로 살펴보자.

서울대병원의 직제는 크게 셋으로 구분되었다. 사무 · 기술직을 하나의 직제로, 기능직, 고용직 따로 구분하였고 사무기술직은 사무직, 간호직, 약무직, 보건직, 기술직, 의공직, 전산직 등 7개의 직종으로 나뉘어 있었다.

노동조합이 분석한 직급체계의 문제점을 보면 첫째, TO제도에 문제가 있었다. TO책정이 아무리 이상적으로 되었다고 할지라도 변화하는 업무량에 대한 대처나 인사적체가 불가피하고, 합리적인 직무등급 분석이나 등급설정 기준이 명확하지 않아 TO제 운영의 기반이 충족되지 않는다는 점이다.

둘째, 직제, 직급 및 TO의 문제는 조직체계상의 문제와 TO배분의 문제를 나눠서 볼 수 있다.

우선, 조직체계상 ①직계와 직종의 분류기준이 직무에 의한 구분인지 학력에 의한 구분인지 명확하지 않고, 직종별 등급 구분도 일정치 않으며 신규채용 등급도 직종 간 달라 편차가 심하였다. ②학력 차이에 대한 일정한 규칙이 없었다. ③사무기술직과 기술 · 고용직을 구분하는 합당한 기준이 없었다.

다음으로 TO배분이 부적절했는데 ①기술직종의 TO가 중간이 평균인 것으로 보이나 대부분은 하위등급에 머물러 있어 승진적체가 불가피한 배분이었고, ②기능직계와 고용직계는 3등급만으로 구분되어 있어 실질적인 승진기회가 없으며, ③상위층(1급) TO가 사무직(전체 9명 중 사무직 6명)에 편중되어 있으며 1급 이상의 직책들은 의사직에 거의 한정되어 있었다.

사무 · 기술직 전체 직계현황

구분 / 등급	1등급	2등급	3등급	4등급	5등급	6등급	계	평균등급
정 원	9	40	177	487	671	130	1514	5등급
비율(%)	0.6	2.6	11.7	32.2	44.3	8.6	100	

기능직 직계현황

구분 / 등급	1등급	2등급	3등급	계	평균등급
정 원	83	196	78	364	2등급
비율(%)	22.8	53.8	21.4	100	

고용직 직계현황

등급 \ 구분	1등급	2등급	3등급	계	평균등급
정 원	73	281	331	685	3등급
비율(%)	10.7	41.0	48.3	100	

셋째, 승진제도의 문제인데 전체적으로 승진 기회가 막혀있고, 전근대적인 고과 평점제도로 일방적이고 주관적인 평가가 이뤄지고 있었다.

넷째, 호봉에도 문제가 있었다. ①직무급의 기준이 불명확하고 직능급과 혼합되어 있으며, ②너무 빨리 최고호봉에 도달하게 되어 장기근속자에 대한 우대가 없게 되어 있다는 점, ③기준급이 낮다는 문제를 안고 있었다.

1987년 단협에서 직제개편(안)을 1988년 5월까지 완성하여 노동조합과 협의하기로 합의하였으나 병원 측은 이를 미루고 있었다. 이에 노동조합은 6월말 각 직종에서 1명씩 선발하여 총 14명으로 직계연구반을 편성하여 대응하였다. 기존에 직제개편을 단행했던 산업연구원, 지하철공사 사례보고를 듣고 수련회를 하면서 분석하였고, 인사규정 검토, 타기관과의 비교, 합리적인 고과평점제에 관해 검토하였다.

하지만 직제를 통일하여 단일호봉제를 만들자고 했던 의지는 내부문제에 부딪쳐 성과를 내지 못했다. 대의원대회에서도 밤새 토론을 하였지만 청소, 급식, 간호보조 등 운영기능직에 대한 임금차별구조 철폐를 노동조합의 직제개편 대안으로 결정하지 못한 것이다. 직제개편 문제는 여전히 문제점을 안고 있고 노동조합 활동을 하는 데도 영향을 미쳤다.

그 당시에는 우리 병원뿐 아니라 다른 병원도 마찬가지였던 거 같아요. 처음에 단추를 어떻게 끼우느냐에 따라서 사회적으로 어떤 위치에 가 있고, 또한 사무직 같은 경우는 같은 수납을 볼 수도 있고 같은 연구 보조원일 수도 있고 같은 비서일 수도 있는데. 어떤 사람이 먼저 어떤 직종을 받느냐에 따라서 봉급차이가 나는 거죠. 일은 똑같이 하는데. 그 속에서 차이가 났죠. 예를 들면, A라는 친구하고 B라는 친구가 같은 수납에서 돈을 받는데 봉급이 다른 거죠. 봉급도 어떤 친구는 계속 같은 수준에 머물러 있는데 한 친구는 직종을 잘 받아서 계속 승진을 한다든지. 그럼 2, 3년 혹은 3, 4년 후에는 처음에는 진짜 적게 차이났던 봉급이 나중에는 쳐다볼 수 없을 정도로 연봉이 차이가 나는 문제. 그 다음에 이런 예도 있었어요. 파업할 때 간호사하고 간호조무사가 팔짱끼고 2층 로비에 나갔는데, 그게 또 큰 이슈가 됐어요. 어떻게 감히 조무사가 간호사 팔짱을 끼느냐, 이럴 정도로. 상상을 못했죠. 옛날에 그런 분위기였어요. 분위기 자체가 그래서 노동조합 생긴 게 물론 우리의 인권이나 등등을 주장하는 것도 좋지만, 직종 간의 차이와 불만들을 모을 수 있었던 게 사실 큰 성과였던 거 같아요. 지금 생각해보면 그런 갈등이 계속 있었어요. 그렇지만 노동조합하면서 많이 해소가 됐죠. (구술자 H)

'천사'라는 이름으로 가려진 산업재해

서울대병원노동조합 여성부가 1989년 가을에 조합원을 상대로 설문조사를 하면서 남녀 불평등이 가장 심하다고 생각되는 것 두 가지를 고르라고 했는데, 총 745명 중에서 466명이 승진과 승급의 차별, 217명이 인격적 모독(반말, 심부름, 희롱)이라고 답하였다. 이러한 불평등이 해결되지 못하는 원인에 대해서는 315명이 병원 경영자들의 인식부족, 385명이 사회에 깔려 있는 남녀 차별적 구조라고 답하였다.

이러한 상황을 반영하여 여성부는 그동안 병원이라는 이름아래 맹목적인 희생과 봉사만 강요당해왔던 여성에 대한 임금, 고용에 대한 차별, 산전산후휴가 등 모성보호, 기타 작업환경 등 여성 노동자들의 요구를 수렴하여 노동조합에 반영하고 여성 조합원들이 노동조합에 참여하게 함으로써 조합활동을 강화시키며 여성의 평생노동권을 보장받는 것을 목적으로 활동하였다. 여성 조합원이 많은 사업장에서 여성부의 모성보호권 쟁취 투쟁은 큰 성과를 이룬 활동 중 하나였다.

병원에서 일하는 노동자들의 산업재해는 다양하다. 우선, 여성노동자로서 누려야 할 권리를 박탈당함으로써 오는 문제가 있다. 하루 종일 서서 일하고 교대근무를 하기 때문에 유산, 사산이 많았고, 분만휴가가 4주밖에 안 되니 분만 전 쉬지 못하여 조산하는 경우도 많았다.

1989년 가을 조사결과에 따르면 여성노동자 745명 중 자연유산을 한번이상 경험한 경우가 53명이나 되었고, 인공유산을 경험한 경우도 42명이나 되었다. 대부분의 노동자는 유산에 직장생활 중 과중한 업무가 영향을 미쳤다고 생각하고 있었다.

여성부 같은 경우는 기혼여성의 모성보호나 생리휴가 같은 것을 확보하려고 했어요. 병원내의 탁아소 설립, 분만휴가, 수유시간 확보 같은 것을 요구하게 됐던 것 같아요. 여성부가 굉장히 큰 역할을 했어요. 저희도 처음에는 그런 문제를 개인이 감당하거나 헤쳐 나가야 할 일로만 여겼는데 의식 자체가 바뀐 거죠. 당시는 분만휴가가 4주였거든요. 그래서 간호사들이 조산이나 유산이 많았어요. 계속 서서 일하잖아요. 그리고 4주밖에 없으니까 분만을 위해 미리 쉬지 못하는 거예요. 미리 쉬면 아이랑 있을 날이 3주밖에 없으니까. 그러니까 조산이나 사산, 유산이 많았어요. 노조 여성부 활동을 통해서 그런 것들을 제기하고 휴가와 육아휴직을 쟁취하게 됐어요. (구술자 D)

노동조합 활동을 통해 여성노동자의 권리가 많이 확보되었지만 병원에서는 의사들이 여성으로서 겪는 고통을 '병'으로 보지 않는 경우가 많았다. 사산이나 유산 등을 고된 노동에 의한 결과로 보지 않았다.

병원에서 유산되는 경우가 많아요. 병원에서는 의사들이 유산은 태아 문제지, 엄마 문제가 아니다, 이렇게 치부해 버려요. 심지어 이런 애는 낳아봤자다, 그냥 죽을 애는 죽는 거다. 그리고 엄마들이 힘들어서 태아에 영향이 갈 수밖에 없는 부분과 관련해서는 전혀 고려되지 않는 측면이 있어요. 임신한 간호사가 진단서 끊어 달라고 해도 안 끊어줘요. 병가 안 된다고. 대신 임신했다고 하는 확인서 가져오면 바로 휴직처리해 버려요. 임신해서는 월급 안 주거든요. 그런데 병가 받으면 월급 똑같이 줘야 돼요. 또 병원은 생리휴가를 일괄적으로 주지 않고, 신청자에 한해서 줬어요. 그래서 눈치 보여서 신청을 못하는 거지요. (구술자 F)

심각한 산재 중 하나는 감염문제다. 병원노동자들은 병에 무방비 상태로 노출되어 있다고 해도 과언이 아니다. 유행성 감기 바이러스가 돌 때는 의료인들 먼저 예방접종을 하곤 했는데 그 과정에서 병에 걸리기도 하고, 주사바늘에 찔려 감염되기도 했다.

일주일 낮 근무, 일주일 저녁 근무, 일주일 밤 근무 식으로 교대로 일을 하다 보니 생체리듬이 깨진다. 수면장애를 달고 살았다. 1초를 다투는 병원에서 밥을 편하게 먹어본 적도 없다. 위장병은 기본이었다. 전 위원장 김유미는 지금도 밥을 빨리 먹는 버릇이 고쳐지지 않는다고 한다.

위장병, 수면장애, 생리문제. 우리끼리 그런 얘기를 했어요. 여자들이 독하니까 교대근무를 하는 거라고. 남자들 같으면 못할 거라고. 저도 신규 때 나이트 근무할 때 먹을 거를 무지 많이 싸가지고 간 적이 있어요. 밤에 쉬는 시간이 있을 줄 알고. 같이 일하는 간호사들하고 먹는다고. 근데 응급환자 계속 생기고 그거 막느라고 간식은커녕 앉아보지도 못한 거죠. 특히 서울대병원은 더하죠. 일반병동도 거의 중환자실이나 마찬가지로 중한 환자들만 오는 곳이니까. 그렇게 밤새 근무를 하니까 생체리듬이 안 맞아서 생기는 병이 많고 위상장애도 많지만 그런 거는 아예 보상도 못 받는 거죠. (구술자 D)

비민주성, 권위주의적 인간관계

서울대병원노동자들은 병원 내의 관리자들이 권위의식에 사로잡혀 있다고 생각하였다. 관리자들은 일터에서 아랫사람을 이해하거나 존중하지 않는 경우가 많았다. 그로 인해 노사관계에서도 충돌이 불가피했다. 노동조합이 생기고 많이 개선되었다고 하는데도 1989년 노동조합의 조사에 따르면 여전히 모욕적인 언사를 들은 경우가 50%에 달하고 있고 반말을 쓰며 하대하는 것은 기본이었다.

단체교섭 석상에서 크게 문제가 됐던 적이 있어요. 내가 결혼은 안 했지만 나이가 많았는데, 그때 원장이 반말을 했어요. 제가 개인적인 상황이 아닌데 왜 반말을 하느냐고 대들면서 이슈화되었고, 그것을 큰 문제로 삼아서 싸운 적이 있었어요. 교섭 석상에서 함부로 말을 많이 했거든요. 의사들이 직종 낮은 사람들한테. 근데 그 사고 그대로 교섭 석상에서 반말을 한 거죠. 그래갖고 그 싸움은 크게 했었어요. 사과해라, 여기는 노동조합 간부로 나온 자리이기 때문에 이걸 받아들일 수 없다, 반말하지 말아라. 반말한 거에 대한 사과를 해라. 그쪽에서는 교수한테 어디 덤비냐, 반말 좀 했거늘. 그 나이면 뭐 어떠냐 반말하면 할 수 있는 나이다, 이러면서. 그 싸움도 한 며칠 갔죠. 그때 원장은 옷도 다 찢어지고 그랬어요. 그 사람들한테는 상상하기 어려운 상황이었어요. (구술자 I)

특히 간호사들은 병원 내의 위계질서 속에서 자유로울 수 없었다. 오랫동안 병원은 의사를 중심으로 그 밑에 간호사가 있는 구조로 인식되어 왔고 복종을 요구했다. 간호사 내에도 위계질서를 확실히 세워놨다. 1991년 서울대병원에서부터 거부하기 시작하여 지금은 거의 사라진 간호사 캡만 보더라도 신분 차이를 드러낸 것이었다. 간호사가 쓰던 캡을 보면 줄이 있는데, 한 줄이면 간호조무사, 두 줄이면 2년제 전문대학을 졸업한 간호사, 세 줄이면 4년제 대학을 졸업한 간호사로 등급을 매겼던 것이다.

일터에서의 위계질서는 노동조합 활동을 하는 데도 그대로 드러났다. 노동조합 활동을 하다 보면 의사, 교수, 선배들과 부딪치는 일이 자주 있었다. 대학을 졸업한 지 몇 년이 지난 후에도 소위 대학의 교수는 노조활동을 하지 말라고 압력을 행사하기도 하였다.

간호대의 특성도 있는 것 같은데. 정말 치졸하고 말도 안 되죠. 졸업한 지 몇 년이 지난 졸업생한테, 너 노조 탈퇴 안 하면 후배들 앞길 막힌다. 이렇게 얘기하는 것이 말이 안 되죠 당연히. 근데 이게 먹히고 있다는 거고. 들어갈 때 각서를 쓰고 들어가고. 그리고 또 하나는 학생운동에 관여했던 사람은 받지 않아요. 많이 탈락했죠. (구술자 P)

또한 간호대학을 다닐 때부터 백의의 천사라는 허울과 전문직 이데올로기에 막혀 간호사가 노동자임을 자각하는 데 어려움이 되기도 하였다. 의료업무를 담당하는 조합원도 타 직종에 대한 권위주의적 태도를 갖고 있었다. 이러한 의식의 틀을 넘어설 수 있는 길은 노동조합을 통한 단결뿐이었다.

2 노동현장을 장악한 힘

서울대병원의 권위주의적 경영 형태는 노사문화에 그대로 발현되었다. 병원 곳곳에서 다양한 형태의 갈등이 나타났고, 노동조합 활동을 둘러싸고 나타나는 대립은 더욱 첨예하였다. 이러한 노사 간의 대립과 갈등은 임금협약과 단체협약으로 마무리되곤 하는데, 협약에 노동조합의 요구를 반영할 수 있는가의 문제는 누가 노동현장에 파고들 수 있는가에 달려있다. 노동조합 건설 초기, 병원 측과 노동조합은 서로의 힘과 권위를 병원 노동자들에게 검증받기 위한 조직적 싸움을 시작하였다.

자본은 노동현장에서 노동자들이 권력을 형성하지 못하게 하면서 노동의 생산성을 극대화하려 하고, 노동자들은 현장의 민주적인 힘을 바탕으로 노동의 권리를 실현하려 한다. 조합원 스스로 문제를 제기하면서 싸우고, 그 문제들을 해결하는 과정에서 노조 간부들이 개입하는 것이다. 서울대병원의 경우 급식과 투쟁, 간호부 주 44시간 노동 쟁취 투쟁에서 잘 드러난다.

그리고 노조가 조합원들의 요구를 받아 투쟁하며 조합원들에게 든든한 조직으로 뿌리를 내렸다. 노조 설립 직후 현안문제 해결을 위한 교섭을 진행하고, 최초의 임금 및 단체협약 체결을 내걸고 싸운 노조 인정투쟁, 노동조합 활동을 탄압하는 정부와 병원에 맞서 직권중재 철폐, 업무조사 거부를 외치며 싸운 투쟁이 그 대표적인 예이다.

1) 현안문제를 해결하라

서울대병원 노동자들은 1987년 7월 31일 노동조합을 결성하였다. 노조 결성 1주일이 지나서 노조 간부들은 8월 8일에 병원장을 상견례하였다. 관리자의 조합 가입 방해, 노조활동 방해를 뚫고 12일만에 조합원 1,000여 명이 가입하고 임시사무실과 상근자 2명을 확보하였다.

이를 기반으로 노조는 본격적으로 단체교섭을 준비하였다. 9월 4일부터 26일까지 열린 역사상 첫 번째 교섭안건은 "①근로기준법 위반사항을 즉각 시정하고 3년치 미지불 수당을 본인에게 지급하라. ②승진과 고용의 기준을 밝혀라. ③생계보조비(가계보조수당)를 지급하라. ④진료지원수당의 직종별 차등을 폐지하라. ⑤위험수당을 200% 인상하고 임시직에게도 동일하게 지급하라. ⑥정년을 직종과 관계없이 60세로 연장하라."는 여섯 가지였다.

년 9월, 현안문제 해결을 위한 첫 단체교섭

단체교섭 준비대회

교섭을 준비하는 것 자체가 투쟁이었다.

이 요구안은 전 조합원 간담회(근로조건 개선을 위한 부서별 발표), 설문조사, 청문회 등 다양한 의견수렴을 거쳐 만들어졌다. 1987년 8월 한 달 내내 뛰어다닌 결과를 모아 8월 27일 단체교섭 준비대회를 열었고, 9월 4일부터 교섭을 시작하였다. 교섭 중간중간 노조 간부들은 교섭 안건과 교섭 결과를 알리기 위해 조합원들과 수시로 보고대회를 열었다.

집회를 할 때는 기타를 잘 치는 홍영철 문화부장이 반주를 하고 사회자와 함께 노래를 가르쳤다. 「흔들리지 않게」, 「님을 위한 행진곡」, 「못생긴 얼굴」, 「금강산 함께 구경 가리라」, 「우리 승리하리라」, 「선봉에 서서」 같은 노래들이었다. 팔뚝질도 어색하고 가사 보느라 고개를 들지도 못하던 조합원들이 한두 번 해본 뒤에는 제법 폼이 잡혔다. 구호도 외쳤다. 앞에서 외치면 뒤에 '투쟁! 투쟁! 투쟁!' 후렴구를 붙이는 것에서 시작하여 요구

1987년 단체교섭 보고대회

를 외치는 것까지 스스럼없이 하게 되었다. 노동자들은 스폰지가 물 빨아들이듯 빠르게 배우며 변해갔다.

당시 문화부장이 홍영철인데, 얘가 시위할 때는 앞에서 기타를 치고 조합원들한테 가사 나눠주고 가르치고. 흔들리지 않게, 님을 위한 행진곡, 선봉에 서서. 팔뚝질도 다 했어요. 앞에 서서 예를 들어 투쟁! 투쟁! 투쟁! 이런 식으로 하면서 "여러분, 따라하시는 겁니다." 그러면 자연적으로 팔뚝질이 되는 거예요. 처음엔 어색했지만 노래들도 몇 번 하니깐 바로 알더라니깐요. (구술자 S)

다섯 차례 교섭이 진행되었지만 결국 결렬되었다. 9월 22일부터 병원의 성의 없는 교섭태도를 비판하면서 위원장은 단식농성을 노조 간부들은 침묵시위를 전개하였다. 9월 25일 서울대병원 노동자들과 노조 간부들이 파업하겠다고 병원 측에 통보하자, 병원은 그 통보서를 받고나서 다음날 단체교섭 합의서에 도장을 찍었다. 그리고 신분 차이를 나타내기 위해 가운의 허리끈을 끊어놓았던 것을 바로 원상회복하였고, 근로기준법 위반 사항을 하나하나 고쳐나가기 시작하였다. 하지만 여전히 미흡하였고, 병원은 노동조합 활동을 인정하지 않았다.

합의하고 그 이튿날 바로 진행된 게 가운 끈 떨어진 거 다시 붙여줬고, 근로기준법에 대해서는 자기네들이 옳지 못한 것들을 하나하나 고쳐나간 게 아마 3개월 정도. 그때 요구한 거는 당연히 고칠 수밖에 없는 거야. 예를 들면 시간외 수당을 제대로 안 줬어요. 방사선과 같은 경우 토요일에 6시간인가 일하면 1,500원 밖에 안 줬어요. 당직수당으로. 그런 걸 노동법에 명시된 대로 통상임금의 80~90퍼센트로 줘라. 간호사들은 10시부터 다음날 여섯시까지는 통상임금의 0.5배 더 붙여서 줘라. 그리고 급식과나 청소하는 아줌마들 새벽같이 나와서 13시간 노동을 하더라고. 우리가 현장조사 다 한 거야. 그리고 직원들로부터 부당한 대우나 법에 저촉되는 것들 다 수집을 한 거야. 그 사람들 13시간씩 하면서도 휴가도 못 가. 인사규정에 보면 6일인가 7일 주기로 되었는데 3일인가 밖에 못 받아. 그러니까 밑에 있는 관리자들이 지들 멋대로 사람 같지 않게 무시했던 거야. 그리고 시간 외도 예를 들어 4시간 했으면 1시간도 인정 안 해주고. 그런 거 다 고쳐놓으니 급식과 아주머니들이 너무 좋아가지고 매일 노조에 올라왔어요. 맛있는 거 사오고. 그러지 마라, 우리가 당연히 하는 거고 아주머니들 잃었던 권리를 찾은 거라고 얘기해도. 그때 굉장히 많은 일을 했죠. (구술자 S)

대부분의 요구가 관철되어 전보다 좋은 조건에서 일할 수 있게 되었지만 3년치 미지불 수당과 위험수당 문제는 해결되지 않았다. 이에 노조는 3년치 미지불수당 지급 소송을 시작하고, 나머지 문제들은 임단협에서 다시 요구하게 된다. 9월 26일 합의한 내용은 다음과 같다.

투쟁하는 조합원을 회유하고 협박했던 병원 측과 의사 · 교수들

1. 근로기준법 위반에 관한 사항

- 각종수당(시간외, 휴일, 야간 및 연·월차수당)은 근기법에 의한 통상임금기준 및 지급률로 '87.10.1 부터 시행함.
- 통상야간수당은 보수규정을 개정 후 '88.1.1. 부터 시행 지급토록 함. 단, '87.10.1 부터 소급 지급 여부는 병원 측이 이사회 안건으로 상정하여 최선을 다하기로 함.
- 1일 근무시간은 8시간 기준으로 하되 연장근로는 2시간을 초과하지 않는다. 부득이 2시간을 초과하여 근무해야 하는 경우에는 1시간 단위로 계산 지급한다. 단, 본인이 거부하는 경우는 강요하지 않는다.
- 교육시간은 근무시간 내에 실시하고 부득이 근무시간 외에 실시할 경우에는 시간외 근무수당을 지급한다. 단, 집합교육이 어려운 부서는 직원에게 근무부담을 주지 않는 범위 내에서 다른 방법을 강구키로 한다.
- 생리휴가는 본인이 신청하여 월 1회 실시한다. 신청방법을 사전에 근무상황부에 기록하여 소속부서장에 통고한다. 단, 부득이한 경우 당일 구두 통고할 수 있다.
- 분만휴가는 법정 60일을 지급하고 산후 30일 이상 확보되도록 한다.
- 재해요양보상은 근기법대로 시행하고 의무실을 활성화한다. 근무시 사고로 인해 검진이 필요하다고 인정된 경우는 무료 검진키로 한다.
- 연·월차 휴가는 본인이 신청하면 사용하고 미사용된 휴가는 수당으로 지급한다.

2. 승진과 고용에 관한 건

- 승진과 고용은 객관적이고도 정당한 기준으로 시행한다.
- 최소 소요연한이 경과한 직원은 T.O가 있는 대로 즉시 승진 발령한다. T.O가 없어 정체되는 직원들에게는 예를 들면, 가호봉 설정 등의 방법으로 보상할 수 있도록 향후 연구 검토한다.
- T.O 배분이 적절하게 될 수 있도록 검토하고 기능·고용직의 1등급이 없는 부서는 1등급 30명과 고용직 간호보조원 2등급 T.O 20명을 신설하여 87년 10월 31일 이내 실시한다.
- 임시직의 일당은 20% 인상조정하여 10월 1일부터 지급한다.

- 임시직 중 일정한 연수 및 공정한 기준에 따라 45명을 우선적으로 11월 31일까지 정규 발령하되 그 외 임시직은 89년 5월까지 정규직으로 발령한다. 임시직이 정규직으로 발령되면 임시직의 근무연수를 근속연수에 산입한다.
- 시한부 임시직의 경우 본인이 원하면 재계약연장을 할 수 있으되 그 업무의 성격상 객관타당한 기준이 있으면 재계약 연장이 불가능할 수 있다. 임시직은 임시적으로 꼭 필요한 업무에만 임시직을 채용한다.

3. 생계보조비(가계보조수당) 지급 건
   - 4급 이하 전 직원에 대하여 보수규정 개정 후 '88.1.1. 부터 월정 최소한 20,000원선으로 하후상박 원칙하에 탄력성 있게 조정 지급키로 함.
4. 진료지원수당(장기근속수당)건
   - 기능, 고용직의 장기근속수당은 3만 원에서 5만 원의 범위 내에서 4등급을 두어 보수규정 개정 후 88년 1월 1일부터 시행한다.
5. 정년에 관한 건
   - 정년이 50세인 사무, 기술직원은 55세로 연장하고, 기능 고용직은 58세로 하되, 1987년 12월 31일 이전에 실시한다.
   - 노조 측이 주장한 3년치 미지불 수당은 병원 측 재정상 지불이 불가하여 합의되지 않은 사항이며, 위험수당 역시 병원 측 재정상 합의되지 않은 사항임.

한편, 시급한 인력보충 문제가 해결되지 않자 급식과 노동자들이 농성을 벌였다. 서울대병원노동조합이 결성되고 난 이후 조합원들이 자발적으로 벌인 투쟁이었다. 그동안 '식당 아줌마'로 여겨졌던 노동자들이 노동조합에 대거 가입하였고 그 힘을 바탕으로 근로기준법에 따라 인력을 보충해 달라며 투쟁했다. 1987년 10월 21일부터 23일까지 농성하며 싸웠다.

급식과 노동자들의 노동조건은 참으로 열악했다.

옛날 밥차를 끌고 가려면 진짜 힘들었어요. 지금은 멜라민 식기잖아요, 옛날에는 철이었다고, 스텐. 얼마나 무거웠는지 팔 아프고 쑤시고. 그래도 지금같이 근골격계같은 거는 생각도 못했지, 감히, 그런 지식도 없었고 교육도 안 받았고. 근데 노조 생기고 나서 많이 배운 거죠. 그때는 그거 다 참고 했죠 뭐. 당연히 그렇게 하는 건가보다 하고. 무지하게 힘들었지. 식판 들고 내리고 하려면 완전히 중노동이야. (구술자 L)

이런 중노동으로 몸이 아파도 진단서가 없이는 병가를 낼 수 없었다. 병원에서 일하는 노동자가 골병이 들어야만 했던 아이러니였다.

진단서 없이는 병가가 안 되는 거예요. 요즘은 자체적으로 정말 아프다고 하면 3일 정도는 봐준다고 하는데, 옛날에는 감히 병가 생각도 못했죠. 저희가 휴가를 바꿔서 놀 사람들 것을 빌려가지고 며칠 쉬고 그런 거는 있었어도 병가 낸다는 건 생각도 못했죠. (구술자 C)

제가 급식과 근무했을 때는 저뿐 아니라 다 그런 마음으로 근무했어요. '죽어도 병원에 가서 죽는다.' 아파도 출근을 해, 아파도. 노조가 생기기 전에는 아프니까 편안하게 쉰다, 그런 거는 없었던 거 같아요. (구술자 L)

급식과는 환자식과 일반식을 나눠 일을 하고 있었는데 당시 인원은 환자식만 책임지기에도 부족한 인원이었다. 그래서 인력을 늘려달라고 요구하였는데 그 요구가 해결되지 않자, 급식과 조합원들이 내부 결의로 농성을 시작한 것이다. 노조에서 나서 24시간 동안 11차례 교섭하여 32명의 인력을 보충하기로 합의하였고 일반식은 임대를 주기로 하였다. 노동조합을 통한 승리를 맛본 경험은 노조에 대한 신뢰와 자신의 권리를 찾는 방법에 대한 확신을 가져다주었다.

급식과에서 사전 논의 없이 갑자기 파업에 들어간 거야. 노조에서는 준비도 안 된 상태여서 당황스러웠죠. 그러니깐 이 분들은 노동조합을 과신한 거야. 노조면 다 되는 줄 알고 기대도 컸고. 가봤더니 겨우 두 평 남짓 작은 방에서 옹기종기 있는 거야. 급식을 거부해 버린 거죠. 그 이유는 다른 거 아니에요. 서울대병원에 보면 급식이 직원식이 있고 환자식이 있어. 근데 그 인원을 가지고는 도저히 힘들어서 못한다. 그래서 관련 자료 가져오라고 해서 보니까 영 아닌 거야. 그 인원으로는 한 개로 합쳐야 할 수밖에 없는 거라고. 노동착취 한 거지 병원이. 그래서 부원장과 협상을 했죠. 내가 협상대표로 가서 양보 좀 하라했더니 안 된다 했어요. 결국 완벽하게 승리를 따냈죠. 직원식을 하던 인력을 환자식으로 다 몰아서 환자들에 전념을 하게 되고 직원식은 외주를 준거야. 거부하는 동안 관리자들이 카 밀고 올라와서 빵 나르고 난리도 아니었어요. 급식과 조합원들 대단했어요. (구술자 S)

급식과 노동자들은 노조 생기고 나서 변화한 것 중 가장 큰 변화를 인간적 대우를 받았다는 점으로 꼽았다. 그리고 노동조건의 변화를 몸으로 느끼고 있었다.

총무과 상사들 보면 옛날에는 우리가 코가 땅에 닿게 인사하고 설설 기고 이랬는데, 이제 노동조합 생기고 나서는 고개 들고 옛날처럼 죽어지내지 않고 큰소리 쳤죠. 조합이 있으니까 많이 의지했죠, 쫓겨나지 않는다, 그런 생각. 그러니까 인간답게 산다는 느낌을 받았던 거 같아요. 옛날에 비하면 많이 좋아졌죠. 그 전엔 진짜 하녀같이. 지금도 저희 상사들한테 하고 싶은 말은 하잖아요, 옛날에는 감히 못했어요. 눈치 보느라고. (구술자 C)

고용직이나 특히 급식과라든지 이런 데서는 계장 같은 사람들이 욕이나 폭력적인 방식으로 많이 했던 거예요. 근데 노조를 결성하면서 노사협의회 안건에도 올라가고 하니까 그런 사람들이 몸을 사리게 됐죠. "누구씨" 뭐 이렇게. 그전에는 "야", "누구야" 사십대 넘은 아저씨들한테도 그런 식으로 했던 거죠. "야, 이거 치워." 이런 식으로 했다가 누구씨가 된 거에요. 그분들은 그런 변화를 굉장히 좋아하셨어요. (구술자 D)

노동조합과 사전에 논의를 하지 않은 채 투쟁을 시작하고 사무직이 상황을 전혀 이해하지 못한 채로 투쟁을 진행하면서 사무직 노동자가 급식과 조합원들의 업무를 대신하면서 부서 간의 불신이 발생하기도 했지만, 1987년 급식과 조합원들의 투쟁은 굳센 단결의 모범이었고 노동조합의 근본적인 힘이 되었다.

그 힘은 노조 재정에도 실질적 보탬이 되었다. 당시는 단체협약 체결이 되지 않은 상황, 조합비가 없던 초기에 노조는 재정 부족에 시달리고 있었다. 간부들이 주머니를 털기도 하고, 부서별로 돈을 모아 노동조합에 들고 오기도 했다. 특히 급식과, 청부실 노동자들은 노동조합 생긴 후 임금도 오르고 사람 취급도 받고 있다며 그 돈을 모아 노동조합 활동비에 보탰던 것이다.

그때는 조합비가 없어서 걷었죠. 당시는 단협도 없으니까. 곳곳에서 성금이 왔어요. 각 부서별로. 특히 급식과나 청소아줌마들이 월급이 참 많아졌잖아. 그리고 방사선과 임상병리과 간호과 이런 데서 자동적으로 들어온 거야. 그래서 관리를 사무국장이 했죠. 그러면서 단협을 12월 26날 매듭을 짓고 정식으로 노조다운 노조를 시작하게 된 거죠. (구술자 S)

2) 미지불수당 되찾기 소송 투쟁

1985년부터 1987년까지 병원은 노동자들에게 시간외수당, 휴일수당, 야간수당 등을 지불하지 않았고, 노동조합은 법정 소송으로 지불되지 않았던 3년 동안의 수당을 요구했다.

당시 조합원들이 쓴 글을 보면 얼마나 열악한 노동환경에 시달렸는지 알 수 있다.

84년 9월 급식과 배선부에 임시직으로 취직이 되고 난 이후 직원에 대한 대우나 복지면에서 소홀함과 터무니없는 임금계산 등의 부당함에도 어디에 시정을 위한 건의는커녕 동료 간에도 하소연조차 할 수 없는 슬픈 상황이었다. 동절기 하절기에 관계없이 새벽 5시에 기상하여 6시 30분에 병원에 도착한 후 저녁 배식과 세척까지 하고 나면 거의 저녁 7시 30분 정도가 되고 집에 도착하는 시간은 9시가 지나서야 가능했다. 노동법에 명시된 8시간 근무제는 얼토당토 안 했으며 시간 외로 근무하는 오버타임제는 언급도 안 됐고 공휴일, 명절 등 어느 것도 해당되지 않은 어디에 기준을 둔 것인지 전혀 알 길이 없었다. 그 당시에는 임시직이기에 보너스도 없었으며 월급이 고작이었는데, 사실 최저생계비에도 못 미치는 실정이었다. (급식과 조합원)

1981년 11월 9일자로 병원 총무과에 입사한 이후, 행정 관리자는 하루 8시간 근무했지만 우리들은 오전 6시에 근무에 들어가서 오후 5시까지 근무를 했습니다. 이렇게 몇 년간 부려 먹었지만 딱 3년 것만 달라는 것도 죄가 되는지요. 노동조합이 결성되기 이전에는 행정관리원보다 두 시간, 세 시간 더 많이 근무하면서도 대우는 커녕 명령에 따라야 된다고 명령만 할 뿐. 행정실 근무자는 42~45일에 한 번씩 당직을 합니다. 우리는 5일마다 1번씩 근무하는 것을 당직이라고 해야 되는지요. 5일에 한 번씩 근무하는 것을 당직비다 하며 2,000원이 웬 말입니까. 일요일, 공휴일에 근무하는 것을 3,500원이 웬 말입니까. (청소부실 조합원)

핵의학 검사란, 방사성의 약품 또는 밀봉되지 않은 방사성동위원소를 사용하여 질병의 진단, 치료와 질환의 병태생리, 생화학적 연구를 하는 것인데, 장기간 방사능에 노출되는 의료기사들은 만발성 장해를 보이는 수가 있으며 그 결과, 백혈병, 피부암, 골종양, 갑상선암, 수명의 단축, 백내장 등의 발병이 일어난다고 보고되어 있습니다. 이러한 상황에서 조금이라도 근로조건의 개선을 위해 이미 일부 병원에서도 유해 작업부서 6시간 근무제의 시행을 뒤늦게나마 추진하고 있었습니다. 물론 우리 병원은 방사선에 대한 완벽한 차폐시설을 갖추고 있다고 하지만 방사선 장해는 즉시 그 증상이 나타나는 것이 아니라 많은 세월이 흐른 다음에 나타나는 것이기에 장래에 발생할 장해를 정확하게 예측할 수 없는 것입니다. 이와 같이 예상할 수 없는 방사선 장해를 줄이는 최선의 길은 8시간 근무에서 6시간 근무로 줄이는 길이라고 우리는 모두 믿고 기대하고 또한 꼭 그렇게 되어야 한다고 생각합니다. (핵의학과 조합원)

1988년 4월, 잃어버렸던 나의 노동을 되찾았던 투쟁

한 달 만에 어김없이 찾아오는 1주일간의 밤 근무는 가족과 주위 사람들과의 관계에 선을 그어놓게 되고, 이런 환경에서 고립된 자신의 생활방식에 적응하기 위한 싸움이 시작된다. 밤을 하얗게 지새며 중환자와 여러 환자에게 시달려 병

동 복도를 쿵쿵거리며 뛰다가 졸음과 피곤함을 견디지 못해 어느새 감겨진 두 눈, 혹시 밤 근무의 지친 모습이 환자에게 보여 신뢰감을 주지 못하는 것이 아닐까, 침대에 누워 곤하게 자고 있는 환자를 보았을 때는 잠시라도 잠을 청하고 싶은 충동에 사로잡힌다. 그런데 근로기준법에 통상야간 근무자의 수당이 통상임금의 50%로 명시되어 있음에도 불구하고 기본급의 15%인 1만 2천~3천 원밖에 지급되지 않았다. (간호사 조합원)

노동자들은 이렇게 힘든 노동을 하면서도 수당을 받아야 한다는 생각을 하지 못한 채 일했다.

안 주는 건 줄 알았죠. 그런 걸 전혀 몰랐죠, 우리는. 똑똑한 우리 노동조합에서 그거 밝혀가지고 그거 찾은 거 아냐? 근데 그거는 우리뿐이 아니라 다른 노조도 마찬가지일거야. 그러니까 많이 배운 사람도 미지급 수당을 찾아야 한다는 건 몰랐을 거야. 노조 때문에 알게 된 거지. (구술자 L)

1987년 9월 26일 현안문제 해결에 관한 교섭 합의에서 재정상의 문제로 미지불수당 지급이 합의되지 않아 노조는 소송하기로 하였다. 조영래 변호사에게 소송문제를 위임하고 10월 24일 법원에 임금청구소를 제기하였다. 처음에는 청구인은 총 958명(간호사 340명, 간호조무사 84명, 급식과 73명, 청부실 107명, 핵의학 · 진단방사선 54명, 중앙공급실 36명, 약사 20명, 약국과 진단방사선 일반직 · 임상병리 · 병리 · 특수검사 100명, 사무직 · 치과 · 간호부 고용직 144명)이었고 청구금액은 17억 5,000만 원이었다. 이후 더 많은 조합원이 공동으로 소송을 제기해 1,021명의 조합원이 참여하였다.

1988년 5월부터 각 부서별로 6~7회의 공판이 진행되었다. 병원 측은 "인계시간 인정할 수 없다, 당직비 2,000원 주지 않았냐, 정식 근무가 아닌데 왜 병원이 책임지냐"는 등 핑계를 대며 요리조리 피해 갔다. 한편으로는 소를 제기하지 않은 직원들을 "그냥 있으면 더 많이 챙겨주겠다."고 꼬셨다. 노동자 내부를 분리하고 조합원들의 마음을 흐트러뜨리려는 의도였다. 하지만 조합원들은 노동조합을 믿고 끈기로 버텼고 결국 승리하였다.

대법원 판결의 핵심은 "피고(병원)는 각 원고(조합)에게 그동안 지급하지 않았던 수당을 1987년 11 월 1 일부터 판결일까지는 연 5푼의, 그 다음날부터 완제일까지는 연 2할 5푼의 각 비율에 의한 지연 손해금(이자)을 지급하여야 한다."는 것이었다. 판결의 근거는 "통상임금의 범위는 본봉, 진료지원수당, 위험수당, 기술수당, 식대보조비이다. 시간급 통상임금은 월 통상임금을 월 소정 근로시간으로 나누어야 하는데, 그것은 월 통상임금을 225.9시간으로 나누는 것이다. 년 · 월차 수당은 통상임금 100%를 지급해야 한다. 생리휴가는 청구하는 경우에는 월 1회 생리휴가를 주어야 하나 여성 근로자가 청구하지 않았기 때문에 위법이라 할 수 없다."는 것이었다.

법정 소송한 1,021명의 직원 외에 미제기한 1,224명이 혜택을 보았다. 1992년 5월 12일, 최종적으로 간호조무사들에 대한 고등법원 판결이 나옴으로써 5년에 걸친 소송작업이 종결되었다. 지루한 기간이었지만 법정소송을 제기한 조합원이 잃어버릴 뻔 했던 권리를 되찾았으며, 서울대병원노동조합의 선도적 법정소송은 직종을 초월한 다른 노조에도 영향을 미쳐 속속 소송이 제기되었다.

3) 노동조합을 인정하라: 최초의 임단협 체결 투쟁

서울대병원노조는 1987년 12월 26일 최초의 임금 및 단체협약을 체결하였다. 7일간의 임시총회 파업 끝에 12월 7일 타결하고 26일에 조인식을 한 것이다. 그 원인에 대해 그 당시 간부의 이야기를 들어보면 핵심은 노동조합을 인정하라는 것이었다.

파업 원인이 노동조합 인정하느냐 안 하느냐였어요. 기본협약 체결문제. 그때 임금이 여덟 개의 종합병원 중에 최하위였어요. 노조에서 조사를 해서 다른 병원하고 비교 할 수 있는 근거도 생기게 된 거죠. 투쟁에서 가장 큰 이슈는 단체협약이었어요. 사회의 비리 같은 것이 대부분의 직장에서도 거의 엇비슷하게 나타나고 있었어요. 직장 내 민주화가 안 되어서 생기는 것들 때문에 사람들이 불만을 갖고 있다가, 노동조합 하면서 그런 울분을 폭발시킨 거죠. (구술자 O)

노동조합은 단체교섭 요구안을 만들기 위해 곳곳을 뛰어다녔다. 급식과 조합원들이 투쟁을 하는 동안에는 투쟁에 집중하면서 임단협 준비를 위한 팀을 가동하였다. 당시는 참고할 만한 단체협약 모범안이 없었기 때문에 한국노총, 노동사목 등 노동관련 단체를 찾아다녔고 거기서 소개받은 노조를 방문하였다. 50여 개 노조의 단협안을 놓고 꼼꼼히 검토하여 초안을 만들었다. 간부들이 모여 초독회를 몇 차례 진행하여 요구안을 완성하고 11월 들어 본격적으로 임단협 투쟁을 시작하였다.

일단은 전체적으로 규약. 두 번째는 단협을 만들어야 하는 거. 근데 그 당시 민주노조라는 것이 없기 때문에 단협을 어떻게 만들어야 하는지 모범답안이 없었잖아요. 그래서 제가 50개 되는 노조를 다녔어요. 어용이든 뭐든 상관없이. 여의도에 있는 한국노총도 가고. 거기서 소개해주는 노조 것이 서른 대여섯 개 되었고 이목희 씨가 하는 노동사목, 원풍 위원장 방용석 선생이 있던 신길동 가서도 받아오고. 또 노동운동하는 단체 가서 받아오고. 그런 거 보면서 초안을 마련한 거지. 해가 지나기 전에 해야 하니깐. 아마 한 달만에 마련해서 초독회를 몇 번 하고 내놓았던 거 같아요. 아마 그 당시 우리나라에서 최고로 잘 만든 단체협약일거야. 좋은 거는 어용이든 뭐든 다 뽑아서 참고했거든. (구술자 S)

부모님에게 드리는 글

우리들의 안타까운 이 극한 상황을 글로 표현하기에는
너무나 눈물어린 현실인것 같읍니다.
저희들이 "왜" 이렇게 하지 않으면 안되는가에 대해
저희들의 작은 심정을 전하려 합니다. 저희들이 주장하는
것은 오로지 임금인상 그것만을 위해서 모인것은 결코
아니라는 것을 꼭 전해드리고 싶어요.
우리의 관리자측의 비인간적인 행동에 대하여 우리는
눈물을 머금고 참아야 했읍니다 그런데도 우리는
불합리한 작업환경에 어떤 대응책도 없었읍니다.
그러기에 우리는 정당한 우리권리를 보장받기 위해서
이렇게 단식까지 하면서 뭉쳐야 했읍니다.
[illegible] 떠나는 딸에게 아버님께서는 하루속히 원만한 교섭
이 잘 이루어지기 위해서는 전조합원의 단결된 모습을 보여주어야 한다며
[illegible] 승리할때까지 투쟁해야 [illegible]

1987년 11월, 조합원의 대자보!
1987년 12월, 임시총회 중 원내행진(오른쪽 위)
단체협약쟁취 결의대회(오른쪽 가운데, 아래)

교섭기간 동안 조합원들은 스스로 초록리본 달기, 요구사항을 하나씩 적어서 명찰 패용, 야식 거부, 침묵시위, 완장 착용 등 준법투쟁을 진행하였다. 준법투쟁 실행률을 보면 간호부는 낮근무 시 70%, 휴일은 거의 100% 참여율을 보였고, 간호조무사는 100% 참여하였다. 그 힘을 바탕으로 노동조합은 12월 1일부터 무기한 임시총회를 시작하였다.

당시는 교섭을 하면 전 조합원이 참여하는 투쟁을 전개하는 게 일반적이었다. 교섭과정을 지켜보고 있는 것 자체가 병원 측에 압박을 주는 것이었다. 병원 측은 참관인을 제한하라고 요구하며 교섭에 임하지 않기도 하였지만 노동조합은 공개 참가를 활성화하였다. 교섭회의록을 소식지를 통해 공개하기도 하였다.

노동조합은 가을에 했던 현안문제 교섭 때보다 준비를 많이 했다. 체계적으로 요구안을 만든 것뿐 아니라 교섭 준비도 철저히 하였다. 임원과 간부들이 서로 역할을 나눠 병원장, 노조 측 교섭위원을 맡고 예상 질문과 쟁점을 뽑아 안을 만들고 모의 교섭 연습을 했다. 흰 천에 요구를 담아 머리띠도 만들어 매고 교섭에 들어갔다.

준비 많이 했죠. 나눠서 병원장 되고 임원도 하고. 예상 질문 다 뽑고. 그러니깐 병원에서 게임이 안 되는 거지. 의사들이 뭐 해봤나. 그때는 의사들이 다 나왔어요. 원장, 부원장, 기획실장. 병원의 고위층들은 다 나왔죠. (구술자 S)

서울대병원에 노동조합이 만들어지고 조합원들의 조직적 대응이 이뤄지자 병원 측이 상당히 당황하였음을 교섭에서 볼 수 있었다. 노동조합도 초기라 서툴렀지만 병원도 서툰 시기였다. 노동자들의 기

세에 병원 측이 눌렸던 때였다.

그때는 우리도 서툴렀지만 정말 병원도 서툴렀죠. 교섭장에서 우리는 간부들이 미리 준비하고 나오지만, 병원에선 자기네끼리 말을 안 맞추고 나와서 혼란스러워하던 경험. 그다음에 교섭 과정에서 위원장님한테 쩔쩔맸던 것. 거의 고양이 앞에 쥐 같던 상황이 자주 발생했죠. 당시에는 병원에서 생각지도 못한 일이 벌어진 거라서 대응을 잘 못했고, 우리 노동조합이 막 밀어붙일 수 있었고. (구술자 A)

서울대병원노동조합이 1987년 단협투쟁에서 요구했던 핵심 내용은 "유니온샵 인정, 근무시간 중 조합활동 보장, 조합전임자(조합원 2백 명 당 1인), 인사원칙에 관하여 사전에 조합과 합의결정, 소아청소업무 용역불가(단, 새로운 업무신설시 조합의 사전 동의), 징계위원회구성(병원, 조합 각 3명의 대표로 구성 및 의결), 기술수당(기능 · 고용직 신설 및 간호, 약무, 보건, 의공직 인상), 가족수당 1인당 15,000원씩 지급(특히 배우자에게도 지급), 체력단련비를 통상임금으로 지급, 보건직 6급의 폐지, 통근버스 운행시간 늦춤, 직원 진료비 감면, 야간근무자 식사제공, 진료지원수당 조정 등"이었다. 병원 측과 노동조합은 12월 임금 교섭과 함께 단체협약 체결 논의도 진행하여 협약을 체결하였고, 1988년 1월 13일부터 2월 17일 5차례 교섭을 더 하여 최종 마무리하였다. 노동조합 활동 확보에서 성과를 거뒀는데 그 핵심 내용을 보면 조합활동 보장, 위원장 포함 5인 전임자, 조합비 공제, 조합간부와 대의원 인사 시 노조 동의 등이었다.

임금협약체결의 핵심 내용은 다음과 같았다. 첫째, 1988년도 임금 인상액은 4급 이하 전 조합원에게 8~13.6%의 범위 내에서 하후상박의 원칙으로 적용한다. 둘째, 기능 고용직의 기초호봉을 40호봉에서 34호봉으로 조정하는 문제, 보건직 6급을 폐지하는 문제, 호봉 간 차액을 1만 원으로 일률 조정하는 문제에 관해서는 보다 근본적으로 해결하기 위해 현재 병원연구소에서 진행 중인 직제개편 연구작업에 노동조합이 참여하여 1988년 3월까지 직제개편 시안을 마련하기로 하였다.

1987년 노동자의 권리를 쟁취하기 위한 단체협약 체결 교섭

서울시내 대학병원 중에서 임금수준이 가장 낮았던 당시의 상황을 고려할 때, 최초의 임금협약은 노동자들이 노동조합을 중심으로 병원에 대한 지배력을 확보해 나갈 수 있는 계기였고, 정부의 가이드라인을 철폐시키고 스스로 임금을 인상시킬 수 있다는 투쟁의 경험을 실질적으로 축적할 수 있게 되었다.

노동자들은 노동조합의 필요성, 노동조합을 중심으로 한 단결의 소중함을 절감하였다.

급식과 주방은 여섯시 출근에 여섯시 퇴근이에요. 저 같은 경우 새벽 네 시에 출발해서 와야 가능한 거예요. 여기 오면 다섯 시 반 정도고 그때부터 일을 시작해야 해요. 시간에 맞게 환자 밥이 나가야 하니까. 말이 여섯시부터지 근무시간은 다섯 시경 정도부턴 거죠. 여섯시 퇴근이고. 노조 생기면서 여덟 시간 삼교대가 된 거죠. (구술자 C)

저희가 뭐라 그럴까 힘이 약했지, 그때만 해도 할 말도 못 하고, 사용자들한테 꼼짝도 못 하는 거지 말하자면. 그러다가 노조가 결성되고 나서는 대우가 많이 좋아졌지. 첫째는, 근무를 여덟 시간 한 거. 또 미지급 수당도 다 찾았고. 생리휴가 같은 것도 전혀 못 했는데 그것도 찾았고. (구술자 L)

1987년 최초의 임단투 이후, 1988년 3월부터 5월 사이에 진행한 조합원 설문조사의 결과에서도 조합원들의 노동조합에 대한 인식을 엿볼 수 있다. 83.11%가 자신이 노동자라고 생각하였으며, 노동조합이 필요하거나 꼭 필요하다고 응답한 사람들은 95.50%였다. 그리고 73.84%가 노동조합이 조합원으로부터 지지를 받고 있다고 생각하였다. 95.61%는 노조가 조합원들에게 이익이 되고 있다고 하였다.

단체협약 체결이 서울대병원 노동자들의 노동조건을 어떻게 달라지게 했나? 초기 2~3년 간의 단체협약을 기본으로 살펴보면, 첫째, 주당 근무시간이 변하였다. 1987년 이전의 병원 규정에는 주당 근무시간이 44시간으로 명시되어 있었으나, 교대근무자는 48시간 근무를 하였다. 이에 노동조합에서는 단체협약에 주당 44시간 근무토록 명시함으로써 실제적인 전 직종 주당 근무시간 44시간을 확보하였다. 둘째, 근로기준법 상의 법정수당(시간외, 휴일, 야간수당 등)을 쟁취하였다. 수당지급 기준을 기본급에서 통상임금으로, 지급률을 50%에서 150%로, 그리고 이후 3년치 미지불 수당 청구소송에서 승소하였다. 셋째, 노동자의 권리이자 복지라 할 수 있는 휴가를 다양하게 확보하게 되었다. 생리휴가, 유급휴일, 수유시간, 휴직, 청원휴가 등이 확대되었다. 그리고 교통보조비 신설, 탁아시설 확보, 진료비 감면 실시, 장해보상 등 복리후생조치들을 확대시켰다. 넷째, 근로조건 개선에 따른 인력을 새로 확충하게 되었다. 다섯째, 임시직의 정규직화가 이루어질 수 있게 되었다. 입사한 지 5년이 넘도록 임시직으로 있는 등 인건비 절약을 목적으로 노동권을 착취하는 만성적 임시직 제도를 철폐하고 89년 5월부로 전 임시직을 정규직원화 하였다. 여섯째, 노동조합이 인사문제에 직간접적으로 관여할 수 있게 되었다. T/O확보로 인한 승진기회 확대, 부당인사 이의제기, 노사동수 고충처리위원회 구성, 정년 연장(55세에서 58세로), 신규용역 규제 등이었다. 일곱째, 임금에 대한 정의, 내용, 기준 등을 변화시킬 수 있게 되었다. 통상임금 범위의 확대, 정기승급 및 장기근속수당 입사 익월 지급토록, 가족수당 지급액 및 지급대상 확대, 장기근속수당 사무 · 기술직 · 고용직 지급기준 통일, 가계보조수당 신설 등이었다. 마지막으로 노동조합의 활동이 보장되었다. 전임자 및 근무시간 조합활동시간 확보, 노동조합간부 인사 동의원칙 확보, 대의원대회 보장 등이었다.

4) 직권중재 철폐! 업무조사 거부!

서울대병원노동조합은 1989년 11월 14일부터 1990년 2월 9일까지 1990년도 임금인상 단체교섭을 진행하였는데 제12차 교섭(12.29) 이후, 직권중재 적용으로 파업이 유보되었다.[2] 직권중재제도는 공익

---

2) 노동조합은 노동위원회에 조정신청을 하여 소정의 조정절차를 거쳐 쟁의행위에 돌입할 수 있다. 그러나 필수공익사업은 조정기간이 만료되기 이전, 당사자의 동의 없이 직권에 의해 중재에 회부되어 쟁의행위를 하지 못한 채 단체협약과 동일한 효력을 갖는 중재재정을 받게 하는 제도다. 직권에 의한 중재회부 결정이 있게 되면 15일간 쟁의행위가 금지되며, 중재위원회가 제시한 중재재정이 위법하거나 월권인 경우 당사자는 중앙노동위원회에 재심을 요청하거나 행정소송을 제기할 수 있지만 번복되기 이전까지는 단체협약과 동일한 효력을 갖게 된다. 따라서 직권중재는 당사자의 자율적인 노동쟁의 해결노력을 중단시키는 극단적인 조치로 결국 노동쟁의를 종결시키는 제도였다.

1990년 1월, 투쟁하며 맞이한 설날! 동료들과 복도에서 함께 했던 대의원대회

사업장 노동자의 파업권을 제한한다는 비판을 받아 왔다.

1월 22일의 직권중재에 대한 조합원의 분노가 들끓었다.

병원 측과 정부는 직권중재를 내세워 이를 거부할 경우 집행부 구속, 이로 인한 노조 파괴를 노리고 있었다. 아니면 직권중재안을 수용하게 하여 임금만 조금 올려주고 말려는 얄팍한 술수였다. 또한 병원측 교섭위원들은 교섭석상에서 비행기, 배 그림만 그리고 앉아 불성실한 태도를 보이고 노조간부의 목을 조르는 상식에 어긋난 행동을 했다. 노동조합은 병원 관계자들을 용서할 수 없었다. 노조는 파업권을 원천적으로 봉쇄하는 직권중재를 거부하는 투쟁을 전개하기로 하였다. 임원진 4명이 22일부터 무기한 단식농성에 돌입하였고 24일 6명이 동

동참날짜	단식자 이름
1월 22일	김유미 위원장, 김태용(급식과), 서효순(간호부기능직), 이후민 부위원장
1월 23일	고미경(간호부 고용직) 대의원, 장은숙(간호부 간호사) 대의원
1월 24일	구연업(재활의학과) 문화부장, 송보순 조직부장, 정창영(약제부) 쟁의부차장, 노은주(간호부 간호사) 총무부차장
1월 29일	함은옥(간호부 간호사), 윤정희(간호부 고용직) 대의원, 원유경(간호부 간호사), 이미임(간호부 간호사), 김오순(간호부기능직), 신훈철(진단방사선과), 양철규(소아총괄과), 김재환(영등포임상병리과), 강은리(간호부기능직)법규부 차장, 차천기(총무과) - 29일 현재 총 20명

조단식에 들어갔다. 29일이 되자 단식투쟁 참여자는 20명으로 늘었다. 전임간부들을 제외한 조합원 단식은 근무를 하면서 시행하였고, 대의원들도 단식에 동참하였다.

병원 측은 무노동무임금 원칙 적용, 파업선동 직원 구속처리, 근무부진한 직원 T/O 반납 등으로 협박했지만 조합원들은 위축되지 않고 당당하게 2층 로비로 모였다.

"직권중재 노동악법 온몸으로 거부한다!"

"강철같이 단결하여 노조탄압 분쇄하고 민주노조 사수하자!"

550여 명의 조합원은 구호를 힘차게 외치며 민주노조 사수의 의지로 함께 어깨를 걸었다.

농성에 참여한 대의원들에게 병원 측은 무단결근이라며 협박했지만 날이 갈수록 더 많은 대의원이 참여했고 더 적극적으로 교육받았다. 이들은 일터를 돌며 조합원들과 직권중재의 문제점에 대해 토론하였다. 이러한 결과로 노조탄압 분쇄 결의대회가 사전 준비 없이 시작되었지만 조합원들은 모든 일을 제쳐놓고 모였다.

초기에는 직권중재 싸움이 서울대병원의 큰 과제였어요. 우리가 단체행동권을 행사하려면 직권중재 문제가 걸리니까 대신 임시총회라고 했던 거죠. 그리고 직권중재 철폐 요구하면서 20여 일 이상 조합원 단식을 하기도 했어요. 단식투쟁을 마무리한 다음에는 헌법소원도 했지만 철폐가 안 됐죠. 처음부터 직권중재 신경쓰다가는 파업이 안 될 거다, 오히려 불법이라도 파업을 사수하고 가자, 실질적으로 행동해야 한다고 강행한 거잖아요. 그걸로 인해서 결국에는 직권중재가 무력화 된 것 같아요. 아무리 직권중재를 내려도 계속 파업을 해대니까 결국에는 법이 있으나마나 무력화 됐던 거죠. 물론 그것 때문에 구속이 되기도 했지만 결국에는 노동법도

어느정도 바뀌게 되었잖아요. 우리가 행동으로 이 악법을 무력화시키자 했던 것의 결과 같아요. (구술자 D)

서울대병원노동조합은 직권중재에도 굴하지 않고 투쟁한 결과 임단협을 체결할 수 있었다. 법 조항은 있었으나 현장에서 파업으로 맞서니 무력화된 것이다.

그런데 연이어 정부는 업무조사로 노동조합 활동을 탄압하였다. 1990년 2월, 노태우 정권은 전노협 소속 노조를 중심으로 139개 노조에 대한 업무조사를 실시하였다. 서류제출을 거부하던 70개 노조를 고발하였고 심지어 거부를 이유로 위원장을 구속 수배하기도 하였다. 주)삼성제약 노조위원장 김은임은 구속되었고 한양대병원 노조위원장 차수련은 수배되었다. 서울대병원노조도 한양대병원, 파티마병원, 경북대병원, 동산의료원 노조와 함께 고발 되었다.

탄압이 멈추지 않았지만 업무조사 거부투쟁은 전국적으로 확산되었다. 해당노동조합들이 응하지 않아 정부가 실시일정을 연기하는 등 안절부절 못하는 모습이 보였다. 담당자가 노조간부들에게 따귀를 맞고 돌아갔다는 이야기, 안기부에서조차 이번 탄압방법은 실패라는 평가를 한다는 이야기가 들려왔다.

1990년 1월, 투쟁하며 맞이한 설날! 동료들과 복도에서 흥겨운 시간도…

서울대병원노동조합에도 1990년 2월 14일 서울시청 노정과 직원 2명이 노조 사무실을 방문하였다. 노조는 이미 2월

13일 대의원대회에서 부당한 업무조사 거부를 의결하였던지라 이에 응하지 않았다. 그래서 애초에 15일까지 끝내려던 업무조사가 다시 20일까지로, 또다시 2월말로 연기되면서 시청직원조차 그 타당성을 제대로 설명하지 못하고 그냥 되돌아갔다.

노동조합의 업무조사 거부 입장은 강했다. "노동조합은 자주적으로 단결한 조직인 만큼, 자체 회계감사나 의사결정으로 운영되는 자율성이 공식적으로 인정된 곳이다. 그러므로 노동조합법에 의하더라도 노조 내에 문제가 있을 때만 조사가 가능토록 제한하고 있는 것이다. 그럼에도 행정관청이 행하려 하는 현 업무조사는 납득할 만한 이유 없는 직권남용인 것"이며 정권이 노리는 것은 "전노협 탄압"이라는 입장이었다.

이를 반영하여 1990년 4월 노동조합은 대의원대회에서 업무조사 관련 노조의 자주성을 박탈하고 민주노조를 파괴시키는 음모임을 분명히 인식하고 부당한 업무조사는 끝까지 거부하고 이를 이유로 서노협과 전노협을 탈퇴하지 않기로 결정하였다. 대중적 행동을 보이기 위해 4월 2일부터 전 조합원 서명작업을 시작하고 리본달기, 피켓 시위 등을 단계적으로 실시하였다.

이렇듯 노동자들의 거센 반발과 투쟁으로 전노협 와해를 노린 업무조사는 실패로 돌아갔다. 서울대병원노조도 간부 3명이 업무조사 거부를 이유로 고발되었지만 강한 의지로 정부의 노동운동 탄압 정책을 물리쳤다.

5) 급식과 노동자들의 부당인사 철회투쟁

급식과 노동자들의 투쟁은 1990년 9월에 더욱 크게 일어났다. 9월 6일, 서울대병원은 급식과에 근무하는 윤봉자 조합원을 그릇을 깼다는 이유로 여청부실로 발령을 냈다. 당사자와 노동조합은 이를 부당인사로 규정하였다. 5년 넘도록 결근, 사고 한번 없었던 조합원을 그릇 몇 개 깼다고 인사조치하는 것은 이해할 수 없으며, 멜라민 식기 자체가 위생, 내수성 면에서 문제가 있다고 주장했다. 결정적인 것은 평소에 급식계장이 "노조원이 말을 잘 안 들으니 끝까지 달달 볶아 먹겠다."며 떠들고 다녔다. 노조는 그릇을 깼다는 이유로 배치전환하는 것은 병원이 내세우는 핑계일 뿐 윤봉자 조합원이 급식과 핵심 조합원이고 노동조합 활동을 열성적으로 했기 때문에 빌미를 잡아 탄압하는 것이라고 보았다. 부당인사를 철회하고 폭력을 휘두른 것에 사과하라고 요구했으나 병원 측은 사과는커녕 일을 더 키웠다. 급식과만의 고립된 투쟁으로 만들어서 부서 간 간극을 만들어 노조를 약화시키려는 의도가 보였다.

병원 측의 조치에 항의하여 노조와 윤봉자 조합원이 수차례 원장 면담을 요청하였으나 거절당한 상태였다. 그래서 14일 급식과 조합원들은 탄원서를 제출하기 위해 병원장을 방문하러 갔다. 그런데 방호과장이 이종희 조합원을 폭행했다. 격분한 조합원들은 '공개사과 및 부당인사 철회'를 요구하며 그 자리에 눌러 앉아 작업거부에 돌입하였다.

"부당인사 철회하라!", "폭력 방호과장 공개사과하라!", "고용직의 전보발령은 원하는 자에 한한다", "급식과장, 계장, 영양담당 퇴진하라!"는 요구를 걸었다.

이렇게 시작된 급식과 조합원들의 부당인사 철회투쟁이 1990년 9월 6일부터 10월 8일까지 전개되었다. 당시 급식과 직원 109명 중 조합원은 90명이었고 이중 85명이 9월 14일 오후 4시부터 2층 관리동 복도에서 철야농성을 벌인 것이다. 노조는 우선 상집 간부들이 이 투쟁에 적극 결합하였고 동시에 급식과 문제를 노동조합이 나서서 해결하지 않으면 이후 다른 부서에서도 같은 문제가 발생할 수 있다고 조합원들을 설득하기 위한 노력을 기울였다.

근로감독관이 나와 병원장에게 "①3개월 이내 급식과 복귀근무 발령하고 단, 윤봉자 조합원 대신 여청부실에서 급식과로 발령된 000 조합원은 급식과내에 T/O가 생기는 즉시 급식과로 재발령 ②폭력 방호과장 공개사과 ③고용직의 전보 발령은 원하는 자에 한한다."는 안을 제시하였다. 그러나 병원장은 "무조건 원대 복귀하라. 인사원칙은 병원의 고유권한이다." "고용직 내에서 배치전환은 병원에서 알아서 할 일이지, 직원 당사자의 합의는 절대 안 된다." "방호과장은 만나보지 않았다. 업무를 충실히 하려고 한 것으로 보고를 들었다. 사과를 권할 생각도 없다."는 입장이었다.

병원 측은 9월 17일에 급식과 조합원 85명을 업무방해 혐의로 고소하였고, 이에 맞서 노동조합도 병원의 인사비리, 입원수속비리 등에 대해 청와대 등에 진정서를 제출하면서 투쟁이 고조되었다. 조합원은 '부당인사 철회 승리대회'를 열고 급식과 조합원의 철야농성에 상집부서가 참여하였다. 병원 측의 고소 자체가 부당하다며 경찰의 출두 요구를 거부했다. 병원은 21일까지 자진해산하라고 했지만 농성을 풀지 않자 농성자에 대해 대기 · 전보 발령조처했다.

김유미 위원장과 윤봉자 조합원은 21일부터 부당인사 철회를 요구하면서 노조 사무실에서 무기한 단식농성에 들어갔다.

1990년 9월, 급식과 노동자들의 가열찬 투쟁

급식과 노동자들의 투쟁 과정에는 다양한 쟁의전술이 활용되었는데 집단 항의방문, 리본달기, 머리띠 두르고 작업하기, 배선차에 구호 붙이기, 검은색 티셔츠 입고 작업하기, 단식투쟁, 환자보호자 대상 선전, 대시민 가두 피켓시위, 서명운동, 급식과 순회 피켓팅, 타직종 대의원이 함께하는 철야농성, 상집간부 집단 월차 휴가, 가족의 농성장 방문 등이다. 철야농성 프로그램도 다양했다. 분임토의, 노동해방신문 만들기, 구호 · 노가바 만들기, 몸벽보 만들기, 편지쓰기(가족, 환자, 타직종), 작업장 순회, 새노래 배우기, 2분 발언(나의 살아온 이야기), 선전훈련, 장기자랑, 단체그림 그리기, 비디오상영, 사각조립, 글자 맞추기, 풍물놀이, 합동차례지내기 등 장기농성에 맞는 다양한 프로그램이 활용되었다. 당시 파업 일정표를 예로 보면 농성장의 하루를 엿볼 수 있다.

파업일정표

시간 \ 날짜	3월 15일	9월 24일	9월 27일	10월 2일	10월 3일(추석)
7	기상 세면 및 체조	기상 세면 및 체조	기상	기상, 세면 및 체조	
			급식과 순회 및 체조		
8	명상의 시간	명상의 시간	명상의 시간		명상의 시간
9	아침식사(식당)	아침식사	아침식사	아침식사	아침식사
10	결의의 시간 (새노래 배우기)	결의의 시간 (새노래 배우기)	결의의 시간 (새노래 배우기)	명상의 시간, 조회	가족에게 편지쓰기 및 발표
				급식과 순회	
11–12		피켓시위(식당앞)	급식과 순회 점식식사	2분 발언 (나의 살아온 이야기)	
1	점심식사(컵라면)	점심식사	휴식	점심식사	점심식사
2	노동해방신문 만들기	휴식	공동체가 돼 봅시다 (미니촌극·장기자랑)	조별 토론 및 작업 (선전문 작성)	풍물놀이
3		2차 보고대회 참여			
4			급식과 순회		합동차례 지내기
5			휴식		
6	저녁식사(식당)		저녁식사	저녁식사	저녁식사
7	편지쓰기 (환자·보호자에게)		전체평가 토론	선전 실습	윷놀이, 장기자랑 흥겹게 놀기
8		저녁식사(도시락)			
9	마무리 평가후 취침	마무리 평가후 취침	비디오 보기(깡순이)		
10	조장 모임	조장 모임	조장 모임	마무리 평가후 취침	뒷정리후 자유취침
11–12	상집회의	상집회의	상집회의	조장모임/상집회의	상집회의

병원 관계자들은 급식과 조합원의 집에 전화를 해 "지금 빠지면 산다.", "계속 농성장에 있으면 해고된다."며 가족들로 하여금 조합원들을 집으로 데려오라고 종용했다. 누군가 노조사무실로 전화를 걸어 "00의 아들이 교통사고 당했다." "○○의 어머니가 위독해서 입원했다."며 어처구니없는 협박을 했다.

그러나 조합원들은 이에 위축되지 않고 요구가 관철될 때까지 싸우겠다고 결의를 다졌다. 노조 임시대의원대회에서도 임금인상 투쟁에 필요한 기본 준비를 하면서 급식과 투쟁에 전념하기로 하였고 추석 연휴 기간 동안 각 조직위별로 농성장 방문 일정을 짜고 5,000원씩 걷어 추석선물을 마련하기로 하였다.

추석을 앞두고 위원장은 현장에 복귀해서 문제를 제기하면 어떨지 조합원들과 토론을 하였다. "우선 일하면서 해결해도 되는 거 아니냐."는 견해도 있었기 때문이다. 하지만 열심히 투쟁한 조합원들은 "파업을 해도 안 되는데 현장에 들어가서 일하면서 요구가 받아들여지겠는가."라며 반대했다.

이 문제를 갖고 계속 일주일 넘게 파업을 하고 있다는 것을 일반직원들이 이해하기가 쉽지 않은 거예요. 그러니까 그걸 병원 측에서 노린 거죠. 병원의 다른 부서는 다 움직이고 있고 급식과 조합원만 로비에서 농성을 하고 있었어요. 저는 이 싸움이 다른 부서나 조합원들이 공감하는 싸움이 돼야 이길 수 있다고 생각했어요. 그런데 사무직이나 이쪽에서 "아니 일단 들어가서 일을 하면서 해도 되는 거 아니냐. 병원 측에서 이렇게 고집 피운다고 우리도 그렇게 해야 되냐." 이런 얘기들이 나온 거죠. 여러 가지로 마음이 착잡했어요. 급식과 조합원들은 농성하면서 아픔, 지금까지 살아왔던 설움과 한들이 폭발이 됐고 또 다른 부서의 직원들이 잘 동참하지 않는 거에 대한 아픔도 느꼈을 거 아니에요. 저는 노조 위원장이니까 이 문제로 노동조합 내부에 분열이 생기면 어쩌나 걱정이 됐고. 그래서 제가 직접 조합원들과 토론에 들어갔어요. "우리는 사실 사과 금방 받을 수 있을 거라 생각했는데 그렇지 않다면 이 문제를 가지고 현장에 들어가서 싸우면 어떻겠냐." 그걸 갖고 토론했는데 열심조합원들이 문제제기를 했죠. "이렇게 파업해 갖고도 안 됐는데 들어가서 되겠냐." 그 다음에 추석 연휴가 있었는데 추석 다음에는 전체가 참여하는 국면으로 만들어가자고 했는데 추석 연휴 마지막 날 경찰이 들어온 거죠.(구술자 D)

농성 조합원들은 회의를 통해 "병원의 작전이 장기간 농성을 유도하여 최대한 많은 수를 이탈시키는 데에 있으므로 연휴기간동안 협박과 회유가 극에 달할 것이 예상된다. 따라서 연휴동안엔 꼭 가야할 사람만 교대로 집에 갔다 오고 대부분은 농성장을 지킨다."는 결정을 하고 5일간 연휴를 고스란히 2층 관리동 복도에서 보냈다. 차례를 준비하고 조상을 모셔야할 처지의 아주머니, 아저씨들이지만 농성장에는 50명 이상의 조합원이 있었고 합동차례를 지낸 추석날 저녁엔 타부서 조합원, 외부 방문객까지 포함 100여 명이 모였다. 무엇이 이들을 단결하게 하였을까.

하나의 사건 때문에 이루어 진 게 아니라, 배경에 깔린 사람들의 억눌렸던 감정도 기본적으로 있었기 때문에 급식과도 그런 사건이 일어났던 거 같아요. 사실 한 아주머니께서 그릇 하나 깼다고 해서 그런 큰 파업이 일어나진 않을 거거든요. 인간다운 대우를 못 받는 억울함이 여전히 있었기 때문에 그 계기로 인해서 급식과 조합원들이 막 일어나는 계기가 됐던 거 같아요. (구술자 O)

농성 21일째인 10월 4일 오전 10시 경찰병력이 투입되었다. 동대문경찰서는 2개 중대 240여 명의 경찰을 동원, 농성장소인 병원 본관 2층 관리동 복도에서 10분만에 농성자들을 끌어냈다. 63명의 조합원이 연행되어 김유미 위원장 등 3명은 업무방해 등 혐의로 구속하고 나머지는 훈방되었다.

동대문경찰서는 급식과 조합원들로 꽉 찼다.

"배고파요. 밥을 주세요!"

"내 신발 찾아오란 말이야!"

경찰 앞에서 조합원들은 당당했다. 위원장이 와서 직접 얘기하지 않는 이상 묵비권을 행사하겠다고 버텼다. 조합원들은 다른 사람이 시켜서 한 일이라며 핑계를 대거나 책임을 떠넘기려 하지 않았다. 어찌나 의연하고 당당한지 경찰들이 혀를 내두를 정도였고 '조합원의 전체 의사로' 파업을 했다는 김유미 위원장의 말에 면박을 주기도 했다. 조합원들은 다 자기가 했다고 하는데, 어떻게 위원장이 조합원들이 한 거라고 하냐고.

우리 조합원들이 의연하게 싸웠기 때문에 너무너무 당당한 거예요. 동대문경찰서로 다 잡혀갔거든요. 조합원들이 배고프다, 밥은 안 주냐, 이러고. 제가 묵비권을 행사하라 그랬더니 다 묵비권을 행사하는 거예요. 신발 잃어버렸다고 내 신발은 어디다 두고 경찰이 이게 뭐냐. 도대체 우리가 뭘 했기에 여기로 잡아오냐. 이랬더니 경찰아저씨들이 할 말이 없는 거예요. 경찰들도 "참 우리도 한심하네요. 뭘 해야 될지 모르겠네요." 그러면서. 나중에 제가 "이제 묵비권을 행사하지 않아도 된다. 이야기를 해라." 했는데 나한테 직접 얘기를 듣기 전까지는 안 하겠다고 김복선씨 하고 서효순 언니는 진짜 자기 이름도 얘기 안 하고 계속 버텼어요. 특히 복선이는 자기가 다 했다고, 자기가 다 한 거니까 책임지겠다고 그러면서. 저는 경찰한테 우리 조합원의 뜻에 의해서 전체적으로 결정해서 했다고 그랬더니 경찰들이 "어휴 조합원보다 못하네." 그랬잖아요. "조합원보다 못해. 어떤 조합원은 자기가 다했다는데 위원장은 어떻게 조합원이 했다고 그러냐? 솔직히 얘기해야지. 위원장이 그렇게 쩨쩨해갖고 돼?" 막 그러더라니까요. 이런 분위기에서 경찰들이 조합원들 입을 열게 하기 위해서 저한테 굉장히 깍듯이 대했어요. 그런데 조합원들 다 내보내고 난 다음부터는 때리고 치고 이러면서 집중 조사를 하더라고요. (구술자 D)

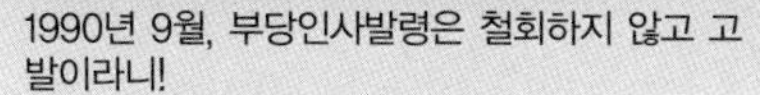
1990년 9월, 부당인사발령은 철회하지 않고 고발이라니!

1990년 10월, 부당인사 철회 및 구속동지 구출투쟁

서울대병원노조는 10월 8일 비상임시대의원대회를 열고 급식과 농성을 풀고 원직에 복귀하는 한편 60명의 대의원과 조합원이 참여하는 1주일간의 밤샘농성에 들어갈 것을 결정하였다. 조합원들은 경찰서에서 풀려나 피곤이 가시지 않은 채 다시 병원 2층 로비로 모여 철야농성을 했다. 하지만 더 이상 투쟁을 이어갈 수는 없었기에 2보 전진을 위한 1보 후퇴를 결정하고 현장으로 복귀하였다.

노조는 급식과 투쟁에 대해 "조합원이 주인인 노조는 조합원 하나하나를 돌보아야 올바른 노조다. 2,000명 조합원 중 단 한 사람이라도 부당한 일을 당하거나 고충을 갖는 경우 언제라도 노조는 그것을 해결코자 노력해야 함이 당연하다. 이를 게을리 하는 노조는 이미 그 필요성을 상실한 노조이며, 이를 해결하지 못하는 노조는 임금인상밖에는 달리 할 일이 없게 될 것이다."라며 의미를 부여하였다.

비록 결과적으로는 요구를 관철시키지 못하고 구속자를 남긴 채 전원 복귀하였지만, 급식과 조합원들은 투쟁을 통해 더 강해졌다. 노동조합에 대한 신뢰도 깊어졌다. 급식과 조합원들은 이후 노동자 투쟁에도 적극 결합하였다. 한 조합원은 노동자 집회에 양복을 빼입고 홀로 참여하였다가 대회 관계자들에게 프락치로 오해를 받은 적도 있다. 당시는 집회 장소에 경찰들이 노동자인 척 하고 들어와 정보를 수집하는 경우가 많았는데, 예사롭지 않은 차림에 노조 집행부도 없이 홀로 온 것이 오해를 불러온 것이다.

그 당시에는 조합원들이 토론을 많이 했던 것 같아요. 급식과 아주머니라든지 또는 나이든 아저씨들이 오히려. 한 조합원은 저랑 같이 집회에 가보고 감동을 받아 가지고 다음에 혼자 갔는데 거기서 잡혔어요. 그래 가지고 연락이 왔어요. 프락치로 보인 거예요. 그 조합원은 집회 원천봉쇄가 워낙 많으니까 더 멋있게 양복을 차려입고 간 건데 서울대병원노조 조합원이라고 하니까 좀 이상하게 본거죠. 양복차려입고 돌아다니고 있으니까. 조합원들이 저희 집행부 없이도 각종 집회에 가보고 갔다 와서는 상황을 저희한테 알려주면서 어떻게 하고 있더라, 뭐 하더라. 그런 거 보면서 와, 정말 대단하구나. 젊은 조합원도 아니고 나이 든 급식과 조합원들이 그렇게 변화되는 모습을 보고 정말 놀랐어요. (구술자 D)

6) 간호부 주44시간 쟁취투쟁: 간호근무시간 개악저지투쟁

근로기준법 개정으로 1990년 10월부터 300인 이상 사업장의 법정 근로시간이 주48시간에서 44시간으로 단축됐으나 3교대 근무가 많은 대부분의 병원에서 이를 시행하지 않거나 변칙적으로 시행하고 있어 문제가 되었다. 병원노련 발표에 따르면 300인 이상의 전국 병원 중 주44시간 근무제를 실시하는 곳은 절반도 안 되고 주44시간제를 실시하고 있는 곳도 실제근무시간은 주48시간이 대부분이라고 했다.

서울대병원에서도 1989년 체결된 단체협약 중 '교대근무자의 근로시간은 1주 44시간으로 하고, 각 부문의 교대근무자에 대한 구체적인 근무제도를 1989년 2/4분기에 정하되 1990년 1월부터 시행한다.'는 조항은 체결 이후 실무교섭에서 합의점을 찾지 못하고 교섭이 중단되었다. 1990년 상반기에 병원은 사실상 근로시간을 연장하는 개악근무 시간표를 제시, 교섭을 요구하여 노조에서 강력한 교섭투쟁으로 근로시간 개악의도를 무력화시킨 적이 있었다.

노동조합은 10월부터 간호업무에 종사하는 조합원들에 대한 근로시간 단축에 따른 휴가지급과 근무 인계시간(1일 1시간)을 근무시간에 포함시켜줄 것을 요구하였으나 병원 측은 근무시간 중에 휴게시간을 1시간씩 주는 방법으로 주44시간제를 실시하겠다고 했다. 그러더니 10월 29일, 근로시간 연장, 임금삭감의 결과를 가져올 개악된 근무시간표를 노조에 알리지도 않고 직원들에게 11월 4일부터 실시한다고 일방적으로 통보하였다.

병원은 근무시간 단축에 따른 인력충원과 수당지급을 피하기 위해 '매일 1시간의 휴게시간 삽입'이라는 편법을 썼다. 우리나라 노동법에서는 휴게시간이 근무시간으로 인정되지 않으므로 휴게시간을 포함하여 근무시간을 산정하게 되면 총근무시간은 1일 9시간으로 늘어나게 된다. 휴게시간이란 업무에서 벗어나 자유로이 이용할 수 있어야 하지만 간호부 병동 근무자는 업무특성상 정해진 휴게시간을 자유로이 사용하기 어렵고 식사를 위한 최소한의 시간도 확보되지 않는 경우가 허다하다. 그런 상황에서 쉴 수 없는 휴게시간을 삽입하여 그 시간을 근무시간으로 인정하지 않겠다는 것은 간호부직원들을 두 번 죽이는 처사나 다름없게 느껴졌다. 교대근무자의 출퇴근시간은 이르거나 늦기 때문에 그 어려움은 간호부직원들의 최대의 고충이다. 총근무시간이 연장되는 것도 문제지만 더 심각한 것은 더 이른 시간에 출근하고 더 늦은 시간에 퇴근해야 하는 상황인 것이다.

이런 상황에 대해 교대근무를 하는 모든 간호부직원들은 분노하였다. 노동조합 집행부가 구속되어 있는 어려운 상황이었지만 자발적으로 투쟁을 결의하고 조직하였다. 퇴근시간 후 간호사 모임을 진행하여 11월 4일부터 병원지침이 아니라 기존의 근무시간표 대로 출근하고 타임카드를 개인이 소지할 것과 병동별로 병동대표를 뽑아 이후 상황에 대해 조직적으로 대처할 것을 결의하였다.

간호사 모임에서는 기존 근무시간대로 출퇴근하기(병원근무시간거부, 지각투쟁), 타임카드 개인지참하기, 투쟁기금 모금하기, 병원장과 간호부 관리자들에 대한 항의전화 조직하기, 정기적인 피켓시위하기, 간호사들과 상황 공유를 위해 독자적인 소식지 만들기, 병동순회를 정기적으로 하기, 한겨레신문 등 각종 언론에 간호사의 근무조건과 서울대병원의 횡포에 대해 홍보하기, 간호사들의 합리적인 근무시간운영과 인력충원에 대한 공개토론회 개최하기, 법적대응 등 다양한 투쟁과 활동을 결의하였으며 실천하였다.

간호부 조합원들은 1990년 11월 4일부터 1991년 1월 25일까지 '기존 근무시간대로 출퇴근하기(병원근무시간거부, 지각투쟁)' 를 전개하였다.

'기존 근무표대로 출퇴근하기(지각투쟁)' 는 유례없는 수위 높은 현장투쟁이었다. 병원의 업무규정을 무시하고 병원의 회유, 분열책, 징계위협과 해고위협을 이겨가면서 지속적으로 지각을 하는 것이었으며, 이 상황이 82일간 지속되었다. 각 근무조별로 병동에 2~3인이 근무하는 상황에서 병원 개악안대로 일찍 와서 인계를 받으려고 대기하는 수간호사를 무시하고 30분 늦게 출근하여 업무를 하는 낮번간호사, 수간호사에게 인계를 하지 않고 버티며 근무를 계속하는 밤번간호사, 30분 늦게 출근해서 인계를 받는 초번간호사 각각 간호사 조합원들의 결의수준과 단결력이 매우 높았다는 것을 의미한다. 병동별로 수간호사와 과장들의 개별면담, 회유 협박들이 끊이지 않았다. 하지만 용기있고 단호한 여러 간호사 조합원들의 투쟁도 이어졌다. 어쩌다가 일찍 출근하게 되는 상황이면 2층 로비에서 시간을 보내다가 병동으로 올라가기도 했다. 초기에는 60여 개 병동 거의 모두에서 단체행동이 진행되다가 병원에서 수정된 근무시간을 제시한 뒤 일부 병동이 이탈하였지만 40~50여 병동이 끝까지 지속하였다.

1990년 12월, 간호부 근무시간 개악저지를 위한 단체교섭

항의전화 조직하기 또한 위력적으로 전개되었다. 24시간 근무하는 간호사들의 근무특성을 활용하여 24시간 매시간 병원장, 관리부원장, 간호부장실과 개인집으로 항의전화가 갈 수 있도록 스케줄표를 작성하여 병동에 할당하였고 간호사들은 바쁜 와중에도 열심히 전화를 걸어 통화가 연결되면 "간호부 주44시간…" 한마디라도 하고 끊도록 한 지침을 충실히 수행하였다. 실제로 통화를 통해 의견을 적

극적으로 밝힌 경우도 상당하였고 지속되는 항의전화 때문에 병원으로부터 자제요청과 고발하겠다는 협박이 노동조합으로 몇 차례 올 정도였다.

한편 불이익하게 취업규칙을 변경함에 있어 노동조합이나 직원과반수의 동의를 구하지 않은 것에 대한 불법성과 취업규칙 무효여부 및 간호부업무상황에서 휴게시간 근무시간 포함여부에 대해 노동부에 고발하고 유권해석을 요구하였다. 또한 파행적인 근무 스케줄(초번 근무 후 바로 이어지는 낮번근무, 휴무 없이 7일 이상 연속되는 근무), 초번근무 중 법정야간근로시간에 해당하는 시간에 대한 야근수당미지급에 대해 근로기준법 위반으로 고발하여 시정토록 하는 등 다양한 법적 대응을 하였다.

11월 5일 2층 로비에서 250여 명의 간호사가 모여 항의집회를 열고 간호부장과 책임자의 공개 해명을 요구했다. 대책기금을 병동별로 개인당 3,000원 이상씩 모금하였고, 동참서명, 전국간호사 근무시간 실태보고대회, 조직적 항의전화, 보고대회, 병동 내 대자보, 유인물 부착과 게시판에 개인벽보 붙이기, 명찰달기, 10분 침묵 피켓시위 등의 투쟁을 진행하였다. 대외적으로는 간호협회와 간호조무사협회, 환자보호자, 한겨레신문 국민기자석, 서울지방노동청, 국회노동위를 상대로 한 활동과 투쟁을 병행하였다.

주 2회 병동대표, 낮번근무자 모임을 가져 병동 내 상황을 듣고 투쟁 진행 상황을 전달하였다. 이를 통해 시기별 상황정리, 대책마련이 이뤄졌다.

한편, 새벽 7시 출근 밤 11시 퇴근이 거센 반발에 부딪치자 11월 9일 초번근무자 퇴근시간을 밤 10시 반으로 하는 수정안을 제시하였다. 노동조합은 13일부터 15일까지 병원의 수정안, 노동조합안, 새로운 안(밤근무만 1시간 휴게시간 인정)으로 간호부직원 투표를 실시하였다. 조합원들은 3교대 근무자 76%, 2교대 근무자 100% 찬성으로 노동조합안을 선택하였고 끝까지 투쟁하자고 결의했다.

1990년 11월, 투쟁으로 쟁취한 근무시간 개악에 대한 보고대회
1990년 12월, 간호부 노동자들이 주사 대신 피켓을 들다.

조합원들의 힘을 바탕으로 근무시간 관련 단체교섭이 열렸다. 참관 간호부 조합원 수가 100명에 육박하니 교섭장 분위기는 압도적이었다. 병원 측은 "단체행동을 풀어야 교섭하겠다. 대자보 내용이 어떻다."며 시비를 걸더니 참관인이 불어나자 서서히 누그러졌다. 병원 측 교섭위원이 어처구니없는 발언을 하면 조합원들이 웅성웅성, '어머나' 놀라는 반응을 보여 상대를 위축시켰고, 노동조합 대표가 속시원한 발언을 할 때면 박수를 쳤다. 교섭의 힘은 교섭대표의 말솜씨와 논리에 있는 것이 아니라 조합원의 머릿수와 참여속에 있음을 확인하였다.

병원은 경영권 고수를 내세워 강경대응으로 일관하면서 12월말 360여 명에게 무더기 경고장을 발부하였다. 수간호사와 과장은 조합원 개인을 만나 회유와 협박을 하였으며 집에 전화해 가족들을 협박하였다. 4급 승진발령에 병원의 근무시간표 방안에 찬성하는 사람으로 편파인사, 병동대표의 부서이동 등의 방법으로 탄압하였다.

해를 넘겨 1월 25일 노동조합은 단체행동을 마무리하였다. 그러나 대신 병원이 제시한 안을 실행하면서 휴게시간의 실제 이용 상황을 기록하여 '쉴 수 없는 휴게시간' 을 증명하는 작업을 진행하였다.

이렇듯 석달간 완강하게 진행된 단체행동과 다양한 투쟁, 선전, 조직활동을 통해 근무조건이 개선되고 조직의 밑거름이 되었다. 비록 노동조합의 초기요구를 완벽하게 쟁취하지는 못했지만 근로기준법의 사각지대였던 간호사 교대근무 스케줄에 대해 근로기준법을 적용하게 강제하여 교대근무자의 근로조건을 획기적으로 개선하였다. 그 내용은 ED금지[3], 7일 이상 연속근무 금지, 밤근무 연속 7일을 폐지하고 3~4개로 분할하여 근무, 초번근무 중 밤10시 이후 근무 1시간에 대해 야근수당 지급 및 휴게시간 미사용에 대해 시간외근무 인정 등이었다.

다만 아쉬운 점은 오랜 기간 중간관리자의 협박과 회유, 병원의 무더기 경고장 발송까지도 잘 이겨내고 현장분위기를 장악하면서 단체행동을 훌륭하게 진행했지만 성과로 마무리할 시기를 놓치다 보니 후반부에 어렵게 진행되다 마지막에 병원의 대대적인 편파승급공세를 앞두고 서둘러 단체행동이 종료된 점이다. 하지만 투쟁 속에서 단련된 상당수 간호부 조합원들이 조합활동이 침체되었던 어려운 상황에서도 대의원, 간부, 소모임원, 상집부서원으로 적극적으로 조합활동에 참여하게 되는 밑거름이 되었다. 간호사 소식지 발간팀이나 병

---

3) ED란 밤10시 30분 이후 퇴근 후 바로 다음날 7시 이전에 출근하게 되는 파행적인 근무 스케줄을 말한다. 근무 사이에 최소한의 휴식과 수면시간이 확보되지 못하는 근무표이다.

동대표들 중에 다수가 이후 대의원, 간부로서 조합활동에 적극 참여하였다. 또한 투쟁시기 간호사 자체 소식지를 발간했던 경험은 이후 일상활동 속에서 간호사들의 의식고양과 소통을 위한 소식지 '건강세상 알찬간호'를 발간하는 소모임(건알)활동으로 이어지기도 하였다. 또한 서울대병원 간호사들의 주44시간 쟁취투쟁은 병원노련과 간호사위원회 준비위원회(간준위) 활동 속에서 공유되면서 세브란스병원, 경희의료원 등 다른 병원 간호사들의 주44시간 쟁취와 근무조건개선 활동에 영향을 주었다.

7) 임단협을 조합원의 힘으로

1987년 최초의 임금인상 단체협약체결 투쟁 이후, 1988년 3월부터 5월 사이에 진행한 조합원 설문조사 결과를 보면, 조합원들은 노동조합이 가장 중점을 두고 해나가야 할 사업방향에 대해 임금·근로조건, 인격적 대우, 직제개편, 부당 인사조치 방지 등에 힘써야 한다고 답했다. 조합원의 35.34%가 임금 등 근로조건 향상을 중점으로 두어야 한다고 하였고, 조합원의 26.11%가 인격적으로 대우받는 문화를 만들어야 한다고 하였다. 그만큼 서울대병원 노동자들의 임금수준 및 노동조건이 상대적으로 열악했고, 노동현장의 권위주의적 노사문화가 노동자들에게 고통스러웠

임단협 요구안을 조합원의 손으로

1988년 12월, 투쟁으로 쟁취한 임단협

다는 것이다.

1988년 7월부터 임금인상투쟁 대책반이 구성되어 임금분석에 필요한 기초자료 조사활동과 임금인상투쟁의 기본방향을 토의하였다. 요구안 작성을 위하여 병원반, 정부출연기관반, 사무금융노련반으로 구성하여 자료 조사를 하였다. 이러한 조사를 거쳐 서울대병원노동조합 임금인상 요구안은 과별 · 직종별 요구안을 바탕으로 대의원대회에서 결정되었다.

1989년 임금인상 원칙은 "수당보다는 기본급 인상, 차등임금인상을 피하자, 현재 지급되는 각종 수당을 점차 본봉화, 전 직원에게 공통된 수당 인상, 임금인상을 통해 약화된 조직력을 회복한다."였고 이에 따라 요구안을 만들었다. 초기에는 기본급 확보와 임금격차를 줄이는 데 주력했음을 볼 수 있다.

1988년 12월 1일 첫교섭이 시작되어 1월 5일 11차 교섭에 이르기까지 전반적으로 노동조합에서 교섭의 주도권을 가지고 교섭에 임했다. 병원 측은 초반에는 예산을 핑계로 기본급 2만 원 인상(노조 요구안은 49,475원 인상)만을 제시하며 버텼으나 노조가 병원 측의 경영부실과 특진비의 독점분배를 폭로하자 계속 수정안을 제시하였다. 하지만 병원의 수정안은 노조 요구안에 미치지 못하는 것이어서 결국 12월 27, 28일 쟁의행위 찬반투표에서 85% 찬성으로 쟁의행의를 가결하였다. 이후 대의원 상집간부 철야파업농성을 전개하였고 1월 5

일 파업에 돌입하기 직전 새벽에 합의에 이르렀다.

교섭기간동안 리본달기, 점심시간 피켓시위 등으로 조합원들이 참여했고 특히 단체교섭에는 100명이 넘는 조합원들이 참관하여 분위기를 압도했다. 또한 노동조합의 요구가 왜곡되지 않도록 신문사, 각 노동운동단체, 노조, 방송국노조를 직접 찾아가 홍보물을 뿌리기도 하였다. 상집부서원과 소모임반원 조합원들이 홍보팀을 편성하여 현장 조합원의 반응을 알아보고 진행되고 있는 상황을 설명하는 등 자율적으로 활동하였다. 이러한 투쟁의 결과 고정급여만 25,200원 인상(9%)을 비롯해 각종 수당 인상 등 병원이 생긴 이래 가장 높은 임금인상을 했다.

1989 단체협약도 임금인상 투쟁 준비와 맞물려 1988년 10월부터 준비를 시작하여 1989년 2월 8일 대의원대회에서 갱신안이 확정되었다. 2월 24일 첫 단체교섭이 열렸으나 병원 측은 참관인거부를 내걸고 무산, 지연시키기 시작하였다. 심지어 3월 7일 임시대의원대회가 열리는 대회장의 문을 잠그기까지 했다. 분노한 대의원들은 그 자리에서 농성을 시작했다. 당시 한양대병원, 이대병원 등에서도 참관인 거부로 교섭이 지연되었는데, 병원협회 차원에서 공동대응을 한 것이었다. 노조에서는 끝까지 참관인 참석을 주장하였고 결국 병원의 주장을 철회시켜 초반 우세를 점하게 되었다. 3월 하순부터는 준법투쟁을 시작하였는데 수위를 점점 높이고 분위기를 바꿔가는 자율적 운영이 특징이었다. '관철 단체협약' 이라는 노란 리본 달기 → 항의와 동참의 뜻을 나타내는 초록색리본(글씨 없음) 달기 → 구체적인 협약안 내용을 조합원 스스로 선택하여 적은 명찰 달기 → 각 부서의 자율적 선택에 따라 티셔츠 입기와 캡벗기를 했다. 4월 하순부터 상

집간부 철야농성에 들어갔고 5월 17일 쟁의발생 결의, 26일 쟁의발생 신고, 31일 알선, 6월 3일 조정을 받은 결과 전임자 확충, 장기근속수당 동일지급 등 몇 가지 주요 내용에 진전이 있어 쟁의에 돌입하지 않고 조인을 하게 되었다. 집행부는 알선, 조정을 받아들여 타결한 것에 대해 "조합원들이 장기교섭에 지쳐있었고 내용 면에서 몇 가지 주요 안이 통과되어 더 이상의 투쟁 고양이 어려웠던 점을 감안한 조합원들의 판단이었다."고 평가하였다.

1989년 6월 임단협 조인식

1990년도 임금인상 교섭은 1989년 11월부터 진행되었으나 당시 전노협 건설 전후시기로 노태우정권의 공안탄압이 대대적으로 진행되고 있는 중이어서 교섭이 제대로 진행되지 않았다. 병원은 불법 파업유도와 직권중재를 통한 노조무력화를 의도하고 있음을 노골적으로 드러내고 있었다. 집행부는 눈에 보이는 조직파괴 음모 앞에서 조직사수를 위해 파업투쟁보다는 직권중재 거부와 자율교섭을 위한 타결을 촉구하는 조합원 단식투쟁으로 교섭의 돌파구를 마련하려 하였다. 1월 22일부터 2월 3일까지 임원들의 단식부터 시작된 10일이 넘는 단식투쟁으로도 교섭이 정상화되지 않자 조합원들의 투쟁의지를 모아내기 위해 2월 7~9일 쟁의 행위찬반투표를 진행하였다. 하지만 엄중한 당시 정세와 단식투쟁이후 침체된 현장분위기 속에서 파업을 강행하는 것이 무리라고 판단한 확대간부회의에서는 파업유보를 결정하고 직권중재거부투쟁과 노조탄압분쇄투쟁을 진행하였다. 이에 대한 조합원의 문제제기 속에서 대의원대회에서는 노동조합의 신뢰와 집행력을 새롭게 다지고 노동조합탄압에 대응하기 위해 위원장을 제외한 집행부 전원사퇴를 결정하였고 2월 23일 집행부가 새로이 구성되었다.

1990년 단체협약은 별도 교섭 없이 5월 10일 자동 갱신하였다. 당시 임금교섭과 단체협약교섭이 별개로 진행되는 상황이었으므로 1989년 6월에 합의한 단체협약은 1990년도 6월에 만료되는 것이고 그 이전에 교섭이 진행되어야하지만 병원에서는 자동갱신을 요청하였고 노동조합 역시 임금교섭 이후 집행부가 새로이 구성된 지 얼마 되지 않아서 일상적 조직 활동을 강화하는 것이 우선적이라고 판단하여 이에 동의하였다.

1991년 임금교섭은 급식과 부당인사 철회투쟁으로 위원장을 비롯한 간부 3인이 구속되어 있는 상황에서 김경석 수석부위원장 직무대행체제 하에서 진행되었다. 1990년 11월 5일부터 7개월간의 기나긴 교섭 끝에 1991년 6월 7일 교섭으로 타결하였다.

1991년 병원 측은 단체협약 갱신안으로 개악안을 들고 나왔다. 대의원대회를 연4회로 제한하고 그 외는 동의를 얻도록 하고, 전임자 임금을 지급하지 않는 개악안을 내놓았다. 7월 2일 1차 교섭을 시작으로 리본달기, 티셔츠입기, 상집간부와 대의원 철야농성을 진행하였다. 이러한 투쟁의 힘으로 9월 13일 12차 교섭에서 병원이 내놓았던 노조 탄압을 목적으로 한 개악안을 철회시키고 마무리되었다.

1992년 임금교섭은 3인의 간부가 모두 석방되고 노동조합조직을 정비한 뒤 2월 17일 시작되었다. 일방휴직 처리된 노동조합 간부 3

인의 원직복직, 의료민주화를 핵심으로 요구안을 확정하였다. 하지만 병원은 3차 교섭부터 정부 지침인 총액 5%를 들고 나와 교섭에 진전이 없었다. 7차 교섭부터는 해고무효소송중인 송보순 교섭위원의 대표권시비로 공전을 거듭했다. 병원이 10차 교섭에서 임금에 대한 실무교섭을 제의하여, 노조의 임금 및 호봉에 대한 실무교섭팀과 원직복직 의료민주화에 대한 실무교섭팀으로 진행하자는 제의를 병원 측이 받아들여 2개의 실무교섭으로 전환하게 되었다. 하지만 3차례 실무교섭이 아무 진전이 없자 다시 단체교섭으로 전환하는 11차 교섭을 요청하였으나 교섭장 문은 열리지 않았다. 5월 6일 쟁의발생신고 후에 성의 있는 조정과정 없이 직권중재에 회부되고 22일 직권중재가 결정되었다.

1992년 5월, 직권중재를 무력화하기 위해 직권중재안을 거부했던 기나긴 투쟁

5월 21일 조합원 임시총회 전야제. 1987년 11~12월 파업이후 수년 만에 2층 로비를 600여 명의 조합원이 투쟁열기로 가득 채웠다. '직권중재 어떻게 대응할 것인가' 에 대해 분임토의를 진행하고 투쟁으로 맞설 것을 결의하였다. 22일 오전 7시부터 시작된 조합원 임시

총회(파업)는 1,000여 명의 조합원들이 모여들었다. 공권력투입, 집행부구속과 갖가지 현장탄압을 이겨 내고 서울대병원노동조합 조합원들의 건재를 확인하는 가슴 벅찬 시간이었다. 하지만 노태우 정부의 총액임금 5%가이드라인과 직권중재회부로 또다시 정당한 쟁의행위가 불법파업으로 내몰리고 노조파괴음모가 의심되는 상황에서 파업대책본부는 오전 10시 임시총회 유보를 결정하고 직권중재안 거부투쟁으로 전환하였다.

지도부는 파업유보 이유에 대해 "냉각기간 만료일인 21일까지도 노조의 교섭요구를 거부한 점으로 보아, 병원이 파업을 유도하고 있다고 판단됨, 조정위원회가 열린 19일 병원이 직권중재를 요청한 것으로 보아 파업을 핑계로 공권력에 내맡기려는 병원의 태도가 보임, 임시총회가 시작되었음에도 입원환자를 다른 곳으로 이원한다거나 예상되는 인력부족 상태에 대비한 준비를 전혀 하지 않은 점, 그동안 노조에서 제기했던 각종 비리가 중점적으로 다뤄지는 감사원 감사를 노조 파업을 빌미로 철수시키고자 하는 병원 고위층의 의도가 보이는 점" 등을 들었다.

파업 유보 후 장기적 투쟁기조로 전환하여 직권중재안 거부투쟁은 총액임금 5% 인상분 반납투쟁을 중심으로 대선후보 설문조사, 노동부 항의방문, 정당과의 간담회, 헌법소원 등 대정부투쟁과 선전활동 강화로 진행되었다. 인상분 반납투쟁은 6월, 7월 급여, 인상분 소급지급 분 3차에 걸쳐 매회 500여 명이 넘는 조합원의 적극적인 참여로 진행되었다. 은행업무 전산화가 원활하지 않은 시기임에도 조합원들은 자신의 급여에서 소급분을 계산해서 돈으로 찾아와 무통장입금표를 작성해서 대의원을 통해 노동조합에 제출하면 노동조합에서 병원 계좌로 매일매일 일괄 입금하였다. 이 투쟁을 진행하기 위해 노동조합에서는 현금보관을 위해 커다란 금고를 구입하기도 하였다. 하지만 반납투쟁을 1년 내내 할 수는 없는 것이어서 집행부는 노동악법 철폐를 위한 대정부투쟁과 조직 강화에 노력하기로 결의하며 인상분 반납투쟁은 3회로 마무리하였다. 이렇듯 노동조합의 단체교섭권과 단체행동권을 원천적으로 봉쇄하며 노조파괴의 수단으로 이용하였던 '공익사업장 직권중재'의 벽을 넘기 위해 노동조합 집행부와 조합원들은 여러 가지 지혜를 모으고 다양한 방식의 투쟁을 꾸준히 전개하였다.

서울대병원노동조합 임단협 투쟁에서 볼 수 있듯이 직권중재를 피하여 실질적인 파업을 진행하기 위한 노력이 계속되어 왔다. 그 방안으로 노조는 총회 방식의 파업투쟁을 진행했던 것이다. 서울대병원의 경영자로 배치되어 있는 관료 및 교수들은 병원노동자들의 노동자성을 인정하려 하지 않았고 노조의 요구를 받아들이려 하지 않았다. 그래서 서울대병원노동조합의 임단협 투쟁은 대부분 쟁의결의, 파업투쟁을 위한 결의대회, 그리고 파업투쟁을 거치는 방식으로 마

노조 간부와 조합원이 단체협약을 갱신하기 위해 일치단결하여 투쟁하였다.

무리되었다. 마무리되는 시점도 파업투쟁 직전이나 직후인 경우가 많았다. 또한 서울대병원의 임단협 투쟁은 직권중재와의 싸움이기도 했다. 서울대병원의 경영자들은 노조의 요구사항을 직접 수용하는 것이 아니라 직권중재에서 나온 결과를 바탕으로 수용하거나 거부하곤 하였다.

서울대병원노동조합은 1987년 12월 26일 최초의 단체협약을 체결한 이후 2007년까지 16차례 협약을 갱신하였다. 1994년까지는 2년 단위로 갱신하다가 1995년부터는 매년 갱신하였다. 이와 함께 의료민주화 요구안 별도합의, 구조조정 관련 별도합의, 인력충원 관련 별도합의를 하였다.

서울대병원노동조합의 단체협약 요구안의 특성을 보면, 노동조건뿐 아니라 병원민주화, 의료공공성을 포함하는 것이었다. 서울대병원노동조합은 이 기조를 현재까지도 꾸준히 견지하고 있다. 서울대병원노동조합의 현장 조합원들이나 간부들은 임금인상 및 근로조건의 개선과 의료공공성 요구를 통일시키려 노력하였다. 서울대병원노동조합이 요구안을 만들 때 병원공공성의 요소를 정리하면서 고려했던 점을 보면 이러한 노력을 알 수 있다. "첫째, 정부는 보건의료부문에 대한 정책적 기조를 성과 및 수익성 중심에서 편의 및 공익성 중심으로 변화시켜야 한다. 둘째, 정부는 국공립 병원에 대한 재정을 전폭 지원해야 한다. 셋째, 병원의 운영에 대한 사회적 참여구조, 즉 노동조합과 시민사회단체 등이 참여하여 병원의 운영을 공개적이면서도 투명하게 할 수 있어야 한다. 넷째, 병원노동자들 자체가 의료공공성의 주체이자 대상인 만큼, 그들의 권리를 보호하는 과정이 보장되어야 한다. 다섯째, 병원의 운영에 환자 · 보호자의 만족 · 불만족과 시민의 만족을 고려해야 할 것이다. 여섯째, 병원의 치료비용이 아주 값싸면서도 의료의 질은 높아야 할 것이다. 일곱째, 의료 취약층과 관련하여 의료급여환자, 기초수급대상자환자, 장애인환자, 노약자환자를 고려해야 할 것이다. 여덟째, 병원운영의 다양한 정보가 공개되어야 한다."는 것이었다.

서울대병원노동조합의 의료공공성에 대한 의지는 다른 노동조합에도 영향을 미쳤다.

1987년 병원 노동조합이 생겨나면서 각 병원 노동조합별로 단체협약이나 임금교섭 시에 의료 및 병원 민주화에 대한 노력이 있었으나 공통의 과제로 전면화되지는 못했다. 그러나 서울대병원노동조합은 의료공공성을 실현하는 투쟁을 초기부터 진행하였고 견인차 역할을 하였다.

당시엔 서울대병원이 의료공공성 요구의 중심에 설 수밖에 없죠. 서울대병원이 하느냐 마느냐에 따라서, 실제로 그 싸움의 힘이, 영향을 미치느냐 그렇지 않느냐가 결정될 만큼, 중요한 거였죠. 그래서 서울대병원 간부들이 어떤 판단을 하느냐가 중요한 의사결정의 단초였습니다. 조합원도 2천 명 정도고 전임자 숫자나 대의원 숫자가 가장 많기 때문에, 서울대병원이 투쟁을 통해 다양한 것을 만들고, 그 다음에 거기에 맞춰서 한양대 등의 사립대병원도 투쟁한 거죠. 다른 국립대병원들도 마찬가지였고요. 서울대병원의 견인이 굉장히 중요한 거였죠. (구술자 J)

1989년도로 접어들면서, 각 병원 노동조합에서는 임금인상 단체협약 갱신 요구안에 '환자 식사 개선', '보호자 숙식 시설 개선', '환자 고충처리위원회 설립' 등을 삽입하여 일정 성과를 올렸다. 서울대병원노동조합에서도 약품유통의 부조리와 약품 오·남용을 막기 위한 '약품처방전의 성분명화'를 요구하였다. 비록 관철되지는 않았지만, 많은 호응을 받으면서 의료민주화의 필요성에 대한 국민적 관심과 병원노동자의 사회적 역할을 불러일으키는 홍보 효과를 얻었으며 이것이 의료민주화 투쟁의 시작이었다. 이를 계기로 병원노련에서는 의료민주화특별위원회를 설치하여 이 문제를 체계적으로 제기하기 시작하여 1990년부터 임단투 시기에 연맹의 지침으로 '1노조 1의료민주화 요구' 투쟁이 배치되었다. 1993년 병원노련이 합법화되고 1994년부터 공동교섭 투쟁이 배치되면서, 이 문제는 연맹 중앙이 직접 관장하는 공동교섭의 핵심 의제가 되었다. 이후 보건의료노조를 중심으로 의료보험제도 개선 문제, 정부의 보건의료 예산 확대 문제, 의료시장 개방 반대운동 등 보다 거시정책적인 문제들을 주요 의제로 제기하였으며, 이러한 개혁과제들은 노사관계를 넘어서서 사회적 과제로 대두되었다.

8) 해고자 원직복직투쟁

급식과 조합원 부당징계에 항의하는 투쟁을 진행하는 과정에서 경찰은 1990년 10월 4일 급식과 조합원들과 함께 연행된 노조간부 3인을 구속하였다. 구속되지 않은 간부들 중 김경석, 안지희 두 명이 위원장 직무대행을 하면서 석방투쟁을 전개하였다. 나중에는 옥중투쟁위원회를 구성해 거의 매일 조합원들이 면회 가는 투쟁을 하였다. 처음에는 급식과 조합원 스스로에 의해 시작되었고 이후 전 조합원이

간부 석방을 위해 빈대떡을 부치는 급식과 조합원들 (1990.10)

재판에 영향을 미치기 위한 투쟁에 함께 했다.

노조는 대외적으로는 간호학과 동문 진정 서명, 업종회의 성명서, 병원노련 석방 탄원 서명, 한겨레신문 탄원 서명 등을 통해 해고자복직의 정당성을 알려나갔다.

서향숙 부위원장과 송보순 부위원장은 1991년 4월 3일, 김유미 위원장은 7월 9일에 징역 1년 집행유예 2년으로 석방되었다. 김유미 위원장은 최후 진술서에서 당시의 상황을 밝혔다. "민중생존권 파탄-부패한 정권은 민주노조운동을 교묘하게 탄압하고 있고, 급식과 조합원들은 투쟁을 통해 인간임을 선언했는데, 병원은 업무방해라고 억지를 부리면서 환자의 생명을 담보로 폭력을 행사하고 있다. 우리는 노동해방, 인간해방의 신념으로 투쟁해야만 한다."고 했다.

김유미 위원장에 대한 판결은 민주노조운동 진영에게 상당한 의미

1991년 10월, 해고자들을 원직복직시키기 위한 투쟁위원회 발족

를 내포하고 있었다. 서울대병원노동조합은 김유미 위원장의 판결에 대한 의미를 다음과 같이 규정하고 있다. "업무조사를 거부했다는 이유로 시청으로 부터 고발당했던 '노동조합법위반' 건은, 당시 서울대병원노동조합이 업무조사를 받아야할 하등의 이유가 없었으며 전노협 가입을 이유로 한 업무조사는 타당치 않음이 인정되어 무죄로 판정되었다. 이는 당시 전국의 민주노조에 가해졌던 업무조사가 근거도 없이 의도적으로 노조를 괴롭히려는 노동탄압의 목적으로 이용된 것이었음을 명백히 밝혀준 쾌거로, 동일한 건으로 고발당하거나 구속된 노조간부들을 구제할 수 있는 좋은 판례가 될 것이다. 급식과 파업과 관련한 '업무방해' 와 정기복 과장이 고발한 '명예훼손' 건은 유죄로 판결되었으나, 노동조합이 살아있는 한 진실규명작업은 계속될 것이며 끝까지 정의는 밝혀질 것이다."

서울대병원노동조합은 1991년 임단협 요구안으로 세 사람에 대한 '원직복직보장' 을 요구하였으나, 병원 측은 규정대로 하겠다는 태도를 완강하게 유지하였다. 대법원이 1992년에 김유미, 서향숙, 송보순의 형을 확정하자, 병원은 1990년에 일방적으로 휴직 처리했던 세 사람을 규정을 이유로 해고하였다. 서울대병원노동조합은 1990년 입원수속의 비리와 1992년에 영안실 비리 폭로에 대한 병원의 보복이라고 규정하고, 세 사람을 원직에 복직시키기 위한 투쟁을 전개하기로 하였다. 노동조합은 우선 이 세

1992년, 병원비리 척결 투쟁으로 구속되었다가 석방된 동지 환영대회

사람에게 희생자 구제의 일환으로 '변호사비용 일체 변제, 현재 받고 있는 급여의 100%지급, 위로금 30만 원 지급' 등의 조치를 취한 이후, 원직복직을 임금과 단체협약의 요구안으로 제시하고, 복직서명운동과 리본달기 등의 투쟁을 전개하였다. 조합원들은 해고자 문제를 해결하고자 하는 투쟁에 우호적이었으며 적극 참여하였다.

그리하여 노동조합은 병원과 1993년 7월에 서향숙, 송보순을 연내에 복직시키기로 한 것뿐 아니라 세부사항까지 최종적으로 합의하였다. 1994년에서 1995년에는 김유미 위원장을 복직시키기 위한 투쟁이 지속되었다. 1994년 7월에 김유미 위원장의 복직 합의 사항을 이행하라며 철야농성, 조합원 리본달기, 단식투쟁 등을 전개하였다.

전국병원노동조합연맹과 해고자원직복직투쟁위원회는 1995년 5월 29일~6월 1일, 1995년 원직복직투쟁 중앙집중 철야농성을 서울대병원 2층에서 전개하였다. 이러한 투쟁의 결과, 김유미 위원장은 1996년 1월에 복직하였다.

3 서울대병원 노동자들의 의료민주화 쟁취투쟁

1) 의료민주화 쟁취투쟁의 서막을 열다

서구 의료는 19세기말경 우리나라에 처음 도입된 이래, 그 기술과 규모 면에서 엄청나게 팽창했다. 규모만 보더라도 초창기 선교사에 의해 세워진 몇 개의 의원과 일제강점기에 세워진 도립병원으로부터 지금은 수많은 대형병원 · 중소병원들이 건립되어 운영되고 있다.

1975년에 37개였던 종합병원이 1987년에 205개로 늘어났고, 1975년에 약 6,000여 개였던 의원이 1987년에 9,000여 개로 증가하였다. 공공적 보건기관이나 병원도 늘었다. 의료자본이 성장하고 독점화의 과정을 거치면서, 의료부문은 총자본의 테두리 내에서 자기 나름대로의 자본증식구조를 구축하였다. 또한 외국독점자본은 의료부문에서의 시장개방을 지속적으로 요구해 왔다. 이러한 병원들은 평균 수명의 연장과 의료의 상품화를 지속적으로 강화하였고, 의료원의 양적 확대, 종합병원의 상대적 급증과 더불어 각 병원의 양 · 질적 규모도 확대되어 왔다. 이 과정에서 인간의 건강을 둘러싼 시장과 국가의 역할, 건강권을 유지 · 강화하기 위한 보건의료체계의 문제가 논의되어 왔다.

1989년에는 취업 간호사의 69%가 병 · 의원에 종사하였고, 31%는 보건소, 행정기관, 학교, 산업체, 보건진료소에서 일했다. 한국의 의료제도가 자유시장경쟁체제 하에서 상품화되었기 때문에 인간의 질병이 이윤추구의 매개가 되어 병원을 중심으로 한 치료 중심의 의학이 발전될 수밖에 없었다. 이는 건강권이라는 보편적 권리가 약화되어 왔다는 의미이기도 하다. 이러한 현상의 이면에서는 점차 인간의 건강권을 보호하고자 하는 의료의 공공성이 강조되었다. 의료의 기본 속성상 진정한 건강권 확보를 위해서는 의료의 공공재화가 이룩되어야 한다는 것이었다.

병원이라는 곳이 공익적인 사업장인데, 노동조합 활동이 어떤 정당성을 갖느냐, 공공의 이해에 반하는 공공의 적이 될 건지, 아니면 공공을 위해 의미 있는 활동이 될 건지에 대한 정당성 문제가 기본적으로 있어요. 그래서 노동조합운동을 시작할 때부터 그런 고민을 많이 했던 것 같아요. 그런데 서울대병원에서 얘기하는 공공성은 위에서 말한 두 가지 의미가 다 있기 때문에, 이게 공공의 재화를 갖고 조직됐다는 측면하고 기관 자체가 존재하는 의미도 그렇고, 또한 의료 자체가 갖고 있는 공공적인 성격을 주되게 담당하는 데가 서울대병원이기 때문에, 서울대병원 내에서는 공공의료라는 게 논리적으로 생뚱맞거나 생소하지는 않아요. 하지만 전반적으로 우리나라가 공공의료라는 개념이 워낙 취약한 것 같아요. (구술자 Q)

수년간 지속된 논쟁에서 확인되듯이 우리나라 의료체계의 근원적인 문제는 보건의료의 사적(私的) 소유구조에서 기인하는 공공성의 결여로 볼 수 있다. 정부는 보건의료부문에 대한 적극적인 투자보다는 전적으로 사적기전에 맡겨버리고 전문적인 조정능력도 확보하지 못함으로써 보건의료서비스를 상품화시키고 보건의료체계를 이윤중심의 체계로 변화시켰다. 이는 서비스체계의 왜곡과 무질서를 초래하고 있다.

1991년 5월, 이 나라의 미래 주역인 어린이들과 함께 한 행사

서울대병원은 1978년에 국립에서 특수법인화 병원으로 변화되었지만, 국가 중앙병원으로서의 역할과 기능을 유지하고 있다. 서울대

병원의 병원장은 대통령이 임명하고 서울대병원의 이사회는 병원장, 교육과학부차관, 보건복지부 차관, 서울대총장(이사장), 서울대 의대 학장으로 구성된다. 이처럼 서울대병원은 형식적으로 공공성을 실현하는 국가기관 중의 하나로서 국민의 건강권을 실현하려 하지만, 의료공공성을 실질적으로 실현하는 주체인가에 대해서는 논란의 여지가 많다.

서울대병원노동조합은 실질적인 의료공공성을 실현하기 위해 병원의 관리자나 정부와 투쟁하였다. 서울대병원 노동자들은 그 과정에서 노동자로서의 권리를 쟁취히였는데, 그 과정은 곧 서울대병원의 중요한 역할과 기능인 의료공공성을 실현하는 과정과 직 · 간접적으로 연계되어 있는 것이다.

서울대병원노동조합은 노조 결성 초기부터 의료민주화 및 의료공공성 투쟁을 전개하였다. 이러한 투쟁을 바탕으로 1987년 11월 전국병원노조협의회가 구성되었고 1988년 12월 전국병원노동조합연맹으로 이어지며, 선언과 강령 속에 '평등하고 인간적인 의료의 실현'이라는 병원노동자의 특수한 업무로 명시되었다고 볼 수 있다.

1987년도에 처음 노조를 만들었을 때는 병원문제와 병원내의 사람들의 인간적인 권리를 확보하는 투쟁을 많이 했던 것 같아요. 1990년 즈음에는 입원수속비리, 영안실비리, 약품처방전의 성분명화 등이 병원 내부의 공공성이었던 것 같아요. 병원 측에서도 부담을 확 느끼게 되는 부분이었어요. (구술자 D)

서울대병원노조 결성 직후부터 의료민주화 투쟁을 계속 해왔어요. 그걸 통해서 보건의료운동의 역할, 성격을 규정하는 데 굉장히 큰 기여를 했다는 생각이 들거든요. 조합원들이 의료공공투쟁이다 하면 임단협 못지않게 노조 일상활동으로 생각하는 부분이 있어요. 상급조직의 간부였던 시각에서 볼 때, 조직마다 차이가 있지만, 조직적인 풍토와 역사라는 점에서 의료민주화 및 의료공공성에 대한 조직의 의지, 조합원들의 의지 이런 점이 서울대병원은 계속되어온 것이 있어서 가능한 것 아니냐는 생각을 하게 되죠. (구술자 P)

병원 노동조합들은 1990년부터 '1노조 1의료민주화운동' 을 토대로 개별노조에서 진료대기시간 단축, 병원비리 척결, 환자보호자 편의시설 확충 등을 임단투와 결합하여 제기하였고, 1993년에는 병원 내 금연운동을 전국적으로 실시하였다. 그 선두에서 서울대병원 노동자들이 진행한 의료민주화, 의료공공성 투쟁을 살펴보자.

2) 서울대병원 노동자들의 의료민주화 쟁취투쟁

1980년대 후반에서 1990년대 초반, 서울대병원뿐 아니라 대부분의 병원에서 입원비리가 비일비재했는데 서울대병원노동합은 병원이 자체적으로 해결해야 할 병원비리 문제를 제기하였다. 환자 보호자를 대상으로 한 선전, 임단투와 병행한 투쟁을 하였다.

급식과 문제가 터졌을 당시 무슨 과장인가가 입원비리로 문제가 됐어요. 환자보호자한테 뒷돈을 받아서 입원을 먼저 시켜주거나, 외래 진료도 빨리 받기가 힘들었던 상황에서 순서를 봐준다든지 하는 일들이 있었던 거죠. 암암리에 그냥 다 아는 사실인데도 딱 드러내지 않는 비리들이 많았던 거죠. 그때 저희가 몇 개를 포착했어요. 급식과 문제하고 맞물렸지만, 그것을 가지고 의료민주화 싸움을 했어요. (구술자 H)

영안실비리 문제를 제기했을 때 굉장히 두려움을 많이 겪고 있었어요. 왜냐하면 영안실 업자들이 협박을 많이 했거든요. 가만두지 않겠다고. 정말 황당하더라고요. 입원수속비리 같은 경우에도 마찬가지였고. 누구나 병원에 와서 빨리 입원하길 원하는데 직원들이 돈을 받아 입원에 연루되어 있는 거나. 영안실 같은 경우도 사람 죽은 거 가지고 비리를 저지르면 안 되는 거죠. 그거를 병원 측에서 해결해야 하는데 참 답답했죠. (구술자 D)

1989년 병원 노동조합들은 병원민주화공투위를 만들고 의료문제 연구를 시작하였고 서울대병원 간부들이 주축이 되어 참여하였다. 1990년에는 임금인상투쟁과 병원민주화를 위한 결의대회를 열어 조합원과 함께 하기 시작하였고, 1992년에는 새마을금고 영안실 비리 문제를 전면화하고 투쟁하였다. 1993년에는 낙하산인사 반대서명운동을, 1994년에는 의료개방, 의료제도 개혁 문제를 홍보하기 위해 거리로 나갔다. 특히 1994년은 1993년 5월 쟁취한 병원노동조합연맹의 합법화에 근거하여 새로운 임투방식(공동임투)과 함께 분산되어있던 힘을 하나로 모아 의료제도 개선투쟁을 전개하였다. 이는 국민건강권 확보와 병원노동자의 근로조건, 사회적 지위와 역할을 규정짓는 의료제도를 올바로 세우기 위한 의미있는 투쟁이었다. 1995년에는 공공부문 노동자들이 조직적 결집을 하면서 공공성

1989년 12월, 병원민주화의 주체로 나선 노동조합

문제를 제기하던 시기였고 여기에 서울대병원노동조합도 적극 결합하였다. 1998년에는 의료주권 수호, 의료민주화 및 서울대병원 참개혁과 직원생존권 사수를 위한 대책위를 시작으로 구조조정 저지투쟁을 전개하였고, 의보통합과 공공부문 민영화 문제를 제기하였다.

병원의 제도 개혁

서울대병원노동조합은 1987년부터 현재까지 병원의 제도개혁과 관련된 문제들을 임단협 투쟁의 안건으로 제시해 왔고, 노동조합을 제도개혁의 주체로 세우려 하였다. 병원과 노동조합은 다양한 부분에서 개혁에 합의하거나 개선하는 조치를 취했지만, 이러한 것보다 더 큰 공헌은 의료의 민주화 및 공공성을 사회적인 문제로 확장시켜 왔다는 점이다.

연도	의료민주화 요구안	합의/개선여부
1988	환자, 보호자 편의시설 확충	합의시행
1990	의약품 비리 척결, 약품처방전 성분명화	
1991	입원수속실 비리 척결, 입원대기시간 단축	합의
1992	영안실 비리 척결	개선
1993	병원내 금연, 조건을 갖춘 흡연시설 확보	합의
1994	의료보험 통합 일원화, 의료보험 확대, 환자권리보장, 정부보건예산증액	
1995	지정진료제도	개선

서울대병원노동조합은 1990년 의약품 부조리 문제를 드러내고 지속적으로 투쟁하였다. 노동조합의 요구는 의약품 공개입찰 구매제 실시, 의약품 심의위원회에 노동조합 참여, 약품처방전의 성분명화 실시, 의약품 광고비 상한선 5%이하 설정, 의약품 유통관리의 일원

화 등이었다. 이를 위해 의료비리 근절과 적정진료를 위한 노사공동 위원회를 구성하여 과잉진료 근절과 부당 청구 근절 대책, 약품 선정과 관련한 제약회사로부터의 금품수수, 비리 근절을 위한 대책, 의료장비 구입과 관련한 의료장비업체로부터의 금품 수수 근절을 위한 대책, 외래환자 처방과 관련한 특정 약국과의 담합 근절을 위한 대책, 기타 의료비리 근절을 위해 필요하다고 인정되는 사항, 부당한 병원비 축소를 위해 약 반납 시 절차 간소화, 외출 시 식대 청구 금지 등을 심의 · 의결하고, 관련 연루자 적발 시 엄중한 책임을 물어야 한다는 것이었다.

특히 일간지나 시사지에 크게 보도되었던 약품처방전의 성분명화는 병원민주화 투쟁으로써 중요하게 부각되었다. 다른 병원들도 일시에 대자보를 붙여 전국의 환자 및 보호자에게 홍보했고, 서울대병원노동조합 조합원들이 집회 후 지하철과 동네에 홍보물을 뿌려 전 국민에게 알렸다. 비록 요구안이 관철되지 못했지만 병원노동자들이 근로조건개선과 임금인상뿐 아니라 전 국민의 의료문제를 위해 투쟁하고 있음을 보여준 계기였다.

1992년에는 영안실 비리문제를 터뜨려 개선하였다. 서울대병원 영안실은 서울대병원장의 위임을 받아 서울대병원 새마을금고가 운영관리하였는데, 1991년 말, 장의비품 판매 장부를 조작하여 판매 차액을 빼돌리는 사건이 발생했다. 노조는 2개월간 자체 조사를 하여 비리 사실을 확인하고 새마을금고 이사장과 병원장과의 면담을 통해 시정을 요구하였다. 그리고 비리 사실을 「신새벽」을 통해 알렸다. 그런데 병원장이 김유미 노조위원장과 국중홍 총무부장을 명예훼손죄로 고발하였다. 1992년 11월 13일 조사차 서울지방검찰청에 출두하였던 두 명이 구속되었다. 이 사건은 병원 측이 노조와 합의하고 고소를 취하하여 마무리되었다. 이후 노조는 영안실 비리뿐 아니라 병원 비리 척결을 위해 노력을 기울였다.

단기병상제 폐지투쟁은 환자 및 보호자를 위한 투쟁이었다. 서울대병원은 2002년부터 국내 유일하게 단기병상제를 실시했고 이로 인해 환자 및 보호자에게 병마가 아닌 병실료로 인한 경제적, 심리적 부담을 가중시켜왔다. 단기병상제란 일반병상(6인실) 중에 단기입원(2주 기준) 환자만 입원이 가능한 병상으로 2주 이상의 입원이 예상되는 경우 이 환자는 단기병상인 6인실에 입원할 수 없다. 이로 인해 장기 입원환자들은 단기병상이라는 팻말이 붙어있다면 그 6인실이 비어있어도 값비싼 병실료를 지불하고 2인실이나 4인실에 입원해야 하는 상황이다. 게다가 공공병원임에도 서울대병원은 6인실이 법정 기준인 50%에도 미치지 않는다. 이로 인해 환자들은 병실 선택권을 박탈당하고 과중한 병실료로 이중의 고통을 당하며 조기퇴원을 고민하게 만들고 있다. 서울대병원노동조합은 2003년에 이어 2004년 44일간의 파업투쟁에서 의료공공성 요구 중 환자의 입원비 부담을 증가시키는 단기병상제 폐지를 요구했다. 노조의 투쟁으로 이 문제는 서울대병원 국정감사에까지 올라가 성상철 병원장이 국회의원들 앞에서 단기병상제에 대한 변명을 늘어놓게 만들었고, 시민사회단체와의 연대투쟁까지 만들어냈다. 마침내 노사는 단기병상제와 병실료 인하 등의 개선조치를 추진하기로 합의하였다.

지정진료제 폐지투쟁도 의료민주화 및 공공성의 대표적인 것 중에 하나이다. 1968년 국공립병원의 의사와 교수의 임금을 보전해 주기 위해 시작된 지정진료는 어느새 의료계 전반에 만연해 특별한 투자를 하지 않아도 수익을 올리는 편법이 되었고 환자는 이유도 모른 채 추가 부담을 해야 하는 제도로 바뀌었다. 지정진료제는 1991년 보사부가 '지정진료에 관한 규칙'을 새롭게 제정하면서 다른 형태로 제도화되었다. 보사부는 지정진료기관을 400명 이상의 수련의 수련병원으로 지정하였고, 지정진료 의사의 자격에 대해서는 의사면허를 취득한 지 10년이 지난 의사로 제한하였다. 또한 연간 진료건수의 70% 이내로 지정진료를 시행할 수 있고 나머지 30%는 일반진료로 진료하게 하였다.

1995년, 지정진료제 폐지 거리홍보

서울대병원노동조합은 1995년에 지정진료제의 문제를 제도개선의 주요안건으로 부각시켰다. 비록 커다란 성과는 없었지만 의료비 부담을 가중시키는 대표적 제도인 지정진료제의 문제점에 대해 알리고 지속적으로 투쟁하고 있다.

인사 및 경영제도 개혁

서울대병원노동조합은 보건의료노동자의 입장에 기초한 '양질의 의료서비스를 위한 의료인력 및 시설에 관한 법률, 공공의료법률 등의 법제화 투쟁과 더불어 국민의 입장에서 요구되는 의료 인사·경영 제도 개선 투쟁을 전개하였다. 노조는 현장에 활용할 정책대안을 준비하여 낙하산 인사 저지 및 경영참가의 교두보를 확보하려 하였다.

대표적인 투쟁이 낙하산인사저지였다. 서울대병원이 1978년 대통령의 특별조치에 의해서 특수법인으로 출발한 이래 병원의 규모는 매년 확장되었고 사회가 복잡하고 다양화됨에 따라 국민건강에 대한 서울대학교병원의 책임은 날로 높아지고 있다. 이렇게 사회적으로 서울대학교병원의 위치와 책임이 높아지고 있는데 병원경영을 책임지는 관리부원장이 교육부로부터 낙하산인사로 이루어졌다. 그 결과 병원의 특수한 조건을 전혀 파악하지 못하고 방만한 경영으로 1991년까지 무려 185억의 누적적자가 발생하였다. 외래는 매일 남대문시장을 방불케하고 진료나 입원을 한번 하려면 몇 달 내지 1년을 넘게 기다려야 되는 병원에서 누적적자가 185억이라면 누가 이해할 수 있겠는가?

결국 1992년 5월 감사원 감사에서 관리부원장의 병원경영관리태만으로 병원경영에 손해를 끼친 점이 가장 크게 지적되었다. 그러던 중 1993년 1월에 관리부원장이 사표를 제출하고, 상임감사의 임기만료로 공석이던 두 자리에 또다시 교육부로부터 낙하산 인사가 자행되는 것을 막아내기 위해 반대투쟁이 시작되었다. 노동조합은 이번 기회에 관리부원장이 낙하산 방식으로 임명되는 것을 없애려 하였다.

서울대학교병원 정관 제22조 1항에 의하면 부원장의 임명권은 병원장에게 있고 제10조 1항에 의하면 상임감사의 임명권은 교육부장관에게 있었다. 서울대병원노동조합은 낙하산인사 반대서명에 참가한 직원 1,531명의 요구는 원장의 권한을 뛰어넘는 무리한 요구가 아니라는 점을 강조하면서, 관리부원장을 병원 내부에서 헌신해온 인물로 임명해야 한다고 주장하였다. 노동조합은 '관리부원장, 상임

감사는 병원자체에서 승진되어야 한다', '우리는 왜 낙하산인사를 반대하는가?' 를 선전하면서, 서명운동에 동참한 1,531명의 의지를 병원장, 감사원, 교육부, 민주당 등에 전달하였다.

서울대병원노동조합이 낙하산인사 반대 투쟁을 전개하면서 제시한 병원 책임자의 자질은 다음과 같다.

첫째, 노동조합과 병원과의 새로운 노사관계 정립에 힘쓰는 인물이어야 한다. 그동안 노사는 감정과 대립으로 일관해온 경우가 많았다. 그 이유 중에 하나는 서로에 대한 신뢰와 이해가 부족했고, 중간자 역할을 해야 될 인사가 제대로 감정처리를 하지 못했기 때문이다. 이제 병원의 경영관리책임자는 직원들에게 믿음을 주고, 직원이 임금수준과 복리증진에 힘써야 하며, 슬기롭게 해고자 문제의 고리를 풀어 새로운 노사관계 정립을 위해 노력하는 인물이어야 한다.

둘째, 비리가 없는 정직한 인물이어야 한다. 노동조합에서는 그동안 3급 승진시험 비리, 영안실비리, 입원수속비리 등 많은 문제를 제기해 왔다. 그러나 그 어느 하나 시원스럽게 해결되지 못했다. 이러한 문제들이 왜 발생을 하게 되었고 속 시원히 해결되지 않았는가는 결국 정직하고 깨끗하지 못하며 사리사욕에 눈이 먼 인물들이 관련되었기 때문이다. 이제는 더 이상 병원을 사랑하는 마음으로 이러한 비리를 저지르지 않고 직원과 병원 발전에 힘쓸 인물이어야 한다.

셋째, 경영관리를 책임있게 하는 인물이어야 한다. 1991년까지 우리 병원은 185억 원의 적자를 발생시켰다. 그 이유는 경영관리의 태만에서 발생되었다. 이제는 서서히 적자를 줄여나가기 위해 병원발전에 장기적인 전망을 제시할 수 있는 전문적인 책임경영을 하여야 한다. 그러기 위해서는 책임있는 자세로 경영을 담당할 인물이어야 한다.

넷째, 의료의 발전에 힘쓸 인물이어야 한다. 병원은 환자와 직원이 함께 생활하는 곳이다. 산업의 발전에 따른 사회의 복잡화와 새로운 질병의 발생에 능동적으로 대처하는 진료지원에 헌신할 인물이어야 한다. 그러기 위해서 환자와 직원들의 관계, 편의시설, 진료인력의 확보, 장비의 현대화 등 모든 병원의 필요조건에 박식하고 충족시킬 수 있는 인물이어야 한다.

서울대병원노동조합은 낙하산 인사 저지투쟁에 대해 "상임 감사를 조직 내부의 인사 중 승진시키기로 하였다는 성과 이외에 병원이라는 특수한 조건에 맞는 인사를 할 수 있는 계기가 되었던 투쟁이었다. 전 조합원들의 요구에 맞는 투쟁이었고, 또한 낙하산 인사에 대한 문제점을 확실히 제기한 투쟁이었다."고 평가했다.

4 조직 체계와 운영

1) 조직 현황

병원 관리자들은 갖은 탄압과 횡포로 노동조합 활동을 방해하였다. 서울대병원노동조합 간부들은 노조를 설립한 이후 거의 1주일 만에 병원장을 만날 수 있었다.

어려운 조건 속에서도 설립 12일 만에 조합원 1,000여 명이 가입하였고 이후 조합원은 급격하게 증가하였다. 이러한 분위기는 몇 년간 이어졌다. 노조에 가입하러 갔던 조합원은 노조가 만들어지던 때 분위기를 다음과 같이 기억한다.

> 조합 가입하러 갔는데, 신발 벗어놓을 자리가 없을 정도였어요. 그 안에 사람들이 되게 많이 있었구요. 삼, 사십 명 정도가 북적북적. 분위기도 너무 좋고 시끌벅적하고. 간부들이 순회하면 우리가 조합에 가입했어요. (구술자 E)

서울대병원노동조합 설립 1년이 되어가는 1988년 7월 20일 현재

조합원 수는 전체 가입대상 3,042명 중 1,700명으로 가입률 55.9%였다. 미가입자 분포를 보면 의사와 3급에 해당하는 대상자가 가입률 0%였고, 관리부문도 가입률이 낮았다. 이 세 부문이 조합 가입대상자의 33%였는데 이들의 가입률은 약 11%정도에 머물렀다. 병원 업무의 상하관계 등이 작용한 것으로 볼 수 있다.

조합원 범위는 1987년 7월 31일 제정 당시에는 의사들도 제한하지 않았으나 1988년 8월 20일 규약을 개정하여 수련의 및 전공의 가입을 제한하였다.

1987년 노동조합 사무실 입주한 날

1989년 7월 현재 조합원 수는 1,930명으로 가입률 73.7%(직원 3,449명, 조합가입대상자수 2,617명)였다. 사무직은 1988년 8월에 비교하여 조합가입률이 급성장하였다.

1990년 7월 현재 조합원 수는 1,947명, 가입률 72.1%(직원 수 3,670명. 가입대상자수 2,701명)였다. 인사비리 사건 이후 4급 직원 다수가 가입하여 조합 가입률이 늘었지만 3급 직원은 전원탈퇴, 약무직 탈퇴가 늘어 전체 조합원 수는 줄었다.

1991년 7월에는 1,903명으로 가입률 71.3%(조합가입대상수 2,670

명, 직원수 3,670명)고 1992년에는 2,002명으로 가입률 70.3%(가입대상자수 3급 포함 2,848명), 1993년 7월에는 2,026명, 가입률 68.8%(가입대상수 3급 포함 2,943명)였다.

2) 조직 체계

서울대병원노동조합은 조합원총회, 대의원대회, 대표자(임원) 및 상임집행위원회(상집부서)를 기본 골간으로 하고 있다. 현장에 각종 소모임, 상집부서원모임, 현장위원회, 부서별 조합원모임(과모임) 등 조합원조직과 모임이 있었다.

대의원조직

노조의 주춧돌이었던 그 시절 그 얼굴

이들 조직 중 우선 대의원 조직을 살펴보자.

노동조합의 공식적인 조직체계는 의사결정의 권한에 따라 구성된다. 노동조합에서 의사결정의 최종적인 권한은 조합원 총회에 있지만 노동조합의 실질적인 최고의사결정기구는 대의원대회였다. 노동조합의 대의원을 지칭하는 각종 비유를 보면, 노동조합의 꽃, 노동조합의 핏줄, 노동조합의 뿌리, 노동조합의 골간, 노동조합의 허리 등이었고, 이들은 노동조합운영의 민주주의를 확립하는 결정적인 역할을 담당한다. 노동조합의 민주주의란, 노동조합의 규약과 각종 제도가 민주적이고 상집간부가 열심히 일하는 것만이 전부가 아니라 조합원 전체가 주인의식을 갖고 주체적으로 활동하는 것이 제대로 된 노동조합을 의미한다. 이런 점에 비추어 볼 때, 대의원의 역할이 노동조합의 조직력을 좌우한다고 할 수 있다.

이러한 일반 원칙에 따라 서울대병원노동조합은 대의원의 역할과 과제를 현장 조합원의 의견과 요구를 정확히 모아야 하는 것, 조합원 전체가 조합활동을 같이 할 수 있도록 노조집행부와 조합원의 다리 역할을 하는 것, 현장 내 문제를 대의원이 책임지고 지도하는 것, 노동조합 간 연대활동의 견인차 역할을 하는 것, 그리고 현장을 조직화하는 것으로 설정하였다. 대의원의 역할과 과제를 한마디로 정리하면, 요구의 조직화, 상담활동, 홍보 · 선전 · 교육, 현장토의 정착, 현장조직 만들어 내기 등이었다.

서울대병원노동조합은 대의원들을 제1조직위에서 제8조직위로 구성하였다. 각 조직위는 부서별 현장조직을 꾸리고 과모임을 운영하면서 노동조합의 조직활동을 수행하였다. 초기 대의원 수는 1년차 대의원 53명, 2년차 대의원 64명이었다. 대의원은 조합원 30명을 기준으로 1명을 선출하되 최소 인원 12명 이상이면 대의원 1명을 선출할 수 있도록 되어 있다. 대의원 조직을 8개 조직위를 나눠 조직위별로 인원을 배정해 선출하였다. 8개 조직위는 1993년 7월 7대 대의원부터 6개 조직위로 개편되었다. 초대 8개 조직위는 아래와 같다.

제1조직위	경리과, 의사과, 의무기록실, 제1진료부, 보험과
제2조직위	총무부, 청부실, 급식과, 영선과, 관재과, 재고관리과, 소아총괄과, 설비과, 중앙연구실

제3조직위	간호부 기능직, 고용직
제4조직위	본원 간호부 간호사
제5조직위	소아 간호부 간호사
제6조직위	진단방사선과, 소아진단방사선과, 약제부, 치료방사선과, 의공학과
제7조직위	임상병리과, 소아임상병리과, 핵의학과, 특수검사부, 병리과, 재활의학과
제8조직위	영등포병원

조직위원회(조직위)는 다양한 직종의 조합원들을 동일한 직종이나 직군, 지역으로 분류하여 조합원을 편재한 단위였다. 대의원 선출과 활동은 이 조직위원회라는 큰 틀을 단위로 하여 이뤄졌다. 다른 노동조합 조직이라면 현장 부서별로 조직이 편재되는 게 일반적이지만 서울대병원은 조합원이 많고 다양한 직종이 혼합되어있어 이런 방식을 통해 직종간의 갈등을 완화하고 서로의 차이를 인정하면서 단결력과 활동력을 높이고자 한 것이다. 서울지하철노조가 승무지부, 역무지부, 차량지부 등으로 나눠 활동한 것과 유사한 의미가 포함되었다.

집행부는 공식적인 대의원대회 이외에도 조직위원회별로 대의원 모임을 매월 진행하여 대의원과 조합활동을 공유하고 대의원의 현장활동을 독려하였다.

서울대병원노동조합은 대의원 조직을 통해 현장 조직을 강화하기 위한 노력을 기울였다. 그래서 조직위 대의원회의, 조직위별 모임, 과모임 및 부문별 모임을 정례화하고 조합원 고충처리와 경조사 챙기기도 빠뜨리지 않았다. 이는 조합원의 단결력을 높이고 신규 조합원 확대로 이어지는 지름길이었다. 각 부서의 과별 모임은 근무현장을 중심으로 정기적 혹은 사안에 따라 조합원모임(과모임)을 진행하여 조합원의 의견을 수렴하고 활동을 독려하였다. 과모임은 전임간부가 진행하였지만 대의원이 모임을 주선하고 조합원 참여를 독려했다. 대의원들은 조합원들 사이에 나타날 수 있는 경험의 차이를 해소하고 상호 이해를 도모하기 위해 뛰었으며 신규직원 조합가입 유도, 비조합원 조합가입 노력, 조합원의 탈퇴방지 등을 위해 노력하였다.

노동조합 간부, 대의원들은 병원 측의 탄압에 시달렸다. 대의원대회에 참석하는 것 가지고도 근무지 이탈, 근무질서문란 운운하며 '경고' 하고 부서장이 불러 개별 면담을 하기도 하였다. 대의원들은 조합원들이 노조 활동에 참여하도록 챙기랴, 병원 업무 보랴, 병원 측과 싸우랴 바쁜 나날을 보냈다. 이러한 어려움이 있음에도 노동조합의 활동이 활발했던 초기에는 대의원 선거 경선을 할 정도였다.

임원 및 집행부서 체계

서울대병원노동조합은 일반적인 노동조합 활동에 따라 상무집행부서를 두었고 각 집행부 별로 활동의 중점을 어디에 두느냐에 따라 약간의 변화가 있었다. 공통된 특징은 대의원과 간부들이 조직을 담당하며 현장 노동자와 간담회 등으로 소통하였다는 점이고, 대의원대회를 자주 열어 주요 사안을 결정하였다.

초기 노조를 위해 헌신한 이들. 간부수련회

초대 집행부는 9개 부서로 꾸려졌고 상무집행위원으로는 위원장 전덕례, 부위원장 서효순 · 최방식, 사무국장 최성숙,

총무부장 김명구, 총무부차장 김연순, 교선부장 김유미, 교육차장 김정남, 선전홍보차장 이영애, 조직부장 김태용, 조직부차장 유정숙, 쟁의부장 차천기, 쟁의부차장 함은옥 · 정창영, 조사통계부차장 연정흠, 문화부장 구연업, 문화부차장 홍영철, 여성부장 서향숙, 여성부차장 안지희 · 심명자 등이었다. 인원도 많고 거의 모든 과에서 골고루 상무집행위원을 선출하였다. 회계감사는 김용환 · 김복선 · 정은진이 맡았다. 이들 대부분은 노동조합 설립 발기인이었다. 이들은 노동조합 설립부터 1989년 2월 12일까지 활동하였다.

2대에는 부위원장 4명을 두어 각 부위원장이 업무 성격에 따라 2개 부서를 관할하도록 한 것이 특징이다. 4명의 부위원장은 각각 조직부와 쟁의부, 교육부와 홍보선전부, 문화부와 여성부, 조사기획부와 의료부를 책임졌고 수석부위원장은 총무부를 관할하며 각 부서 담당 부위원장을 총괄하였다. 소모임은 독립성을 가지고 움직였다.

2대 집행부로는 위원장 김유미, 부위원장 김태용 · 서효순 · 이후민, 사무국장 김경석이 1990년 임투 전까지 활동하였다. 임투 후 부위원장 이하 임원이 교체되어 김경석 · 서향숙 · 송보순 · 신훈철 · 안지희가 부위원장을 맡고 사무국장은 공석이었다. 3대 집행부는 1991년 2월 27일부터 1992년 10월 28일까지 활동하였다. 위원장에 김유미가 옥중 당선되었고 부위원장에 김경석 · 김명구 · 서향숙 · 신훈철이, 사무국장으로 안지희가 활동하였다.

초기에는 상집간부 수도 많았고, 각 부에 부원을 두어 활동하였는데 부원이 10명 내외가 되는 부서도 있었고 전체 부서부원이 30~40명이 되기도 하였다. 이들은 부별로 매주 1회 회의를 하면서 부서 활동을 함께하였다.

집행부서원 활동

다양한 소모임 활동과 더불어 상집부서원 활동도 노동조합 조직활동에 중요한 역할을 하였다.

1991년 노조 4주년 기념행사. 공놀이로 함께 했던 조합원

문화소모임 활동이 현장조직활동에 밑바탕이 되었다면 조금 더 노동조합활동에 적극적인 조합원들은 선출직 대의원으로서 활동하는 것 외에도 상집위원회의 부서원으로서 적극적으로 활동하였다. 예를 들어 교육부, 조사연구부, 여성부, 의료부, 조직부, 총무부, 홍보선전부, 보라매편집부서는 간부인 부장이 혼자 활동하는 것이 아니었다. 최근에는 간부 구성도 축소되고 부원활동도 거의 없지만 2000년대 초반까지는 부원의 활동이 이어졌다. 상집간부가 임명되면 그 부서장들은 함께 활동할 부원을 찾아 조직하였고 매주 각 부서 모임을 하여 노동조합 활동을 공유하고 학습이나 부서별 활동을 진행하였다. 홍보선전부의 경우는 노동조합 소식지(신문) 「신새벽」을 발간하였는데 각 부원들과 함께 편집회의를 하고 원고를 나눠맡는 역할들을 하였고 보라매 편집부의 경우에도 보라매 소식지를 발간하는데 부원들이 참여하였다. 교육부, 여성부, 의료사회부 등도 각 부서의 활동내용에 맞는 학습과 활동을 하며 정기적으로 모임을 운영하였다. 철학과 노동의 역사 학습, 간부실무교육 등을 활발하게 하였고 생일잔치나 MT를 통해 결속력을 높였다. 저녁근무자가 있어 모임을 지속하기 어려운 조건일 때는 요일

을 바꿔서라도 진행하는 열의를 보이기도 했다.

매주 각 부서별로 모임을 하는 것 외에도 주요 사안이 있는 경우 부서부원 전체 모임을 진행하여 기동성있고 통일된 활동을 도모하였다. 공동교육을 진행하기도 하였다. 또한 대의원대회나 과모임 진행 전에 부서부원 전체모임을 통해 의견을 모으고 다듬는 경우도 있었다.

이런 부서활동을 통해서 활동에 참여한 조합원들은 해당 부서의 간부로 배출되고, 대의원으로 활동하게 되는 등 노동조합 활동인자를 양성하는 중요한 통로가 되었다. 부서부원 모임을 통한 현장과의 소통도 컸다. 부서부원들은 노동조합의 핵심적인 활동 역량이었다.

소모임 조직

노동조합 출범 이후 다양한 소모임이 구성되어 활동하였다. 노동조합은 조합원뿐 아니라 2,000여 명의 전 직원이 자발적이며 창조적인 소모임 활동을 할 수 있도록 지원하였다.

서울대병원에 가장 먼저 생긴 소모임은 풍물패였다. 1987년 9월 말 조합원들을 참여시키고 선전과 교육 효과를 얻기 위해 만들어졌다. 이어 1988년 2월 문화부를 신설하여 소모임을 활성화하기 위한 준비를 하여 4월에 소식지, 벽신문(대자보)을 통해 조합원들의 의견을 수렴하였다. 한편으로는 열심 조합원들이 나서서 노래반과 산수놀이반을 준비하였다. 또한 클래식기타 동호인 모임이 문화부의 소모임이 되었고, 조합원 의견 수렴 결과 그림반, 영화반, 연극반, 탁구반, 축구반, 사진반을 구성하였다. 본격적으로 소모임을 조직한 기간은 3~4개월인데, 그동안 10개의 소모임이 만들어졌다. 참여 인원도

205명에 달했다.

서울대병원노조의 대표적인 소모임은 고운소리회(고전기타), 민속연구회/하날뫼(풍물패), 넝쿨(노래반), 축구반, 탁구반, 그림동네(그림반), 사진과 영상, 산수놀이반(여행), 서예반, 연극반, 늘푸른글터(문학반), 휘파람(율동패), 종이공예, 건강세상 알찬간호 등이었다. 이 중에는 노동조합 설립 초기부터 만들어져 이어진 것도 있고, 시기별로 생겼다가 해체된 것도 있다. 그리고 여성부에서 주관하는 취미교실과 각 부서별 모임과 생리휴가 문제를 주제로 하는 각 부 여성조합원 모임도 있었다. 탁구반, 지점토 취미교실, 산수놀이반, 풍물패, 넝쿨 노래패 순으로 회원 수가 많았다.

이들 소모임은 매주 모임을 가지며 고유의 활동을 진행하는 것과 동시에 노동조합 활동에 적극 결합하였다. 풍물패는 집회에 빠지지 않는 단골손님이 되었고 노래반은 공연을 하고 그림반은 깃발, 걸개그림을 그렸다. 운동 소모임은 조합원 체육행사를, 영화반은 영화감상회를, 연극반은 촌극을 준비해 조합원들을 노조 울타리로 모았다. 일일찻집, 환자 및 보호자를 위한 송년잔치, 소아병원 환자를 위한 사생대회와 글짓기 시간을 가지며 노조 활동의 지지자를 모았다. 소모임들은 자신들의 특성을 살려 노조 자체 행사뿐 아니라 상급조직, 다른 병원 노동자들이 투쟁하는 곳으로 달려가 노래를 하고 기타를 연주했다. 소모임 활동 사례를 발표하여 다른 노조에도 모범을 삼게 하였다.

소모임, 문화에 관계된 교육은 문화부에서 실시하되, 교육부가 전반적인 교육을 진행하였다. 직제개편, 임금의 정의 및 잘못된 논리, 병원노조의 임투 방향, 병원노조의 특수성과 그 과제 등에 대해 교육을 했다. 소모임 구성원들은 노조가 처한 상황에 대해 아는 데서 더 나가 노동조합 이념에 대한 교육 요구가 높아질 정도로 참여가 높았다.

이처럼 소모임은 노조 활동의 기반이었다. 비전임 간부, 대의원들이 소모임을 이끌어가면서 전임 간부들이 하는 역할 이상을 소화하고 조합원들을 조직하는 데 전면에 섰다. 소모임과 노동조합을 연결하는 부서는 문화부였다. 서울대병원노동조합 문화부의 할 일은 첫째, 조합원의 다양한 문화적 요구를 파악 수렴하여 그것을 충족시켜 주는 일이었다. 둘째, 조합원의 문화적 요구를 올바르게 이끌어 나가는 일이었다. 셋째, 조합의 활동목표와 방침(예를 들어 임금교섭이나 단체협약 갱신 교섭시기 등)에 따라 문화활동을 집중시키고 지원하는 일이었다.

노동조합 활동의 결과 조합원들의 문화도 바뀌었다. 노동조합 활동을 시작한 이후 나이트클럽에 가지 않는 조합원들도 있었고, 술 마시며 토론으로 밤을 새는 경우가 많았다. 술 마실 때는 '건배' 대신 '노동해방을 위하여!' 를 외치기도 했다. 노동조합 사무실이 문화공간, 상담공간, 삶의 공간이 되었다.

노조를 결성하기 전만 해도 고용직이나 사무직 남자들 문화는 나이트클럽을 간다든지 룸싸롱 가는 게 굉장히 많았나 봐요. 처음에 저도 그런 데를 데리고 간 거예요. 그래서 제가 깜짝 놀랐어요. 그런데 그게 서서히 없어져 버리더라구요. 더 재미있는 것, 삶의 새로운 거를 느낀 게 된 거죠. 젊은 친구들 경우에는 정말 바르고 곱게 사는 거 있잖아요. 노조사무실 와서 기웃기웃 거리고 말하자면 공동체의 온상이 된 것 같아요. 노조 사무실이 굉장히 좁았거든요. 그래도 맨날 들락날락거리고 한쪽에서는 기타치고 누워있고 한쪽에서는 소식지 만든다고 글도 쓰고 교섭 준비도 하고. 누구는 연애해서 울고, 다 같이 그냥 거기서 먹고 자고 그랬던 거죠. 형제 같고 누나 같고. 술 마시는 문화도 바뀌었는데 건배라는 말 대신 서울대병원노조를 위하여! 노동의 해방을 위하여! 거창한 구호 있잖아요. 그런 거를 많이 했던 것 같아요. (구술자 D)

조합원 일상활동에 있어서도 예를 들면, 굉장히 많은 소모임들이 있었거든요. 넝쿨 노래패는 지하철 노래패와 항상 연대하면서 계속 공연한다던가, 그림이나 운동 이런 소모임들이 한 열 개 스무 개 가까이 똘똘 뭉치면서. 그림반이 있었고, 산과 물로 놀러다니는 산수놀이반, 서예반, 멀티미디어반. 노래패는 매년 공연까지 할 정도였고. 근데 이런 문화 소모임을 이끌어 가는 사람들은 학생운동 출신이나 운동 경험 있는 사람들은 아니에요. 그렇지만 200명이 넘는 사람들이 문화 소모임 활동을 했으니까 모이기만 해도 힘있는 대오가 되는 거고 문화활동을 하면서 노조활동으로 연결되고 다른 노조와 연대활동도 하고. 어떻게 보면 모범적인 사례라고 볼 수 있었죠. 굉장히 재밌게 활동 했어요. (구술자 P)

이러한 소모임이 많다는 것은 조합원들에게 노조 활동 참여의 기회를 제공하기도 하며 조합의 지지 기반을 넓혀 다양한 문화활동으로 자연스

1990년, 눈꽃보다 아름다웠던 산악반의 얼굴들

런 교육 및 홍보선전부문을 담당할 수 있는 계기를 마련했다.

특히 문화부 소모임 교육은 소모임 활동을 보다 올바르게 지도해 내는데 있어서 무엇보다 중요했다. 그뿐만 아니라 소모임 활동이 올바른 관점에서 그 내용이 채워지고 일상활동이 이루어질 때 문화소모임은 보다 튼튼한 노동조합의 토대를 이루고 나아가 조합의 일꾼을 배출하는 공간이었다.

처음 풍물패 했던 그 맴버들이 거의 다 간부나 대의원이 되어 노동조합의 주축이 된 거 같아요. 노조에서도 풍물패를 하면 사람들을 노조활동에 쉽게 참여하게 할 수 있겠다고 생각해서 조직했던 거 같아요. (구술자 H)

소모임 활동 자체가 교육과 정책활동의 연장이기도 했다. 대표적인 예로 '건강세상 알찬 간호(건알)'는 전문직으로서의 간호에 대하여, 의료개방을 맞이하는 간호사의 입장, 간호사가 보는 여성문제, 매스컴에 비친 간호사의 모습에 대한 고찰, 타병원 단체협약에 관한 조사, 간호사 업무의 효율성에 대하여, 간호사 역할의 역사적 변천과정과 학제에 대하여 등을 함께 토론하고 연구하여 자료집을 발간하기도 했다. 또한 이러한 내용들로 '간호사 심포지움' 이나 '간호사 교실' 을 열기도 했다.

소모임 간의 연대활동 및 내부행사가 활성화되는 것이 조직력의 근간으로 작용하는 이유는 간단하다. 소모임 중심의 일상적 문화활동 및 소모임 · 조직위 간 조직활동이 강화됨으로써, 조합원 간의 차이를 극복하는 관계가 일상화된다는 의미이고, 이는 또한 현장의 문제를 해결할 수 있는 힘이 수시로 발휘될 수 있다는 의미였다.

하지만 1990년대 중반 이후 소모임 활동이 침체되어 갔다. 그 까닭은 여러 가지가 있겠지만 가장 기본적인 문제는 소모임 활동을 하는 사람들의 기대와 소모임에서 전개되는 활동내용이 잘 맞지 않기 때문에 빚어진 결과였다고 볼 수 있다. 특히 임투나 단체협약갱신과 같은 쟁의시기 동안에는 소모임의 일상활동이 제대로 축적된 힘을 결집시키지 못하고 공전함으로 인해, 이후에 다시 일상활동 체제로 전환되었을 때에는 소모임 내부조직을 추스르는 데 많은 어려움을 겪었다.

현장토론

서울대병원노동조합은 수시로 현장 조합원과 소통하면서 활동을 전개하려 하였다. 주요한 수단은 임단투 및 투쟁의 요구사항을 결정하기 이전에 전개했던 조사활동, 대의원대회나 조합의 각종 매체를 통해 요구에 대한 설명 등이었다. 이 과정에서 현장 분임토의도 추진되었다.

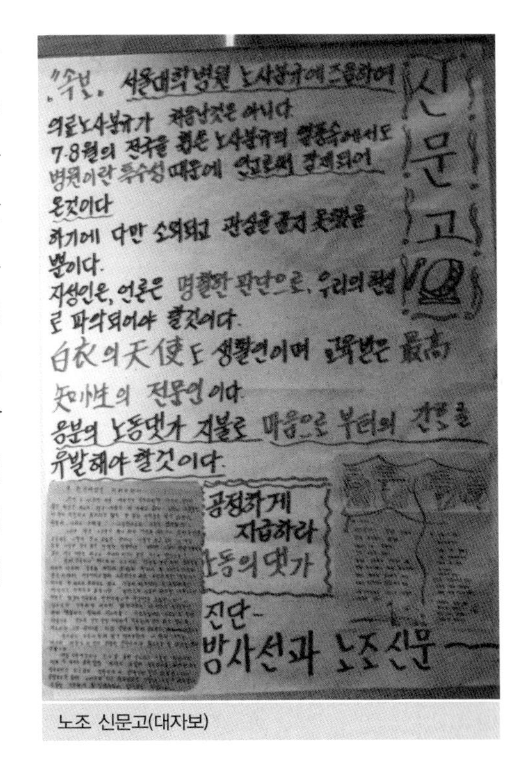

노조 신문고(대자보)

조합원 토론을 많이 했거든요. 교섭 안건을 정할 때도 그렇고 항상. 부득이하게 노조에서 간부들이 안건을 만들 때는 그걸 가지고 부서별로 각각 조합원들과 조합원 모임을 항상 했어요. 모임 내에서 토론하고, 그런 토론의 결과를 바탕으로 투쟁했어요. 저희는 현장중심의 활동을 많이 했어요. (구술자 D)

서울대병원노동조합은 현장분임토의, 총회에 대해 다음과 같이 인식하고 있었다. 첫째, 간부와 열심조합원 위주의 활동으로부터 탈피하여 다수조합원이 조직의 주체로 나설 수 있는 총회(분임토의) 중심의 노동조합활동이다. 둘째, 총회를 정례화하여 조합원의 일상적인 노동조합 활동 참여를 통해 자주적 단결을 유지 향상한다. 셋째, 조합 내 정책이나 사업을 조합원 스스로 총회를 통해 결정한다. 그래서 서울대병원노동조합은 구체적인 토의방법까지 제시하면서 분임토의를 진행하였다.

현장분임토의 방법은 조합원의 참여를 극대화하는 것이었다. 그 방법을 보면, 반드시 순번대로 골고루 발언토록 한다. (조합원 모두 한 번 씩은 발언토록 한다.) 조합원 한 두 명이 장시간 발언 시에는 요약하여 의견을 제시토록 제재할 수 있게 하였다. (발언시간은 1~2분, 3분 이내에 하도록 회의 시작 전에 정하여 진행을 원활히 함.) 다음으로는 서기의 역할을 분명히 하여, 한 순번이 끝날 때마다 발표 내용과 기록된 내용이 같은지를 확인하고 각 조합원들의 의견을 다시 한 번 회상시키기 위해 기록된 내용을 읽어주고, 기록 정리된 내용을 꼭 모임 조합원들에게 발표하여 확인하게 하였다. 마지막으로 토의의 문제에 대한 원인과 대안을 제시하게 하고, 가능하면 만장일치로 결론을 도출하게 한다. 왜냐하면 결론에 대해서 반드시 따르고 실천하도록 결의하게 하는 것이 중요했기 때문이었다.

현장위원회, 현장 소조직 구성을 시도한 적도 있다. 1991년 노동조합의 조합원이 있는 현장에서의 일상적인 조직 활동을 하기 위해 현장 단위별 현장위원회활동이 대의원대회에서 제안되었고 과모임을 통해 추진하려고 하였다. 하지만 1~2차례의 홍보로 그쳤고 현장에서의 구심력이 만들어지지 못했다. 대의원의 조합활동 참여의지나 활동수준이 편차가 큰 상황에서 현장 조직 활동가로 활동하는 것은 어려운 일이었다.

이후 5대 집행부도 전임자 간부중심의 노동조합활동에서 대의원과 현장조합원을 중심으로 한 노동조합 활동을 추진하고자 하였다. 그러기 위한 시도의 하나로 조합원 임시총회같은 비상상황이외에도 상시적으로 조합원의 의견과 참여가 노동조합집행부활동과 연계되기 위해 현장단위의 현장소모임을 구성하고자 하였다. 간부 대의원, 상집부서원으로 활동하는 경우가 아니면 일상적으로 조합활동을 할 활동구조가 없었기 때문에 이를 위해 대의원 선출단위별로 기존 대의원, 간부 등 열심조합원을 아우르는 조직위별 집행위원제도를 추진하여 조직위별 집행위원회의(모임)를 권장하고 이를 현장단위의 조합원 조직으로 공식화 하고자 하였다. 하지만 인식부족과 조직활동 역량의 부족으로 일부 조직위에서 식사모임이나 현안토론이 몇 차례 이루어지기는 했지만 활성화되지는 못했다.

3) 교육 활동

1988년 3월 설문조사 결과 조합원들이 노동조합으로부터 받고 싶은 교육은 부당노동행위 대처방안(25.8%), 노동사 철학(18.93%), 노동조합 활동(18.83%), 노동법 해설(18.32%), 한국의 정치경제구조(11.61%) 등이었다. 현장에 난무하는 병원 관리자의 노동조합 활동에 대한 일상적 방해에 어떻게 대처할 것인지 궁금하였고, 노동자로서 가져야 할 세계관 구축, 한국 사회의 정치 상황 등에 대해서도 교육받고 싶어 했다.

이러한 요구를 받아 서울대병원노동조합은 조합원 교육시간 확보, 간부 교육 정례화 등 교육을 조직적으로 진행하였다. 비공식적인 방식의 교육 및 소모임을 중심으로 하는 교육도 활성화되었다. 회의나 집회 후 뒤풀이도 교육의 장으로 중요했다.

평상시에는 자기 부서나 자기 소모임에 필요한 학습도 하고 소모임 활동도 하고. 이 사람들이 노동조합에 연결이 될 때는 그 소모임 회의를 문화부장이 관장을 했어요. 중요한 것은 뒤풀이 교육이었죠. 특히 대의원대회 끝나면 더 그랬고. 상집간부모임 끝나면 부서모임도 하니까. 혜화동 근처 맥줏집, 소줏집, 막걸리집 같은 데 가면 이쪽 부서, 저쪽 부서 모인 사람이 같이 모이고 밤새 토론하거나 또는 술 먹고 노래 부르고. 특히 노래 잘하는 친구들은 노래 부르고 그러면서 돈독해졌던 거죠. (구술자 D)

교육은 그 대상이 간부냐 조합원이냐에 따라 약간의 차이가 있었다. 간부들에 대한 교육은 노동조합의 올바른 방향을 제시하고 조합원을 하나로 묶어 책임 있는 간부로 세우기 위해 간부 자신의 활동능력을 높일 수 있고 사회에 대한 문제의식과 정세분석 능력을 갖출 수 있는 교육이 주를 이뤘다. 조합원들에게는 노동자로서 사회를 바라보는 관점을 제시할 수 있는 교육으로 배치하였다. 내가 노동자다, 자본주의 사회에서 노동자의 처지 등.

초기에는 노동자라는 보편적인 사고에 대한 교육을 많이 했어요. 그전까지는 '우리는 노동자다', 라는 인식을 갖고 있는 게 이상했고, 그런 생각을 못하게 했었으니까. 나는 당연히 일하는 거밖엔 몰랐다거나 들어왔을 때 우리의 처지가 어떻다, 라는 얘기들을 쏟아내면서 교육을 통해 변해갔죠. 기본적인 노동철학이라든가 그런 걸 많이 했던 거 같아요. (구술자 N)

서울대병원노동조합의 교육들은 그동안 모르면서 당했던 과거를 확인시키고, 조합원 간의 불균등한 의식을 통일시키고자 하는 과정이었다. 또한 노동조합의 간부와 조합원이 소통하는 주요한 수단이었다.

서울대병원의 교육활동은 교육부를 중심으로 진행되긴 했지만 상집간부나 전체 조합활동의 핵심주제이기도 하였다. 병원은 여러 직종으로 구성되었으므로 불가피한 조합원의 편차와 교대근무, 병원업무의 특성상 조합원이나 간부에 대한 교육여건이 좋지 않았다. 그렇기 때문에 노동조합은 다양한 교육방법과 매체를 개발하여 교육을 진행하기 위해 필사적으로 노력해왔고 집행부가 바뀌어도 계속 그 노력을 이어왔다.

서울대병원노동조합의 교육은 상집부서원 교육, 상집간부교육, 정기(임시)대의원대회 교육, 대의원 봉투교육(매월 대의원 개개인에게 교육자료가 담긴 봉투를 전달), 분기별 조합원 하루 교육, 노동조합 학교, 신입직원 OT, 병원의 한마음 교육을 활용하는 조합원 교육,

교육지 발행, 「신새벽」 교육란을 활용하는 교육, 신규 조합원 간담회, 신규직원 교육, 외부파견교육, 전임자 학습, 교육부 및 교육위원 모임(93년 상반기부터) 등이 있다.

근무로 인정되는 조합원 일일교육의 예를 들면, 그냥 쉽게 만들어진 교육방법이 아니라 조합원들에게 직접 다가가는 교육을 하기 위한 고민 끝에 창조적으로 고안하고 병원과의 교섭과 투쟁을 통해 만들어진 교육방법이다.

'조합원 교육은 분기당 하루를 보장한다'는 단체협약이 있었지만 이는 단체교섭 시 단체행동방안의 하나로 퇴근 무렵 1시간 정도 가능한 조합원이 무작위로 조합원교육에 참여하는 것으로 가끔 활용되었다. 그러던 것을 병원과의 실무교섭을 통해 하루 인원 35명 내외의 조합원을 근무로 인정하는 노동조합 하루 교육에 참여할 수 있도록 하여 1993년 4월에 처음 시도하였고 이후 확대하여 매일 40~50명을 5일 동안 연속해서 조합원 하루 교육을 시행하였다. 하루일정에 다양한 프로그램을 배치하여 조합원의 의식을 고양하고 단결과 친목을 도모하였다.

노동조합학교 역시 대표적인 교육프로그램이었다. 1992년 1차 노동조합학교가 시범적으로 운영되었고, 1993년~1994년에는 연 2회, 1995년~1996년은 연1회로 7차까지 운영되었으며 4~5주의 강의 일정으로 열심조합원들의 교육과 토론의 공간이 되었다. 1997년에는 일꾼 학교라는 이름으로 1회 진행되었다. 이 두 가지 대표적인 교육프로그램은 산별노조 건설 전부터 병원노련(보건의료노조) 서울본부의 교육모델이 되어 확대 적용되었다.

상집 간부는 매주 상집회의 시 30분정도씩 시사적이며 상황에 맞는 주제를 선택하여 교육하였는데 안건이 많아 유보되거나 취소되는 경우도 있었으나 꾸준히 이어졌다. 주요 내용을 보면 단체교섭, 대중조직에 대하여, 간부의 자세, 의료보장, 회의의 생활화와 효율화, 파업중 임금은 지급되어야 한다, 현장조직 활성화, 시사적으로 의사들의 집단행동에 대하여, 하반기 경제종합대책과 노동자 등이었고 때로는 외부강사가 교육하기도 하였다.

대의원교육은 대의원대회를 이용하였고 대의원이 조합원 교육과 홍보를 담당해야 하므로 봉투교육을 매월 실시하였다. 내용은 직제개편, 파업투쟁을 어떻게 할 것인가, 노조이념과 간부의 자세, 민주적인 조직활동, 병원노조의 특수성과 그 과제 등 그때그때 필요한 내용을 주제로 하였다. 대의원들에게는 외부강사보다는 내부강사의 교육이 현장감 있고 공감대가 컸다. 대의원 봉투교육은 흔들리는 상식과 세상보는 눈, 국민을 위한 의료기관으로 거듭나야, 철학과 일상생활의 관계, 세계를 어떻게 볼 것인가, 우리는 경쟁사회에 살고 있다 등을 내용으로 하였는데 다른 조직에서는 찾아볼 수 없는 기발한 교육방식이었다.

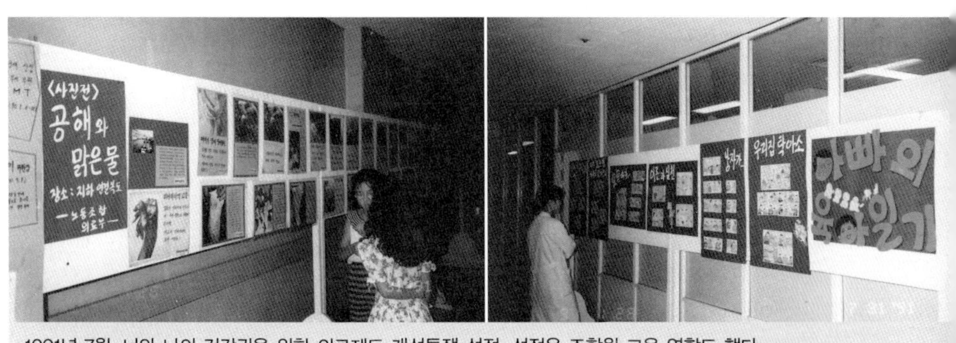

1991년 7월, 너와 나의 건강권을 위한 의료제도 개선투쟁 선전. 선전은 조합원 교육 역할도 했다.

평조합원 대상 교육은 전체 집회 시 교육, 「신새벽」 노보 교육란을 통한 교육 등으로 진행되었는데 내용을 보면 1988년 11월 17일 노동법개정의 의미와 노동법의 변천사, 우리나라의 경제, 1989년 5.1일과 2일 노동절을 맞아 노동절의 의의와 우리의 자세, 단체행동의 정당성, 부당노동행위 등을 다뤘다. 조합원교육은 교대근무 조건에서 시간을 맞추기 어려운 점 때문에 어려움을 겪기도 했다.

그 외 신규직원, 신규조합원 교육도 꾸준히 진행하였고 간부들은 외부 교육에 참여하여 연대활동을 벌이기도 하였다. 서울대병원노조 간부들은 노조활동경험 및 투쟁 준비과정과 쟁의기간 중 사례를 출장하여 교육하며 다른 조직을 지원하기도 하였다.

다양한 교육주제와 방식

서울대병원노동조합은 교육지나 교육대자보를 통한 교육, 소식지를 통한 지면 교육, 동원교육, 봉투교육, E-Mail 교육 등 다양한 방법을 고안했다. 특히 다른 노동조합과 달리 시도한 것이 봉투교육이었다.

교육부는 대의원들 봉투교육을 했어요. 한겨레신문 논평 같은 거를 매일 오려서 교육지에 붙여서 한 달에 한 번씩 봉투에 넣어서 대의원들한테 다 줬어요. 정말 열심히 했어요. 그게 효과가 있었는지 그때 대의원 했던 사람들이 거의 상집 간부를 했어요. (구술자 O)

노동조합 결성 초기의 예이지만, 교육방식에 따른 교육주제도 차별성을 가지고 있었다. 세부적으로 살펴보면 다음과 같다.

• 소식지를 통한 지면 교육

–내용: 노동조합이란 무엇인가? 임금인상의 근거, 임금계산, 노동법, 휴가문제, 노동자는 누구인가? 연대활동, 병원노조의 특수성, 상급조직, 단체협약과 단체교섭, 노동3권, 의료보험, 직제의 문제점 및 직제개편의 방향, 대의원의 역할과 과제 등

–대상 및 효과 : 조합원들의 호응도가 높았으며, 사회문제에 대한 노동자적 시각을 트이게 하는데 매우 효과적이었음.

• 강의교육

–내용: 노동자의 삶과 자세, 한국의 경제구조와 노동자, 한국의 의료문제와 의료비 절감을 위한 약품성분명처방의 사용, 노동자의 자세, 노동자와 노동법, 현 정세와 노조의 조직강화 방안, 노동의 역사, 임금과 생계비 등을 반영하는 노동자의 철학과 역사 문제 등

–대상 및 효과: 1988년 상집위원들의 자기 주도적인 학습 활동. 회의의 생활화와 효율화, 노조의 운영원칙인 민주주의적 중앙집중제, 제3자 개입금지조항의 폐지에 관해, 남녀고용평등법 검토 등

• 연대교육 및 파견교육

–내용: 상급조직의 교육부 연대모임, 수련회, 상급조직 지도자 교육 및 상집간부 교육 등에 참여. YMCA노조간부교육, 임투문화학교, 노보편집자 교육, 노조간부 실무교육, 전국노동조합대표자수련회 교육 등

–방식: 상급조직이나 외부 노동운동 지원단체의 교육프로그램에 참여

• 봉투교육

–내용: 철학과 일상생활의 관계, 노동의 역사(1)/ 임금과 생계비, 한겨레 그림판 모음/ 세계관과 철학, 승진기준, 급여체계 및 형태 외/

기업주 이익은폐 어떻게 밝혀내나 외/ 노동의 역사(2), 대의원대회 토론 내용/ 무노동무임금 논리의 허구성 외, 한국의 의료현실과 병원노동조합의 역할, 올바른 의료제도를 위한 처방방식에 관하여 외/임투 중간평가서, 전노협 와해 본격 수순 밟기 외/ 단협 갱신투쟁의 상황, 전세값 폭등 막을 길 없나 외/ 101회 세계노동절기념, 국민의 생명은 누가 지켜야 하는가 외/ 노태우 정권의 MBC노조 와해작전/ 장기수의 갇힌 세월/미국 패권주의 발판 한반도 운명/제도언론의 기회주의/ 누가 남북한 간의 쌀거래를 막는가/ 공권력 투입으로 깨진 산업평화/ ILO가입과 한국의 노동운동/ 통일의 인간화/ 환경을 파괴시키는 범죄자들/ 재벌의 '공룡경제' / 최불암 약사가 준 교훈/구멍가게는 그래도 빚은 없다/ 인간세종, 임금세종/ 손 안대고 돈버는 '사람장사' -파견노동/ 월차 휴가 폐지는 임금 삭감책/ '약' 과 '병원' 과 환자의 권리/ 올바른 구강건강법/ 노동계 조여 오는 임시고용직/임금억제로는 '경쟁력' 강화 안 된다/ 노경총 '임금합의' 해서는 안 된다/ 우라질 라운드 손이 트지 않는 약/ 파업 전체 불법규정은 위헌/ 혼란스런 대북정책/ 농민과 학생들이 '싸움' 을 준비한다.

–대상: 대의원과 상집부서원을 상대로 하는 교육

4) 선전 활동

서울대병원노동조합은 노조 소식을 알리기 위하여 노동조합 소식지를 만들어 배포하였다. 1987년 8월 1일 노조 소식지 1호를 배포하였고 22호부터는 이름을 「신새벽」으로 바꾸고 좀더 체계적으로 만들었다. 「영등포병원 신새벽」은 1989년 8월 23일 첫호를 발간하였고 이후 「보라매」로 바뀌게 된다.

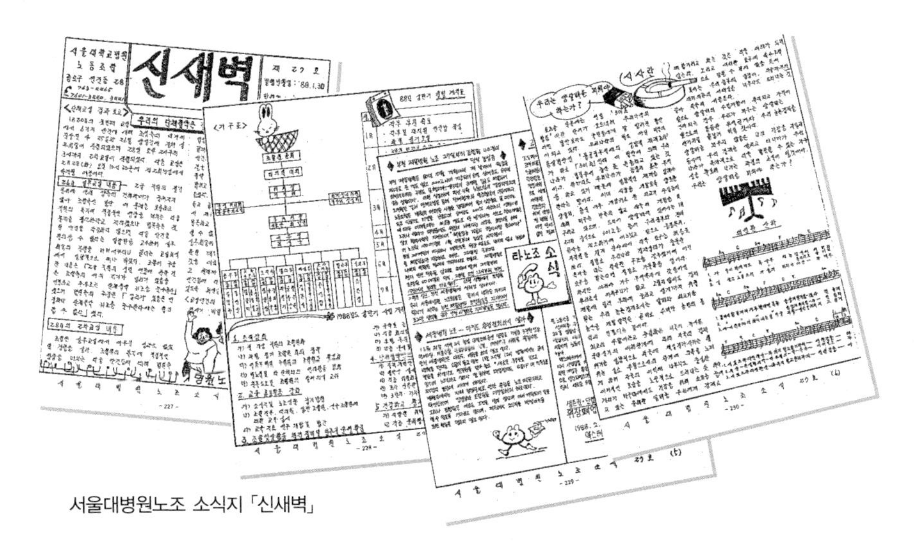
신새벽

서울대병원노조 소식지 「신새벽」

「신새벽」이라는 소식지 이름은 노동조합 간부들이 수련회를 갔다가 지었다고 한다. 밤새 토론하고 밖을 내다보니 푸르스름하게 동이 터오고 있었고 그때 누군가 소식지 이름을 신새벽으로 하자고 제안하였다. 어둠 다음 해가 뜨기까지의 설렘과 희망을 담은 이름이라는 생각에 다들 동의하였다.

「신새벽」은 교섭, 요구, 임금이나 직계 등 노동조합에서 알려야 할 사항, 다른 사업장 투쟁 소식을 알리는 매체였다. 1989년 가을, 조합원들에게 「신새벽」이 어떤 위치인지 물어보았는데 노동조합의 소식을 「신새벽」을 통해 알고 있는 경우가 67.42%에 달했다.

「신새벽」은 어떻게 만들어졌을까. 주간지로 내려면 일주일 내내 취재하러 다니고 이틀은 꼬박 밤늦게까지 남아서 소식지를 만들어야 했다. 컴퓨터가 없던 시절이라 타자나 필사로 기사를 적었고 신문에 난 만평을 오려 붙이거나 그림을 그려 폼을 냈다. 당시 편집 실무 책임을 졌던 안지희는 기사를 취재하러 여기저기 뛰어다녔고 신문을 꼼꼼히 보며 내용을 만들었다. 취재하러 다니다가 발을 다치기도 했고, 밤새 병원에서 작업한 후 새벽에 몰래 집으로 들어가다가 부모님께 혼이 난 간부도 있었다. 서효순은 글씨를 예쁘게 썼기에 필사 담당이었고, 그 원본을 복사하여 배포하였다.

「새벽지」를 수작업으로 매일 저녁 남아서 만들었어요. 내일 나간다, 그러면 하루 내지 이틀을 남겨놓고 밤을 샜죠. 그땐 복사기도 없었어요. 써서 복사했죠. 그렇게 하다가 나중에 인쇄소로 가기 시작하는 거죠. 그때는 다들 처녀 총각이었어요. 가정 있는 사람이 한두 명 정도? 가정 있어도 애 놔두고 똑같이 일했고, 중간에 결혼한 사람도 마찬가지였고요. (구술자 O)

유미네 집에도 가고 또 병원에 나중에 남아서 하고 나는 그거 하다가 집에 가서 우리 아버지한테 빗자루로 호되게 맞고, 빗자루 집어 던져서 맞고 현장에 취재 다니다가 발 다치고 찢어진 애도 있고. (구술자 M)

글자 하나하나에 땀과 노력이 담겨있는 소식지였다. 조합원 대상 선전물을 복사하거나 인쇄하는 데는 예산이 많이 들었다. 간부들은 조합원들이 모은 돈을 허투루 쓸 수 없었다. 그래서 장당 5원을 아끼기 위해 무거운 선전물을 직접 찾아 들고 오기도 하였다.

많이 든 게 인쇄비인데, 노조에 인쇄시설도 없고 그러니까 돈이 많이 들었죠.

자료 보면 알지만 타자로 친 건데 되게 열악하잖아요. 서효순 부위원장이 손으로 쓴 거야. 고생 많이 했어요. 글씨 잘 쓰니까 신문이고 유인물이고 손으로 직접. 그리고 명륜동에 명륜당이라는 인쇄소가 있었는데, 조합비를 아끼려고 그 무거운 걸 직접 들고 왔어요. 그 사람들이 배달하면 장당 5원을 더 받아요. 인쇄소에서 선전물 나왔다고 연락 오면 내가 나가서 짊어지고 오고 그랬어. 열정적이었지. 5원을 아끼려고. (구술자 S)

5 연대

1987년 7월 서울대병원노동조합의 결성을 시작으로 병원 노동조합들이 그해 말까지 55개, 1988년에 41개가 결성되었다. 이 노조들이 주축이 되어 1987년 말 전국병원노동조합협의회라는 최초의 전국적 연대조직을 결성하였고, 1988년 말에 이 조직을 전국병원노동조합연맹으로 발전시켰다.

병원노동자들은 1988년 12월 17일 전국병원노동조합연맹(병원노련)을 창립하고, 1989년 1월 5일 노동부에 노동조합설립신고서를 제출하였다. 그러나 병원노련은 한국노총 산하 연합노련과 조직대상이 중복된다는 이유로 합법화되지 못하였다. 이후 병원노동자들은 6월 13일에 노동조합법 제3조 5호에 대한 위헌제청을 신청하였고, 11월 2일에는 병원노련 합법성쟁취특별위원회를 구성하였다. 병원노동자들은 합법성쟁취 결의대회, 연합노련 항의방문, 노동운동 탄압분쇄 및 연합노련 규약개정촉구 결의대회 등을 전개하였다. 병원노련은 노동부를 상대로 소송을 제기하여 합법성 쟁취를 꾀하였으며, 1992년 3월 3일 ILO기본조약비준과 노동법 개정을 위한 공대위는 노조법 제3조 5호로 노동자들의 기본권 탄압, 공무원 · 교사의 단결권을 부정하는 한국정부를 ILO에 제소하였다. 1992년 7월 16일, 서울고등법원은 병원노련의 승소를 판결하였고, 1993년 5월 25일, 대법원은 노동부의 상고를 기각하여, 병원노련 고법승소 원심을 확정 판결하였다. 병원노련은 합법적인 상급조직이 되어 산하 조직에 가맹인준증을 배부하였다. 서울대병원노동조합도 1993년 7월 15일, 상급단체인 전국병원노동조합연맹으로부터 노동조합가맹인준증을 받았다.

1) 병원노동자들의 단결 조직과 연대투쟁

우리나라 노동조합의 대부분이 사업장 또는 기업별로 조직되어 있는 기업별 노동조합이었고, 이러한 기업별 노동조합은 노동자의 단결된 힘을 강화해 가는 데에 있어서 △조합간부가 어용화되기 쉽다는 점 △산업별 · 지역별 · 기업 그룹별 연대 활동을 전개하기가 어렵다는 점 △노동법 개정 · 노동 3권 확립 · 사회 민주화 등 정치적 과제를 해결하는 데에 필요한 연대 활동이 어렵다는 점 등의 한계가 있었다. 서울대병원노동조합의 간부나 활동가들은 이러한 한계를 분명하게 인식하고 이를 극복하기 위해 지역별, 산업별 연대활동을 강화함으로써 대외적으로 조직을 확대 강화하려 하였다. 따라서 지역으로 업종으로 뭉쳐 연대조직을 건설하는 데 앞장섰다. 서울지역노동조합협의회, 병원노동조합협의회의 발족은 노동조합의 역사적 과제 해결을 위한 기본조직의 구성이라는 중요한 의미를 지녔다.

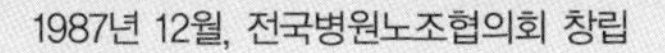

1987년 12월, 전국병원노조협의회 창립

1988년 12월 병원노련 결성대회

서울대병원노동조합은 병원노동조합협의회와 병원노동조합연맹 건설, 병원노동조합연맹 합법성 쟁취 및 임금인상투쟁 전진대회(1989.2.10), 연합노련 대의원대회에 규약개정 촉구(1989.2.15), 보건의료노조 서울지부 활동, 각종 부서모임, 의료민주화 및 의료공공성 연구, 사업 중심의 위원회 및 공동투쟁위원회 등에 주도적으로 참여하였다. 그리고 서울대병원노동조합은 상급조직의 부서별 활동(정책, 조직, 교육, 문화 등), 서노협 · 민주노총 서울지역본부 등 지역체계에 맞는 활동도 열심히 하였다. 물론 민주노조운동의 최고 상급조직인 전노협, 전노대, 민주노총의 각종 결의사항을 노동현장에서 집행하는 것도 최선을 다하였다.

저희가 병노협 신문을 만들었어요. 초창기에는 신문이나 소식지, 속보 이런 게 굉장히 중요하거든요. 그 당시에는 타자기로 치거나 가리방 [줄판] 긁어서 소식지를 만들었는데 그거를 사람들이 열심히 봤죠. 서울대병원에서 소식지 만들 때 왜 병노협을 만들어야 하는지 병원노련을 해야 하는지 그런 거를 많이 홍보했죠. 일단 서울대병원이 하자고 하면 다른 병원들도 거의 많이 따라오는 분위기고. (구술자 D)

처음에는 서울대병원이 많은 역할을 했던 거 같아요. 상급조직의 준비 단계서부터. 일단 우리가 덩어리가 크고, 인적 자원이 다른 병원보다는 낫고, 활동가도 많으니까 초기 조직 만드는 과정에서의 역할을 많이 했죠. 서울대병원 출신 사람들이 상급단체에서 대표를 맡는다거나 하진 않았지만, 조직에 있어서의 중추적인 역할을 하던 사람들이 많고, 상급단체를 설립하는 과정에서 많이 관여했던 것이 사실이고. (구술자 A)

서울대병원노동조합은 보건의료노동조합운동의 상급조직 연대활동을 활발하게 전개하였다. 노동조합을 설립하고 내부 투쟁에 주력하면서도 1987년 10월 서울기독병원 파업농성 지원, 농성지원금 모금 등을 벌였고 1988년에는 부천제일병원, 영암병원, 고려남훈병원, 이대병원, 제주새한병원, 녹십자병원 투쟁에 연대하였으며 1989년에는 원자력병원, 강남병원과 한국병원 노조 창립보고대회에 참석하였으며 한양대병원과 한국병원 투쟁에 연대하였다.

2) 서노협과 전노협을 통한 전국, 지역적 연대

서울대병원노동조합은 1987년 노조를 설립할 당시부터 보건의료산업 부문의 노동자들만이 아니라 민주노조운동의 다양한 노동자들과 함께 연대투쟁을 전개하였다. 민주노조운동의 전국적 구심체였던 전국노동조합협의회, 서울지역노동조합협의회, ILO공동대책위원회, 전국노동조합대표자회의, 그리고 민주노총이 요구하는 총력투쟁 및 총파업 투쟁지침을 충실하게 수행하려고 노력하였을 뿐 아니라 민중연대의 수준에서 전개되었던 각종 전국공동투쟁위원회나 전국공동대책위원회 같은 연대기구에 참여하였다. 물론 이 과정에서 간부 중심의 참여라는 한계를 극복하기가 쉽지 않았지만, 서울대병원노동조합의 깃발은 항상 민주노조운동과 함께 있었다.

그 당시에는 다른 사업장에 무슨 일이 생기면 항상 지원을 나갔어요. 서노협, 전노협 만들 때도 항상 같이 가서 함께 참여 했고, 어떤 집회든 열렸다 하면 꼭 참여를 했고. 거의 매일 일 끝나면 모여서 투쟁 사업장에 연대 다니고 그랬던 거죠. (구술자 I)

서울지하철, 청구성심병원, 그리고 구로, 영등포 공단의 사업장들. 하여간 사방팔방 다 다녔어요. 기억이 잘 안 날정도로. 그리고 한양대병원하고 함께 문화행사를 참 많이 했어요. 서울대병원과 지하철노조 노래패는 거의 형제자매같이 놀았고요. (구술자 O)

상호 연대를 통해 조직적 힘을 확보하는 것이 노동조합운동의 전략과 노선을 결정하는 토대이자 노동조합운동의 질적 성장의 근거였다. 서울대병원노동조합은 의료업종의 노동자들과 연대하면서 하나라는 것을 확인하였고, 그 과정에서 함께하면 이길 수 있다는 것도 알았다. 더 나아가 업종을 뛰어 넘어 연대할 필요성도 느꼈다. 그래서 공공부문의 다른 노동조합과 서울지역을 중심으로 다양한 연대투쟁을 전개할 수 있었던 것이다.

1991년 5월 1일 세계노동절 102주년 기념식

1991년 11월 전국노동자대회 참여

서울대병원노동자들은 민주노조운동의 전국적인 투쟁전선을 형성하는 투쟁에 함께 하였고, 민주노조운동을 탄압하는 정부와 자본에 저항하는 투쟁에 함께 했다. 장기투쟁 사업장의 노동자나 해고자를 비롯하여 민주노조운동의 노동자들과 일상적으로 함께 하는 투쟁도 벌였다. 대표적 소모임이자 노동자들의 문화주체였던 문화패들은 연대투쟁에 앞장섰다.

1988년 2월에는 청계피복노조 합법성 쟁취 농성투쟁에 연대하였고 6월에는 서울지하철노조 직제개편 촉구대회에 참여하면서 함께 했다. 1989년에는 울산 현대중공업노조에서 식칼테러가 발생하는 등 노동운동탄압이 노골적으로 진행되었는데 그 투쟁에도 함께했다. 그해 여름에는 전교조 단식농성장 의료지원과 집회 참여 등 많은 조합원이 함께하는 투쟁을 벌였다. 1990년에는 전노협의 노동운동탄압 저지투쟁에 결합하였고 현대중공업 · KBS 경찰투입 규탄 투쟁에 함께했다.

수많은 연대투쟁 중 노조 간부들은 1990년 현대중공업과 KBS노동자들에 대한 정부의 탄압에 연대투쟁으로 대응했던 과정을 가장

인상 깊게 기억하고 있다. 서울대병원노동조합은 현대중공업 노동자들의 투쟁에 대한 공권력 투입, KBS노조의 투쟁에 대한 공권력 투입 등을 1987년 6월 민중항쟁과 7·8·9월 노동자 대투쟁 이래 전체 노동자와 민주세력이 쟁취한 모든 성과에 대한 부정이자, 민주의 마지막 보루인 언론자유를 또다시 말살하기 위한 선전포고나 다름없다고 판단하고, 1990년 4월 28일부터 5월 4일까지 상집간부들이 철야농성에 돌입하였다.

1991년, 업종문화제에서. 우리는 다같은 보건의료노동자

서울대병원노동조합은 연대투쟁을 전개하면서 언론 자유 없이 민주주의와 노동자권리가 보장될 수 없다는 것, 사용자에게만 유리하게 적용되는 노동악법의 굴레, 공권력으로 더 이상 우리의 동지들을 빼앗길 수는 없음을 알았다. 그래서 물가폭등, 부동산 투기 조장, 주가폭락 등 국민생활을 파탄에 몰아넣고 있는 상황은 분명히 바뀌어야 한다는 인식 하에, 다음과 같은 요구 사항을 제기하였다. "첫째, 정부당국은 KBS, 현대중공업에 투입된 경찰을 즉각 철수하라. 둘째, KBS 서기원 사장을 즉각 퇴진시키고 방송장악음모를 전면 포기하라. 셋째, 단병호 위원장을 비롯한 모든 구속노동자를 즉각 석방하며, 노동조합에 대한 탄압을 중단하라. 넷째, 노동부 장관, 내무부장관, 상공부장관은 현사태의 책임을 지고 즉각 퇴진하라."

서울대병원노동조합은 업종이 다른 노동조합과 연대하면서 민주노조운동의 지역적 토대를 강화시키려 하였고, 그러한 토대를 바탕으로 민주노조운동의 정치사회적 영향력을 확보하려 하였다. 지역과 업종 간 연대활동의 대표적 구심은 서울지역노동조합협의회(서노협)였다. 1988년 3월 서울지역 노동조합 전진대회 및 대동제를 시작으로 서노협 창립을 위한 사업에 적극 결합하였고, 5월 29일 창립대회, 6월 12일 창립 보고대회에 함께하였다. 서울대병원노동조합은 대의원대회는 물론 운영위원회, 업종별 대표자 모임에 빠지지 않고 결합하였고, 임금인상투쟁본부에도 결합하여 지역 업종을 넘어선 시기집중 투쟁을 전개하였다.

특히 서울대병원노동조합은 노조를 설립한 초기부터 서울지역 중심사업장 4개 노조(서울대병원, 서울지하철, 기아자동차, 한국항공) 연대사업도 전개하였다. 1994년 1월말 2월초 서울지하철노조의 장기 철야농성투쟁 지원방문을 계기로 상반기투쟁을 앞두고 규모와 조건이 비슷한 노조와 공동대응하기로 하였다. 그리하여 1994년 4월 22일 4개 노조 핵심간부수련회를 개최하였고, 6월 16일에는 94임단협 투쟁승리를 위한 결의대회를 서울지하철 3·16광장에서 열었다. 이 대회에는 24개 노조 4,640명이 참가하였다.

그동안 서울대병원노동조합이 다른 노조에 연대했던 방식, 연대를 통해 노조간에 형성된 힘과 의식에 대해 간부들은 다음과 같이 이야기한다.

투쟁사업장 연대는 기본이었고, 투쟁사업장이 아닌 데는 소모임을 만들게끔 지원해주고, 조직이나 교육 사례 알려주고, 너무 힘든 데는 우리가 조직화해서 이끌어나가는 방식으로 도와주고. 장기투쟁사업장 같은 데는 가서 투쟁을 같이 하면서

문화프로그램도 하고. (구술자 A)

초기 투쟁 과정에서 우리도 전체 운동의 지원을 많이 받았죠. 서울대병원이 처음 노조결성하면서 각종 단체, 전체 운동권과 진보진영의 전폭적인 지지를 받아왔어요. 그것에 고무되어 내부에서도 열심히 한 사람도 있고. 그 영향이 문화운동이나 조직활동으로 유지돼 온 거 같아요. 그 당시에는 경험을 통해, 전체 운동이 얼마나 큰 힘을 갖느냐가 서울대병원노동조합의 활성화에 또 힘이 됐기 때문에, 우리도 당연히 그 힘을 같이 나눠가야 한다고 생각했던 것 같아요. 또한 서로가 힘을 합쳐 전체를 키워나가야 한다고 생각했고요. 그게 연대의 힘이었다고 봅니다. (구술자 Q)

02

산별노조 건설을 향하여 (1993~1997)

1 조직 체계와 운영

서울대병원노동조합의 1993년 7월 현재 조합원 수는 2,026명으로 68.8%가 조합에 가입했다. 가입대상 수는 3급 포함 2,943명이었다. 1994년 9월 5일 기준 가입대상자 수는 3,001명, 이 중 조합원 수는 2,105명, 가입률 70.1%였고 1995년 7월 10일 현재는 2,082명(남 479명, 여 1,584명)으로 가입률 67.8%였다. 1996년 7월에는 조직 대상 3,091명 중 2,122명이 가입(남 469명, 여 1,653명)하여 가입률 69.2%로 가입률이 크게 변하지 않았던 시기다.

노동조합 4대 집행부는 김남호 위원장, 주세익 · 안지희 · 송보순 · 김복선 · 김애란 부위원장, 구본균 사무국장으로 구성되어 1992년 10월 29일~1994년 10월 26일까지 활동하였다. 4대 집행부는 1993년과 1994년 사업목표 1순위로 근로조건 개선을 놓고 활동하였다. 이 시기는 노동조합 결성 이후 투쟁을 꾸준히 한 결과 임금수준이 하위권에서 중위권으로 진입한 때였다. 병원민주화를 위해 낙하산인사 반대투쟁을 전개하였고 의료민주화 실천으로 금연운동을 벌이기도 했다. 과모임도 활성화하여 본원 조합원의 43%정도가 참여하였고 1992년 시작된 노동조합학교를 이어받아 진행하였다. 하지만 1994년 소모임 중 고운소리회, 휘파람(율동패) 활동이 중지되기도 하였다. 해고자 복직투쟁도 활발히 전개하여 서향숙, 송보순이 원직복직하고 김유미 원직복직 근거를 마련하였다.

5대 집행부는 1994년 10월 27일~1996년 10월 31일까지 활동하였다. 임원은 송보순 위원장, 최선임 · 국중홍 · 김애란 부위원장, 현정희 사무국장이 맡았다. 의료민주화 관련하여 지정진료제 문제를 전면 제기하였고, 병원노련 의료민주화 실천위원회에 참여하였다. 미흡하나마 직장 보육시설을 확보하였다. 5대 집행부는 소모임 활성화를 위한 노력을 기울였다. 특히 1995년부터 과모임 비용, 간담회 비용, 조직활동 비용 등을 조합예산에서 보다 많이 지원하고, 그동안 과모임이 불가능했던 부서에서도 식사 시간을 이용한 모임이 가능해져 과모임이 대체로 강화되었다. 소모임으로는 멀티미디어연구반, 서예반, 넝쿨노래반, 풍물패, 산악반, 탁구반, 그림반이 활동하였다. 보라매 소모임으로 만화반, 영상반, 노래반이 운영되다가 본원근무 등으로 본원의 소모임과 합쳐 활동을 하거나 중단되기도 하였다.

간호사들은 초번, 낮번, 밤번 교대근무를 하면서도 '건강세상 알찬간호' (건알) 소모임을 만들었다. 이는 4조직위내 간호사 소모임이다. 1994년까지 간호사 소식지를 발간하던 건알은 1995년부터 이 시대를 살아가는 간호사로서 알아야할 지식들을 연구 토론하는 소모임으로 전환하였다. 그동안 세 번의 소식지를 내면서 고민한 결과 내실을 기하자는 데서 전환하여 내부 연구와 토론 내용을 중심으로 연 1~2회 자료집으로 발간하기로 하였다. 당시 9명이 적극적으로 활동하였다.

이 시기 조합원 교육내용은 민주노총 건설, 의료산별단일노조 건설이 주를 이루었는데 산별노조 건설을 향한 서울대병원노동조합의 의지를 사업에서 그대로 실천한 것이다.

6대 집행부(지부 1대)는 1996년 11월 1일~1998년 10월 22일까지 현정희 위원장(지부장), 구홍욱 · 최선임 · 유행선 부위원장(부지부장), 김희은 사무국장이 임원을 맡아 활동하였다. 1996년에는 조직문화국, 사무국, 정책국, 보라매로 나눠 부위원장과 사무국장이 책임을 맡았고 1997년말 교육선전국도 따로 두었다. 이 시기는 산별노조 건설을 위해 모든 사업역량을 집중한 시기였고 마침내 1998년 2월 보건의료노조가 건설되었다.

2 산별노조 건설을 위하여

1) 산별노조 건설의 중심에서

서울대병원노동조합은 노조를 설립하고 난 이후부터 지속적으로 지역 · 업종 간 연대활동의 중심에 서 있었다. 서울대병원노동조합이 다른 병원 노동조합에 미치는 영향력은 컸는데, 이를 잘 보여주는 에피소드가 있다. 김유미가 볼 일이 있어 삼성병원에 갔는데 그녀의 등

장과 함께 병원이 발칵 뒤집힌 것이다. '여기도 노조 만드는 거 아니냐, 김유미가 온 건 이미 준비 다 끝난 거 아니냐.' 그녀는 단지 입원한 어머니를 병문안하러 들른 것이었는데.

삼성병원에 제가 한번 갔는데 난리가 났잖아요. 간호사가 저 좀 보자 그래서 왜 그런가 했더니 병원이 지금 발칵 뒤집어졌대요. 김유미가 나타난 거는 노조준비가 다 끝났기 때문에 이제 해도 되나 해서 나타난 걸로 거기서는 받아들인 거예요. 저보고 어느 정도 준비가 됐냐고 물어보더라구요. 아니라고 저는 어머님이 입원해 있기 때문에 왔다고 했더니 신신당부를 하더라구요. 서울대병원은 간호사 지위가 낮잖아요. 간호부장까지 있어서 층층시하거든요. 근데 거기 삼성병원은 간호사 대우가 좋아요. 간호사들이 공부하려고 하면 유학까지 보내주고, 저희 병원에는 그런 게 없는데. 영어공부나 어학공부하면 무료로 다 시켜주고. "만약에 여기 노조가 결성되면 이제 끝이다. 그런 거 없다." 이러면서 "삼성에 좀 뿌리를 내릴 때까지 2년이나 1년 후, 그때까지 미뤘다가 만들어라." 정말 어이없기도 했고, 서울대병원노조 파워구나 하는 생각도 들었어요. 그리고 서울대 출신 간호사들이 거기 가서 감시를 많이 받았죠. (구술자 D)

서울대병원노동조합이 역점을 두었던 지역활동은 병원노련 서울지역본부였다고 할 수 있다. 서울대병원노동조합은 병원노련 서울지역본부를 다음과 같이 인식하고 있었다. 첫째, 서울지역 각 사업장의 문제들을 같이 고민, 논의하는 구조로서 1994년 공동투쟁을 계기로 기업별노조의 한계를 극복하고 산별노조로 가기 위한 지역노조건설의 기반을 닦고 있는 조직. 둘째, 사업장별 규모와 노조운동의 차이로 인한 공동 사업의 어려움을 함께 극복해야 할 조직. 셋째, 동일업종으로서 산별로 가기 위해 여러 조직형태를 거치고 많은 시행착오를 겪더라도 끝까지 같이해야 할 조직이라고 보았다. 그래서 서울지역본부 운영위원회(월 2회), 의료민주화 실천위원회(월 1회), 문화부를 중심으로 한 부서별 위원회(월 1회)를 주도적으로 운영하면서 참여하였다.

이러한 연대활동은 병노협, 병원노련, 그리고 보건의료노조와 함께 하면서도, 서울대병원노동조합의 주체적인 사업으로 배치되었다. 서울대병원노동조합은 보건의료산업의 상급조직과 함께 보건의료산업 내 노동조합 간 투쟁 지원, 연대회의, 교육선전지원, 성명서 발표 등 직 · 간접적인 소통과 지원 방식의 연대를 전개하였다. 예를 들면 개별 병원 수준에서 전개되는 의료공공성 확보투쟁을 전국적인 수준으로 확대하는 투쟁, 의료자본의 상업화를 저지하기 위한 공동투쟁, 그리고 정부와 자본의 신자유주의 구조조정전략에 공동으로 대응하는 투쟁을 전개했다.

특히 지역 내 투쟁 사업장 지원에 적극 참여하였다. 1994년에는 을지병원, 안양중앙병원 투쟁에 연대하였고 1995년에는 경희대병원, 을지병원 방지거병원, 한양대병원, 상계 백병원, 고대의료원, 이화의료원 등 서울지역의 많은 병원들이 투쟁하였고 서울대병원노동조합이 연대하였다. 1996년에는 한일병원 노조위원장분신대책위 투쟁에 결합하였고 다음 해에는 경희의료원, 안양중앙병원, 동산의료원, 한양대병원 노조탄압 규탄집회에 참여하였다. 1998년에는 보훈병원, 이대병원, 청구성심병원 투쟁에 적극 결합하였는데 청구성심병원 투쟁에는 이후에도 연대를 지속하였다.

서울대병원노동조합은 상급조직 일상활동에 중심 역할을 담당했다. 월 2회 정도의 정기모임으로 전국/연맹/지역본부/단위노동조합의 활동내용과 계획을 보고하고 지역본부 또는 연맹의 사업안건을 토론하여 결정하는 사무국장 회의, 공동투쟁 체계 속에서 연맹과 지역본부 임투상황을 상호 보고하면서 교류했던 상황실장 회의, 그리고 각종 위원회 활동에 결합하였다. 대표적인 것이 「병원노동자신문」 제작과 각 사업장 홍보선전을 담당하는 요원들을 교육, 양성하는 일을 담당했던 편집위원회, 간호사위원회(준), 각종 특별(정책)위원회 등이다.

특히 1994년 의료개혁 투쟁을 대중적으로 확대하기 위한 사업이 진행되었다. 병원노련 가입 조직들은 의료민주화 실천을 위한 현장실천조직을 구성하였고, 서울대병원노동조합도 의료민주화실천위원회를 구성하여 매월 1회의 정기모임을 가지면서 활동하였다. 주요활동은 의료관련 교육 및 토론, 의료보험 통합일원화 및 보험적용의 확대, 병원서비스의 평가제도 방안, 산재보상보험법 교육 및 토론, 의료제도의 개선을 위한 요구안 검토 등이었다. 의료민주화실천위원회는 '의료제도 개선 요구안에 대하여', '한국의 의료제도와 외국의 의료제도', '의료의 질 관리 및 경영개선에 대하여', '의료보험 통합일원화 및 의료보험확대'에 대해 세미나 및 토론을 하고 의료제도 개선 방안을 내놓았다. 병원노련의 '병원노동자 의료개혁투쟁'과 의료보험 노동조합 및 진보적 보건의료단체 등이 함께 구성한 '의료보험 보장성 강화를 위한 공대위'에서 정책방안을 만들고 실천하는데 서울대병원 자체의 의료민주화실천위원회를 통해 적극 함께하였고, 1994년 의료보험일수 210일 연장, CT 및 MRI의 보험적용 등 보장성 강화를 이뤄내는 데 힘을 보탰다.

활동가 및 소모임 간의 연대는 지역을 중심으로 한 민주노조의 연대 및 전국적 연대투쟁의 초석이었다. 소모임 간 연대는 교류를 통해 노동자의식을 공유하고 실천을 강제하는 매개가 되었다. 연대 자체가 교육이었다.

서울대병원만이 가질 수 있는 어떤 소모임 활동을 통해 조합원과 동지들끼리 세상에 대해서 어떻게 삶을 살아가야 되겠는지, 이런 것 방향성도 얘기를 할 수 있었고, 그 자체가 학습의 효과를 가져왔어요. 우리병원 뿐만이 아니고 다른 병원들과의 연대활동을 통해서 집회를 나가면 재미있는 거예요. 풍물도 있고, 노래도 할 수도 있고 기타 등등의 노동자들이 어떤 투쟁과정에서 집단화 되면서 뭔가 분노를 표출하고 노동자들한테 기쁨을 얻을 수 있는 그런 장들이 마련되었던 것들이 서울대병원의 역사 속에서 대단히 다른 사업장들에 비해서 발달이 되어 있고, 저도 함께할 수밖에 없었던 원천이 서울대병원에 있었다는 점이죠. (구술자 G)

간부와 활동가들은 전국노동조합대표자회의, 의보연대회의, 공공부문노동조합대표자회의에 참여하면서 민주노조운동의 폭을 확장하는 데 기여하였고 현대자동차노조, 한국통신노조, 한국후꼬꾸노조 투쟁에도 적극 연대하였다.

특히 공공부문노동조합대표자회의는 서울대병원노동조합이 민주노조운동의 전국적 상급조직과 함께 했던 대표적 사례이다. 서울대병원도 정부출연기관이었기 때문에 정부의 노동통제정책에서 항시 제1의 표적으로 임금억제 등 정부의 노동정책에 희생양이 되어왔다. 또한 욕구와 불만을 표출하고 요구를 실현할 수 있는 통로는 거의 봉쇄되어 있던 공공부문 노동자들과 동병상련의 고통을 겪었다. 그래서 서울대병원노동조합은 이러한 공공부문 노동조합 중 민주노조를 지향하는 노동조합들이 모여 1994년 11월 4일 공공부문노동조합대표자회의(공노대)를 설립하는데 함께 했고, 공공부문 노동조합 간의 연대활동을 시작하였다. 공노대 회의에는 당시 최선임 부위원장이 주로 참석하였다. 공노대에 함께 했던 노조는 전교조, 과학기술노조협의회, 관광노련, 금융노련, 담배인삼공사노조, 정부투자기관노조연맹, 병원노련, 사무노련, 에너지노조협의회, 연합노련, 전공노련, 전문노련, 지방의료원노협 등 127개였다. 이들은 1995년 임금가이드라인 철폐 및 임투시기를 집중하는 투쟁, 사회개혁투쟁, 노동법 개정투쟁, 민영화 반대투쟁 등을 공동으로 전개하였다.

서울대병원노동조합은 업종모임의 일환으로 대형병원 모임, 정부출연기관 병원노조준비위, 그리고 서노협을 중심으로 업종모임에도 참여하였다. 이 중에서 가장 역점을 두었던 모임은 서노협을 중심으로 하는 업종모임이었다. 이 모임에는 8개 가입노조와 10여 개 미가입 사업장이 결합하였다. 서울대병원노동조합은 운영위에 참석하여 사안별로 사업을 함께하였고, 대규모 사업장으로서 재정을 담보하는 관계를 맺기도 하였다. 1994년 임투시기에는 업종모임이 서울투본에 참여하기로 결의하여 서노협 및 민주노조운동과 결합도를 높이기도 하였다. 업종모임에 참여한 노조는 모두 민주노총건설에 참여한 노조들이었기 때문에, 민주지향 노조들의 일상적 연대모임으로서 의미가 매우 컸다. 1994년 11월 19일에는 서노협, 병원노련 서울지부, 건설노련, 시설연합, 전문노련, 기아자동차 등이 모여 '민주노총 서울지역본부 추진위원회' 를 구성하였다.

이처럼 서울대병원노동조합은 업종모임 활동을 통하여 민주노총 건설에 적극 결합하였다. 당시 정권과 자본은 노동자들의 민주적 각성과 단결을 두려워하여 민주노조 활동을 무너뜨려 노동자들의 삶을 뿌리째 흔들고 있었다. 구체적으로는 노조활동 방해, 노동강도 강화, 고용불안 야기, 신경영을 표방하며 노동자의 권익을 저하, 사회개혁운동을 불순한 정치투쟁으로 매도, 노동운동을 집단이기주의로 매도하는 것이었다. 개별 기업별노조의 힘만으로는 민주노조운동의 다양한 투쟁 성과들을 유지, 확대하고 노동조합의 앞길을 가로막고 있는 장애물들을 제거하기엔 힘이 부쳤다. 개별 기업별노조는 임금인상을 위한 노사자율교섭이 불가능하고, 사측의 일방적인 노동강도의 강화, 집단해고 등 근로조건의 저하와 고용불안에 대응하기 어려웠고, 노동조합 활동의 무력화를 막을 수 없었다. 서울대병원도 마찬가지였다. 이러한 상황에서 서울대병원노동조합은 민주노총 건설의 필요성을 절감하고 있었고 민주노총 건설을 산별노조운동의 새로운 전망을 구축하는 과정으로 인식하였다.

하지만 때로는 연대투쟁이 간부 중심으로 형식화되거나 활동가 개인 수준에서 전개되는 경우도 있었다. 이러한 현상은 상급조직의 연대투쟁이나 조직활동이 관료적이고 화석화되는 것과 맞물려 있었다고 볼 수 있다. 또한 상급조직으로 역량이 집중되면서 현장활동이 공동화되는 현상을 일으키기도 해 간부들 스스로 지역과 현장의 관계 정립을 위한 방안에 대해 고민하게 만들기도 하였다.

병원노련에서도 기본적인 연대투쟁에 앞장 선 거는 굉장히 열심히 했어요. 그런데 1994년, 1995년 이때부터 지역본부별로 합법연맹의 내용, 합법화 투쟁, 민주노총, 이렇게 되면서 말로는 공동투쟁을 이야기하고 단체교섭을 공동교섭으로 하고 공동요구하면서 싸우고, 그게 산별의 토대를 만들어 간다는 의의를 두고 진행되었지만, 실질적으로는 조직화의 이름으로 간부나 활동가들을 관료화시키는 과정이었다고 해도 과언이 아닌 거 같아요. 서울지역의 연대라는 이름으로 조직부장 모임도 만들고 교육부장 모임도 만들고 선전부장 모임도 만들고 그랬어요. 그러면 거기 다 들어가는 거죠. 거의 전 간부들이 서울본부차원의 각종 연대회의 있는 날은 서울본부에 가서 얼굴을 볼 수 있을 만큼 다 그쪽으로 집중되었던 거죠. 근데 문제는 거기의 활동 내용이었어요. 회의 가면 자기네들끼리 최소한의 연대, 새로운 사람 만나는 것이니 술 마시고. 그 여파는 그 다음날 회의 안 오고 현장 일 펑크 내고. 아무튼 중심이 그쪽으로 쏠리는데 그 모임의 성과를 현장 속에서 조합원과 같이 풀어내는 게 아니라 오히려 간부들이 서울본부 활동에 동원되는 대상으로 존재했던 면이 있어요. 그런 문제를 극복하기 위해 고민 많이 했죠. (구술자 Q, 구술자 R)

2) 산별노조 건설을 향한 임단협: 공동교섭 공동투쟁

병원노련은 1993년에 보건의료부문 노동조합운동 상급단체로서의 합법성을 쟁취하였다. 병원노련은 단체교섭권, 단체행동권을 보유한 노동조합으로서, 노조법 제2조에 의해 단체교섭, 근로조건 유지 개선, 근로자 복지 증진, 근로자의 사회적 지위 향상, 국민경제의 발전에 기여하기 위하여 한 행위는 정당한 행위로 인정되어 형사상 책임을 면하게 되었고(형법 제20조), 또 쟁의조정법 제8조에 의해서도 정당행위로 인정되어 민사상 책임을 면하게 되었다. 특히 중요한 것은 대표적 악법인 제3자개입금지조항의 제3자에 해당하지 않아 산하 노조에 대해 협조, 지원, 지도가 가능하게 되었다.

합법화 이후 병원노련은 공동요구와 공동투쟁, 그리고 집단교섭의 정착을 위해 본격적으로 투쟁하였다. 대표적인 공동투쟁은 1994년 투쟁이었다.

병원노련은 1994년 공동투쟁의 목표를 다음과 같이 설정하였다. 첫째, 산별노조 건설의 토대를 강화하는 것이다. 둘째, 의료민주화투쟁을 지부별 특성별로 자주적 대중적으로 전개하는 것이다. 셋째, 임금인상 실현과 임금억제 정책을 분쇄하는 것이다. 넷째, 제도개선요구 등을 통해 조합원의 의식을 높이고 노동자의 사회적 역할을 높이는 것이다.

병원노련은 이러한 목적을 위해 병원노련 차원의 지부별 공동교섭 및 공동투쟁을 강화하였다. 아래의 표는 의료제도의 개선과 관련된 공동요구안을 제시한 것이다.

〈1994년 병원노련 공동요구안〉

1) 환자권리확보를 위한 요구
2) 의료보험제도 개선을 위한 요구
3) 정부예산에서 보건의료부문 예산확대를 위한 요구
4) 의료개혁을 위한 의료비리 척결 요구
5) 의료서비스개방저지를 위한 요구
6) 불법용역을 철폐하고 정규직 중심의 고용안정정책 실시를 위한 요구
7) 직장탁아소 설치를 위한 요구
8) ILO기준에 맞는 노동법 개정을 위한 요구
9) 병원노동자의 건강권 확보를 위한 요구
10) 해고노동자 원직복직을 위한 요구
11) 임금인상 공동요구

병원노련은 공동요구안을 걸고 끝까지 투쟁하여 중소병원은 10대 요구 완전타결이라는 쾌거를 이루었고, 대형병원도 7개항 타결의 성

과를 쟁취했다. 또한 공동교섭, 공동투쟁에 힘입어 대부분의 단위 사업장 노조 조직이 확대 강화되었다.

하지만 병원노련 서울본부 차원의 공동교섭과 공동투쟁으로서 교섭형태는 집단교섭과 대각선교섭이었다. 애초 목표는 공동교섭을 바탕으로 공동요구 관철을 위한 공동투쟁으로 설정되었으나 개별 사업장 차원의 요구를 중심으로 타결되는 모습으로 귀결되었다. 집단교섭이 대각선 교섭으로 전환되어 결국 개별 사업장 차원의 투쟁을 상호 지원하는 형태로 마무리되는 모습을 보였던 것이다. 그 이유는 병원 측의 교섭 기피 그리고 각 노조의 공동교섭 의지와 조직력 등 조건의 차이 때문이었다.

1994년 병원노동조합 공동투쟁

서울대병원노동조합도 1994년부터 공동요구안 작성을 위한 조합원 설문조사, 의료서비스 이용에 관한 환자 보호자 설문조사, 지역본부 중심의 합동대의원대회, 공동투쟁 전진대회 및 결의대회, 공동교섭, 쟁의발생 동시 신고를 전후한 투쟁시기 및 마무리 등을 병원노련의 투쟁전략과 투쟁전술에 맞추려 하였다. 5월 26일 병원노련 서울지역본부와 공동교섭 이후 대각선교섭으로 전환, 7월 7일 제6차 대각선교섭 이후 지노위의 알선 조정을 거쳐 7월 28일 임시총회 날 잠정합의하였다.

〈합의안〉
1. 기본급여 3% 인상
2. 직무급 2만원 인상
3. 직무수당을 1994년 10월부터 5% 인상
4. 급식보조비 월 1만원 인상
5. 교통보조비 월 1만원 인상
6. 기능, 고용직의 호봉급을 노조와 협의하여 개선한다.
7. 환자의 권리 및 편의향상과 병원노동자의 건강 증진을 위하여 노사는 함께 노력한다.

병원노련의 공동투쟁은 많은 부분에서 성과를 축적하고 보건의료노조를 건설하는 토대를 강화시켰지만, 적지 않은 한계들을 드러냈다. 서울대병원노동조합의 평가를 보면, 우선, 공동투쟁의 목표가 간부 중심으로 공유되었지, 조합원을 주체로 내세우면서 설정되지 못하였다. 공동교섭이나 대각선교섭을 성사시키는데 주력하다 보니, 조합원과 함께 하는 대중적 투쟁전략과 투쟁전술이 부족했다. 둘째, 중소병원노조는 산별로 가는 지역노조의 전망을 구체화한다는 목표를 가졌으나 이를 내용적으로 구체화시키지 못했다. 셋째, 교섭의 방식이 단위노조나 지역의 조건에 따라 수시로 변하였다. 투쟁력과 교섭력이 통일적으로 그 힘을 발휘하지 못하고, 교섭과 투쟁이 분리되어서 진행되었다. 넷째, 전국적인 공동전선에 앞장선다는 부분에서는 의미가 있었지만 보건의료부문 노동자들이나 전체 민주노조운동의 주체들이 조직적으로 함께한다는 점에서는 거리가 멀었다.

한계는 있었지만 병원노련의 공동교섭 · 공동투쟁 기조는 1994년부터 1997년까지 지속되었고, 1994~1996년까지의 중심 요구는 임단협과 임금체계개선 그리고 의료민주화와 공공성 강화였으며, 기타 단위 사업장 차원의 요구가 추가되었고 서울지역본부 해고자 문제 등 공동의 문제도 요구에 포함되었다.

서울대병원노동조합의 1995년도 임금, 단협, 제도개선에 관한 단체교섭은 제8차 공동교섭(4.21)까지 병원 측에서 참여하지 않아, 대각선 교섭으로 전환(5.8)하고, 쟁의행위 찬반투표 전 타결(6.17)하였다. 1996년에는 제5차 집단교섭(4.18) 무산 이후, 대각선 교섭으로 전환(4.30)하고, 제3차 대각선 교섭(5.14) 이후 축조교섭으로 돌입하여 합의안을 도출하였다. 1997년 임단협, 의료민주화, 무노동 무임금, 사회개혁에 관한 단체교섭은 14차 교섭(7.1) 이후에 쟁의행위를 거쳐 일괄타결 하였다(7.16). 1996년 노동법개정 총파업 관련 무노동무임금을 철폐시킨 것이 큰 성과였다.

3) 간호사위원회준비위원회

산별노조 건설에 있어 서울대병원노동조합은 병원 노동조합운동의 핵심 직종인 간호사들을 조직하기 위한 활동에도 주력하였다. 병원 노동조합운동의 횡적 조직력을 강화하기 위한 과정이었다. 그 예가 간호사위원회준비위원회(간준위)였다.

간준위의 역사적 토대는 1987년 4월에 있었던 전두환의 호헌에 반대하는 간호사들의 서명이었다. 1987년 7~8월, 서명 간호사 중심으로 각 병원에 노동조합을 결성하였다. 서울대병원노동조합을 시발로 1년 사이에 100여 개의 병원 노동조합이 설립되었다. 1989년 4월 한양대, 연세대 병원 노동자들이 파업하자 당시의 대한간호협회(간협)

부회장이 불법 쟁의에 가담하는 간호사의 면허를 취소하겠다고 협박하였다. 이에 전국의 간호사들이 간협회비 불납운동을 전개하였다. 평소에 간협의 비민주성과 일반 간호사들을 무시하는 활동에 대한 문제제기가 확산되어 전국 2,300여 명의 간호사가 참여하였다. 1989년 6월, 간협회비 불납운동을 계기로 평간호사들을 진정으로 대변하고 간호사들의 문제를 개선할 자주적 조직이 필요하다는 의식이 확산되었다. 이에 서울대병원 간호사를 비롯한 주체들이 간호사회추진위를 발족하고 「참간호」를 발간, 조사연구사업을 추진하였다. 1991년 9월, 전국간호사 교육수련회 개최로 그동안 전국에서 개별적으로 활동하던 간호사들이 함께 결속되었다. 이후 병원노련의 직종위원회 육성 및 조직을 위한 정책과 발맞추어 1991년 10월에 좀 더 발전된 전국적 체계를 갖추어 전국병원노련 간호사위원회준비위원회로 전환하여 본격적인 활동을 시작하였다. 지역별로 지부체계를 만들어 활동과 조직역량을 갖추면서 간호사위원회준비위원회(간준위)가 아닌 전국간호사위원회로 조직전환을 하려는 것이 목표였지만 발전시키지 못하고 서울, 광주전남, 대구경북 등 일부 지역과 중앙 차원의 일상적인 사업을 이어오다가 1998년 2월 전국보건의료노동조합 건설과 함께 산별노조 산하 직종위원회의 활동으로 전환하는 것으로 결정하면서 간준위 사업을 마무리하였다.

1987년도, 1988년도에 간호사가 중심으로 해서 병원노조를 만들었는데, 그 과정에서 간호사가 노동자냐는 논쟁이 붙었어요. 간호사는 노동자다, 라고 정리를 하면서 활동을 하니까 간협에서 계속 협박을 하는 거죠. 그래서 간호사들이 노조활동을 협박하는 간협회비 불납운동을 전개했고, 1년 동안 간협회비를 안 낸 간호사들이 전국적으로 많아졌어요. 그때는 우리 모여보자 하니까 수백 명이 모여서 뭔가를 해 보자고 했고, 간호사들이 어떻게 발전 전망을 가질 건지 토론회를 했거든요. 이게 노조, 간호사의 노동자성 문제를 가지고 시작되었던 문제기도 하고 그때 당시 병원 노조가 처음 만들어지면서 간호사한테 노동조합이 굉장히 중요한 중심축으로 인식되다 보니까 간호사들이 노동조합 활동을 기본적으로 열심히 해야 된다는 생각이 있었어요. 그런 활동을 열심히 하다보니까 당시 모였던 대부분의 사람들이 노동조합활동의 주축이 된 거죠. 그러나 독자적인 평간호사 조직으로 갔을 때는 정체성이 애매하고 간호사의 이익만 대변하기 위한 조직으로 변질돼 버릴 수도 있다는 우려가 있었어요. 그래서 노동자성을 중심으로 하는 내용을 같이 가져가야 된다는 것 때문에, 독립기구지만 병원노련 산하에, 또 병원노련 산하에 있지만 독립기구로 가자. 그래서 일정하게 독립적인 활동을 한 거죠. 노동조합하고는 별개로 조직대상도 좀 더 넓게 열어 두고 활동도 직접적인 조합활동과는 상관없이 더 확장했고, 그렇게 넘나들면서 활동 했어요. (구술자 Q)

간호사위원회의 필요성은 간호사들의 노동조건에서 비롯되었다. 병원에는 "과로에 지쳐 짜증스런 '백의의 천사' 만이 존재했었다." 1991년 한 간호사가 쓴 글을 보자.

왜 간호사들은 학생시절 그 엄청난 양의 공부를 하고도 별로 써먹지도 못하고 고작 2~3년 만에 사직하고 마는 현상이 비일비재한가? 간호사들이 근무시간에 휴식시간을 가진다는 것은 거의 불가능하다. 식사를 시켜먹다가도 환자가 주사 맞을 시간이 되면 달려가야 하고 갑자기 통증을 호소하는 환자를 밥 먹는 시간이라고 내버려둘 수는 없다. 3교대로 돌아가는 근무 때문에 몸을 해치는 경우도 많다. …… 인력충원은 없이 간호사에게만 무조건 '백의의 천사' 가 되라고 강요하는 병원이 야

속하기만 했다. (천싱혜, 「한거레신문」, 1991.5.22)

간호사들의 열악한 노동조건에 대해서는 1991년 5월, 서울대병원이 주최한 '입원환자 진료 이래도 좋은가' 라는 워크숍 내용에서도 드러났다. 이 워크숍에 참석한 의사와 간호사들은 크고 작은 의사 간호사 간의 갈등이 환자의 진료에 상당한 영향을 준다고 평가하면서, 갈등의 원인을 계속되는 당직과 과다한 업무, 늘어나는 잡무로 사소한 일에도 충돌이 발생, 서로의 업무구분이 모호해서 발생한다고 하였다.

열악한 노동조건은 노동조합 활동에도 영향을 미쳤다. 1992년 6월경 간준위가 보건의료분야 간호사들의 노조활동의 주객관적 조건에 대해 기록한 것을 보면 알 수 있다. 대형병원 간호사들의 노조 가입률이 낮고, 그 가입률이 높은 병원이라도 실질적인 활동이 적다. 간호사들이 모임이나 회의에 잘 참가하지 않는다. 잦은 이직으로 조합원 자격을 유지하기가 쉽지 않고 간호 관리자, 특히 수간호사의 강압 · 탄압 · 간섭이 심하다. 간호사 자체의 갈등요인, 특히 간호사와 간호조무사 간의 갈등이 많다. 또한 학연과 학제문제가 작용한다. 이로 인해 조선대병원이나 대림성모병원처럼 간호사들이 집단탈퇴의 위협 속에 있다. 결혼 적령기가 많아 결혼 시 노조활동에 대한 고민이 많고 결혼하면 가정일로 노조 일을 거의 못한다. 특히 아이가 있는 경우 육아문제가 해결되기 어렵다.

노동조건에 대한 문제의식에서 출발하였지만 간준위의 활동 목표는 조직적 과제와 연결되었다. 주요 활동 방향의 전략적 목표는 "간호사들의 지위와 역할을 높인다. 의료민주화를 실천한다. 병원노동조합을 강화한다."는 것이었고, 보다 구체적인 목표를 세 가지로 정리하면, 다음과 같다. 1)간호사의 요구와 과제를 담은 캠페인이나 공동실천을 전국적으로 벌여 나간다. 2)조직기반을 강화하기 위하여 지부체계나 단위병원의 간호사 조직을 활성화시킨다. 3)연맹의 직종위원회로서 노동조합의 사업과 결합하면서 단위노조의 직종체계를 중심으로 활동을 벌여나간다. 공동실천의 과제인 '인력문제 해결 및 적절한 간호업무 쟁취'를 위해 조직사업, 선전사업, 교육사업, 조사연구사업, 연대사업 등을 주체적으로 추진하기로 하였다.

간준위는 병원노련 산하 직종위원회로서의 자리매김을 위해 교육선전 및 간호사들의 요구를 수렴하는 각종 사업을 진행하였고 이를 토대로 지부체계를 만들고 강화하였다. 1993년 당시 지부체계로 운영된 곳은 서울, 광주 전남, 대구 경북지부이고 전북, 강원에는 대표자가 있고 제주, 목포, 대전, 마산지역에는 지역 간호사회로서 활동하였다.

「참간호」는 간호사들의 소통을 담당했다.

주요 활동내용은 지부별로 간호사 근무조건 실태조사 및 간호사교실, 수련회, 월례강좌 등의 선전, 교육사업 및 지역주민 진료나 농촌활동, 수익사업이었다. 그리고 당시 간호사들의 가장 큰 문제인 인력문제나 간호업무에 대해 실태조사를 하여 그 대안을 만들기 위해 노력하였다.

1992년 9월 3~5일 전국 간호사 수련회에 서울대병원에서는 10여 명이 참여하였고, 11월 25일 서울지역 간호사의 밤에도 10여 명이 참가했다. 1993년 2월 12일 전국 간호사 대의원교육에는 4명이 참가하였고 서울대병원노조는 「참간호」를 100부 구독하여 함께 읽었다. 이러한 활동을 바탕으로 서울지부 간준위를 1993년 2월 26일에 결성하고 위원장을 안지희가 맡았다. 결성대회에 서울대병원노동자 20여 명이 참가하였다. 전국병원노동조합연맹 서울지부 직종위원회로 간준위가 자리매김하고 간준위 병원대표자회의 아래 사무국을 두었다. 병원대표자회의는 강남성모, 경희대, 고대, 금강, 구로의원, 민중, 방지거, 서울대, 서울기독, 소화아동, 이대, 원자력, 중앙, 지공강남, 청구성심, 청량리정신, 충무, 한양대 병원 노동조합이 참여하였다. 병원대표자회의는 일상활동에 대해 기획, 심의 결정하였고 사무국은 사업기획안을 내고 대표자회의에서 결정된 사항을 진행하였다. 신규간호사 환영행사, 전교조 단식농성 지원, 간호정우회비 일괄징수 반대운동 동참, 고대부속병원 이사 취중난동사건에 대한 대책지지, 전국 간호사인력문제대책위 참여 등 활발한 활동을 벌였다.

서울대병원의 힘이 굉장히 컸죠. 저는 그런 점에서 서울대병원노조를 굉장히 높게 평가를 해요. 전임자 8명이 필요하다고 하면, 직종이 다양한 3교대 사업장인

병원에서는 두세 배 이상의 인원이 필요하다고 볼 수 있거든요. 교대제 사업장의 노조 간부들은 거의 맨날 밤을 새워 일을 하고 토요일 일요일에도 나와서 일했죠. 그런데도 서울대병원노조 간부들은 전국적인 사안에도 결합하고, 간호사준비위원회 참간호도 만들고, 준비위원이랑 간준위 위원장도 맡고. 그리고 실제 사업이나 정책 마련할 때, 집행위회의나 모임할 때 준비까지 다 서울대병원 간호사들이 했던 거죠. 노조간부나 소모임에 속한 간호사들이 준비했어요. 서울대병원 간호사들의 활동이 바탕이 되니까 병원노련에서 같이 결합을 할 수 있었던 거예요. (구술자 P)

간준위는 간호사들의 근무조건에 관련된 인력확보나 교대근무 문제에 대해 주로 중앙차원의 연구부, 편집부에서 준비, 대응하였다. 특히 안정된 근무여건과 인간다운 삶을 위해 필수인 교대근무 문제나 실질적인 주44시간 확보를 구체적인 요구로 제출하고 간호사들의 실천의지와 투쟁력을 실어 임단투 시기에 노동조합을 통해 해결해 나갈 수 있도록 하였다.

"간호사 스스로 단결된 힘으로 간호사들의 이해와 요구를 올바르게 대변하고 보건의료인으로서 사회적 역할과 책임을 다하기 위해

간준위는 다양한 교육과 활동을 통해 전국의 간호사를 조직하였다.

노력하는 간호사들의 전국조직이며 병원노련 산하 직종위원회입니다."라고 스스로 밝힌 위상에서 볼 수 있듯이 간준위는 현장조직을 강화하고 조합원의 참여를 확대하여 현장조직에 대한 장악력을 높여가고, 공동사업이나 실천을 통해 산별노조의 토대를 구축하기 위한 것이었다. 노조조직의 지도력 내에서 직종의 요구와 문제를 수렴, 해결하며, 직종 조직화를 이루어 내는 역할을 요구받았다.

나중에 서울본부가 서울대병원에 와서 직종모임을 살리자고 했어요. 직종별로 공통점도 많고 공감대도 많거든요. 그래서 97, 98년 즈음에는 산별노조 건설을 위해서도 목적의식적으로 직종모임을 했어요. 지역본부도 하고. 예를 들면 급식과 모임. 내가 서울대병원 직원이라는 의식도 있지만, 식당일을 같이 하는 사람들끼리. 저도 이 모임에 몇 번 갔었는데 굉장히 빠르게 발전해요. 식당은 이런 걸 개선해야 되고, 임금체계는 어때야 하고, 우리 근로조건은 이렇고, 이런 건 어떻고. 이렇게 급식과, 시설 등에서 조금씩 시작을 했는데 그게 산별노조 들어오면서 오히려 맥이 끊어졌어요. 저는 이런 모임이 중앙이나 지역본부 활동에서 발전이 됐어야 했다고 생각합니다. 그게 한 사업장 단위에서는 하려고 해도 할 수 없는 활동인데, 이런 걸 통해서 기업별 세로 조직이 아니라 지역단위 혹은 전국단위에서 가로 조직으로 충분히 발전할 수 있지 않았을까, 생각한 거죠. 간호사 조직도 마찬가지예요. (구술자 R)

간준위의 조직사업을 보면, 직종위원회 확대를 위해 연맹과 상시적으로 논의하고 집행하는 것, 중앙 지도구심을 만들기 위해 기획회의와 대표자회의를 격월로 정례화하는 것, 중앙사무국의 연구부 · 편집부의 활성화와 통일성 확보를 위해 연 2회의 공동수련회를 하는 것, 그리고 전임자의 공백을 메우기 위해 사무국원의 1일 전임 등을 시도하는 것 등이었다. 물론 지역본부의 간호사위원회 활성화를 위한 활동지원과 교육이나 행사의 교류(서울, 광주전남, 전북, 인·부천, 목포, 제주 등)를 확대하는 것은 기본이었다. 이를 위해 간호사위원회(준)는 「참간호」를 발간하여 간호사들의 현안 문제에 대한 적절한 대응방안과 투쟁의 필요성 등을 선전하였다. 「참간호」는 1989년 5월 처음 시작되어 1997년 7월 48호까지 발간되었다.

「참간호」는 병원노조 만들어진 이후에 간호사들이 간호사로서 제대로 뭔가 의미있는 노동을 하고 어떤 제대로 된 의식을 갖고 이런 게 필요한 거 아니냐, 라는 데서 출발하여 만들게 됐어요. 지금 봐도 굉장히 잘 만들었어요. 간호사들이 모여서 간호사 대회를 하면 한 2백, 3백 명씩 모이고. 이렇게 해서 매년, 4~5년간 활동을 계속 했었고. 거기서는 간호사들의 구체적인 현장의 요구부터 정치적인 사회문제까지 아우르는 내용들로 되어 있었고, 상당히 자발적인 조직이었죠. (구술자 P)

1992년 10월 3~5일에 있었던 전국 간호사 수련회에 이어 2년 뒤인 1994년 10월 5일에서 8일까지 간준위는 전국간호사대회를 개최하였다. 이 대회에는 총 40개 병원 74명이 참석하였다. 이 대회에서 논의되었던 핵심 내용은 병원 신경영전략과 노동조합의 대응, 간호사 현장조직강화를 위한 과제, 인력확보를 위한 투쟁 방향, 그리고 간호사 업무기준의 마련을 위한 워크샵(설문조사 및 토론) 등이었다. 당시 간준위 핵심 주체인 위원장이나 핵심 활동가는 주로 서울대병원노동조합의 조합원들이었다. 예를 들면, 서울대병원노동조합 안지희 지도위원이 위원장으로 활동하였고, 3명의 조합원이 핵심인자로 활동하기도 하였다. 간준위는 정부가 국립대병원들을 특수법인화하고 난 이후에 민영화를 꾀하려 하자, 서울대병원노동조합은 경북대, 전남대 등 병원의 형태나 운영방식이 매우 유사한 노조들 간의 협의체인 전국국공립법인화병원노조협의회(추진위)를 구성, 운영하였다. 이러한 노동조합들이 교육부(현 교육과학부), 기획원(현 기획재정부)의 통제 하에 있다는 점 등 많은 유사성을 갖고 있고, 같은 형태의 교섭을 하기 때문에 연구 후에 보조를 맞추면 공동으로 많은 사업들이 가능하다고 판단했었다. 그러나 기업별노조와 기업단위를 뛰어넘는 직종 조직의 위상은 계속 충돌하였다.

1994년, 1995년 정도 됐을 거 같아요, 그게 이제 전국적으로 간호사들의 요구는 통일될 수밖에 없잖아요. 모이면 너무 좋고, 재밌고, 그러니까 거기가 사실 활동가를 배출하는 가장 중요한 역할을 했어요. 예를 들면 간준위는 전국조직이기 때문에 회의에 나오거나 대회에 나온 사람들이 나중엔 결국 교선부장이 됐다 노조위원장이 됐다 하면서 이어왔죠. 거기 간부들로 많이 갔던 과정들이 있었어요. 그런데 그걸 해산한 거는 오류였다고 생각을 해요. 하지만 해산할 수밖에 없었죠. 병원노련 시절인데, 당시에 간호사위원회에 대해서, 노조 내에서 간호사가 아닌 노조 위원장들과의 충돌 같은 게 있었죠. 특히 노조를 민주적으로 운영하거나 아주 열심히 하는 곳은 좀 덜한데, 권위적인 사업장이 문제였어요. 사업장 내에 권위와 권력은 위원장인데 간준위는 전국조직으로 모여서 간호사의 힘을 정치로 생산하고 현장문제를 대변하고 그게 노조활동에 반영이 되는 시스템을 갖고 있으니까. 기업별 조직 체계와 정치적인 산업별 활동과의 충돌이었던 거 같아요. 그러면서 간준위를 조직단위가 아니라 정책단위로 해라. 해산하고 연맹 산하에 두어 정책논의만 하는 단위로 위상과 성격을 바꿨죠. 아! 이런 걸 잘 살려왔으면, 지금같은 산별 조직체계였으면 아무런 문제가 없고 훨씬 더 중요한 기능을 했을텐데, 간준위 활동을 하는 간호사들은 의식도 있고 활동력도 있고 이러다보니까 지역이든 사업장에서든 힘을 갖게 되니까, 위원장이 보기에는 문제 있다는 걸로 느끼는 거고. [산별노조 만들 때] 중앙위원회 와서 문제제기를 워낙 많이 해서 정책단위로 활동하기로 하고 전환했던 거죠. 지금 같았으면 안 그랬겠죠. (구술자 P)

직종위원회는 조직적 과제에서 중요하게 자리매김 되었기에 산별노조 건설 등 조직 발전 전망과 관련하여 쟁점이 되었다.

간준위를 만들고 이끌어왔던 주체들과 보건의료 산별노조 추진 주체들은 간담회를 열어 전국간호사위원회준비위원회의 위상에 대한 논의를 하였다. 현 조직을 더 발전시켜 전국간호사위원회를 건설할 것인가, 아니면 산별노조 내에 직종위원회로 재편할 것인가에 대한 논의였다. 쉽게 결론이 나지 않았다. 결국 보건의료노조 내에 간호사 조직뿐 아니라 여타 직종위원회를 구성하고 간준위도 그 중 하나로 재편하여 정책을 연구하고 논의하는 직종위원회로 구성할 것을 결정하였다. 그러나 간호사직종위원회는 산별노조 건설 후 그 활동이 활발하지 못했다. 그 이유는 간호사들의 인적 자원이 산별노조로 공급되어 활동자원이 부족하였고 간호사 직종위원회 사업의 실질적 주체였던 서울대병원지부가 구조조정 투쟁에 집중할 수밖에 없던 상황이었기 때문이다. 또한 직종 간 갈등이 공식적으로 표출되지는 않았지만 직종위원회가 적극적으로 활동하는 것을 경계하는 분위기가 보건의료노조 내부에 있었고 보건의료노조 역시 직종위원회 활동에 힘을 싣지 못하였다.

1998년도에 산별노조를 만들면서, 산별노조에 대한 기대와 희망이 컸을 때니까 간호사 조직을 산별노조 안에서 좀 더 큰 틀로 발전적으로 활동을 해보자 했었죠. 산별노조의 직종위원회나 또 다른 형태로 새롭게 질적인 발전을 준비하자 이랬던 거였어요. 산별노조 초기에는 조금 시도를 했지만, 시간이 지나면서 완전히 식어버린 거죠. 그 활동이 없거나 사람이 아예 없었던 것도 아닌데, 슬슬 약화되어 활동하지 못한 거죠. 노조라는 조직을 중심으로만 모든 활동이 이루어졌던 겁니다. '북한어린이 살리기 의약품지원본부' 사업에 참여하는 것이라든가, 간호학과 학생들 여름활동 지원 등 간준위에서 포괄해야 할 활동의 형식과 내용들이 있었지만. 예를 들면, 노동자로서 기본적인 자기 정체성을 가지면서 간호사가 건강한 노동자, 주체적이고 진보적인 의료인으로서 활동을 할 수 있는 영역, 이런 거에 대한 고민을 할 수 있는 조직적 공간이었거든요. 그렇지만 그 부분들이 많이 약했고 저만 해도 노동조합 간부였기 때문에, 노동조합이 급하면 이쪽 일에 더 무게 중심이 쏠렸던 거고. 필요는 하지만 우선순위로 배정을 못하고 그만한 재생산 기반도 못 가졌고. (구술자 Q)

4) 마침내 오른 산별노조 깃발

일반적으로 산별노조는 계급적 대중조직으로 간주된다. 한 국가의 노동자가 기업 · 업종 · 지역을 넘어 하나로 단결할 수 있는 대중조직이자, 국가와 자본에 대해 계급적으로 대항할 수 있는 대중조직으로 인식해 왔다. 한국의 민주노조운동도 그러한 인식에 기반하여 1990년 전국노동조합협의회가 건설되고 난 이후부터 현재까지 기업별 노동조합을 산업별 노동조합으로 재편하거나 건설하는 투쟁을 전개해 왔다. 1994년 이후, 과학기술노조, 건설엔지니어링노조, 금속노조, 보건의료노조 등 35개의 산별노조가 건설되었다.

병원노련의 산별노조 건설은 연맹 합법화 직후인 1994년부터 체계적으로 진행되었다. 연맹은 우선 매년 계속되던 단체교섭과 파업투쟁을 합법 연맹의 지휘아래 한 단계 높은 '공동교섭, 공동투쟁' 으로 진행시킨다는 목표를 정하였다. 1987년 전국병원노동조합협의회에 이어 1988년 건설된 전국병원노동조합연맹은 정부와 병원자본의 탄압에 맞서 민주노조를 사수하고 발전시키기 위해 단결하여 투쟁했고, 1993년 6월 합법성을 쟁취한 뒤 1994년부터는 연맹으로 교섭권을 위임하여 공동교섭→공동투쟁을 전개하였다. 그러나 실질적으로는 지역본부 단위로 집단교섭과 대각선교섭을 추진하는 상황이 1997년까지 계속되었다.

단위 병원노조들이 연맹으로 결집되었으나 대형병원과 중소병원의 격차, 지역본부 간 역량의 격차, 50여 개에 이르는 다양한 직종간의 격차를 좁히는데 많은 한계를 느낄 수밖에 없었고, 병원을 뛰어넘어 의료개혁투쟁과 사회개혁투쟁, 정치세력화를 추진하는데 커다란 힘을 실을 수 없다는 것을 절감할 수밖에 없었다.

서울대병원노조 활동을 기준으로 봤을 때, 노조활동이 너무 없다고 할 정도로 노동조합 간의 격차가 많이 있었던 것 같아요. 한양대, 이대, 한 번씩 다 투쟁을 했지만 전반적으로 노조 활동이 고르지 못했어요. 한 지역 안에서, 불균등했을 때 목적의식적으로 중앙이나 본부에서는 계속 서울대병원을 모범으로 세우면서 상향평준화하려는 시도와 노력을 했어요. (구술자 R)

특히 병원들이 서로 살아남기 위해 무한경쟁에 나서고, 그것을 관철하기 위해 병동폐쇄, 인원삭감, 신규채용 중단, 인원재배치, 변형근로제 실시, 노동시간 연장, 노동강도 강화, 노조활동 축소 등 고용불안과 현장통제 강화 공세를 펼침에 따라 개별 노동조합의 힘으로 이것을 돌파하기란 쉬운 일이 아니었다. 제도개선투쟁에서의 한계도 드러났다. 환자보호자 편의시설을 확대하는 투쟁을 중심으로 한 의료민주화운동은 그런대로 성과가 있었으나, 의료법에 정해진 인력을 확보하고 있지 않은 병원을 거론하여 행정조치를 취하도록 하는 투쟁, 의료비리 사례를 들춰내 의료비리를 척결하기 위한 투쟁, IMF한파를 빌미로 진행되고 있는 물자절약운동 가운데 의료서비스의 질을 떨어뜨리는 사례를 거론하여 대국민 여론화하고 환자와 보호자의 권리를 지켜나가는 투쟁에서 해당병원의 조합원은 물론 노조간부조차도 "우리 병원이 거론되는 것은 싫다"며 망설였던 사례만 보더라도 기업별노조체제에서 전면적인 의료개혁투쟁으로 발전해 나가는 데는 한계가 있었다.

처음에는 선전도 끼워 맞추기 식으로 했기 때문에, 소통이라든가 의식화라든가 이런 의미가 없었어요. 그 당시에 상급단체에 의존도가 좀 높긴 했어요. 지금 되돌아보면, 상급단체가 저희한테 해준 건 별로 없었고, 조합주의에 얽매여서 노동조합을 바라보는 조합원들의 의식화에 대해서는 부족하지 않았나, 이런 생각이 들어요. 이런 부분에 대해 선배들이 깨우쳐주고 보충해주긴 하셨지만 저 스스로도 항상 일에 치여서 의식적으로 활동하지 못한 것 같아요. (구술자 K)

한편, 병원노련은 1994년 하반기 '산별노조연구소위원회'를 설치하여 산별노조 건설방향에 대한 논의를 본격화하였고, 1997년 3월 정기대의원대회에서 1년 뒤인 1998년 2월 산별노조를 건설하기로 확정하고 '의료산별노조건설추진위원회'를 발족시켰다. 4월에는

'의료산별노조건설기획단'을, 10월에는 '의료산별노조건설준비위원회'를 구성하였고, 여기에 6개 분과를 설치하여 세부적인 안을 준비하였다. 단계적 건설론과 동시 건설론의 두 입장이 있었으나, 1998년 1월 임시대의원대회에서 동시 건설론을 확정하고 전 조직에 걸쳐 일제히 조직변경 결의를 추진했다.

조직변경 과정에서 제기된 논쟁을 보면, 단계적 건설론은 지역별로 지역노조를 먼저 건설하고 이를 기반으로 전국 단일노조를 건설하자는 안이었고, 동시 건설론은 공동교섭 공동투쟁의 경험 위에서, 그리고 지역별 편차가 더 벌어지기 전에 조기에 전국 단일노조를 건설하자는 입장이었다. 큰 대립이 있었던 것은 아니라고 하지만, 임단투나 중요한 사업을 놓고서는 항상 입장 간의 대립이 존재하였다.

내부에 이견이 있었어요. 크게 따지면 두 그룹으로 나누어졌지만, 제가 볼 때 정파문제는 아닌 거 같아요. 크게 나눠보면 하나는 조직과제로, 무늬만 산별이라는 거를 다 인정하고 기업별 조직을 기업지부로, 기업조직으로 2, 3년 내에 빨리 전환해 가는 게 가장 큰 과제였고. 또 하나는 실질적인 산별교섭을 어떻게 가능하게 할거냐. 이렇게 크게 두 축이었어요. 산별노조 초대 위원장은 이러한 두 축을 산별노조발전특별위원회를 구성하여 하나로 모아내기 위해 여러 가지 고민을 했죠. 그 교섭 방향과 과정을 어떻게 만들거냐 다양한 토론도 했지만, 쉽지 않았어요. (구술자 R)

개인적으로 산별노조가 그렇게 흔쾌하진 않았어요. 가야 될 필요는 느꼈지만 그 시점에 그렇게 가야 되냐 하는 점에 대해서는 고민이 많았거든요. 어떤 조직이 한 단계 업그레이드, 질적 전환을 하려면 양질적인 축적이 충분이 있어야 되는데 그거에 대해서 판단이 잘 서지 않았어요. 일단은 조직을 운영할 수 있어야 되는데, 그

려려면 자발적으로 굴려낼 수 있는 사람들이 있어야 하잖아요. 그런데 그렇지 못했어요. 상층에는 그런 그림을 갖고 굴리는 사람은 있었지만, 현장은 그러지 못했던 거죠. 서울대병원 현장만 보더라도 민주주의를 조직적으로 실현해야 하는데, 좀 회의적이었고. 또한 그것을 감당할 수 있을 것인가, 굉장히 찜찜했어요. 그때 당시 우려했던 것이 산별노조의 관료화, 또 하나는 대기업. 기업별 관성들. 사실 그거는 깨어있는 현장의 활동가가 많으면 극복할 수 있는 것이지만, 당시 상황은 정말 회의적이었어요. 그런 부분들이 찜찜했지만 그때 당시만 하더라도 일단 믿고 가자는 분위기였고, 사실 끝까지, 준비될 때까지 그냥 기다릴 수는 없는 거고, 일단 가면서 바꾸는 방법도 있으니까 그걸로 위안을 삼았던 거죠. 실제로 산별노조 중앙의 관료화나 횡포를 막을 수 있는 제도적인 장치, 현장의 민주화를 추동해 낼만한 어떤 시스템, 이런 거에 대해서는 치밀하게 고민했어야 된다는 생각이 들어요. (구술자 Q)

1998년 2월 27일 전국보건의료산업노동조합이 정식으로 창립했다. 병원노련 130개 노조 중 93개 노조(71.5%), 조합원 34,286명 중 25,704명(75%)이 산별노조로 전환했고 1998년 3월에 설립신고증이 발부되어 합법 노조로 인정받았다. 보건의료노조의 발표에 의하면 활동 중인 노조를 기준으로 하면 노조 수로 89.6%, 조합원 수로 89.2%에 달했다고 한다. 미전환 사업장들이 있어 병원노련도 유지되었지만, 주요 노조들은 사실상 100% 전환한 상황이었다. 이로써 병원노련 시대는 마감되고 보건의료산업노조의 시대가 시작된 것이다.

산별노조 되어서 중소병원이든 어디든 임금이 차이나지 않아야 한다, 큰 데가 작은 데를 도와 끌어올려야 한다는 생각을 갖고 있었어요. 조합원들 사이에서 그런 얘기가 거부감을 가지는 것도 아니었고 서로 이야기하곤 했어요. (구술자 U)

산별노조 건설 과정에서 서울대병원노동조합 조합원들은 구체적인 상을 완전히 공유하지는 못했지만 산별노조에 대한 필요성을 공감했고 노동조합의 선택을 존중했다.

서울대병원노동조합이 산별노조를 건설하는 데 매진했던 이유는 무엇일까. 그 핵심은 노동조합 활동의 영역을 임금과 근로조건을 벗어나 인사, 경영참가, 고용안정, 제도개선, 사회개혁투쟁으로 확대하는 것이었다. 기업별 노조로서 한계를 보였던 투쟁 내용을 받아 안기 위해서 새로운 조직체계, 새로운 활동방식이 필요했던 것이다. 또한 노조전임자 임금지급 금지, 무노동 무임금 법제화, 쟁의행위 제한, 해고자 조합원 자격제한 등 노동법이 개악되고 정리해고제와 근로자 파견제마저 법제화되면서 기업별노조의 존립조차 위기에 부닥칠 수밖에 없는 조건에서 새로운 대응방안이 절실히 요구되었던 것이다.

보건의료노조의 산별노조 조직발전 전략안은 1998~99년은 여전히 산별노조로의 이행기이며, 2000년에 연맹을 해산하고 이후 2004년까지가 산별노조의 모습을 제대로 완비하는 시기가 될 것이고, 2005년 이후에는 더 큰 대산별 노조로 발전해 나간다는 것이었다. 그래서 적지 않은 문제점을 내포하고 있다 하더라도, 조직형태 변경투표의 방식으로 산별노조를 결성하기로 하였던 것이다.

기업별노조에서 산별노조로 전환하는 조직형태 변경방식은 절차상 적지 않은 문제점을 가지고 있었다. 조합원 총회 혹은 대의원대회에서 기업별노조를 산별노조로 전환하는 조직형태 변경 결의를 함으로써 산별노조로 전환하는 방식은 산별노조 건설의 원칙에 맞는 것은 아니었다. 원칙대로라면 기존의 기업별노조를 해산하고, 이후 새로 건설될 산별노조에 조합원들이 개별적으로 가입하는 절차를 거치는 것이 옳았다. 그러나 이 방식은 일시적으로 무노조 상태, 무협약 상태가 될 수 있고, 조합원 중 일부라도 기존 기업별노조를 고수하고자 할 경우 이를 막을 방법이 없게 된다는 위험성이 있었다. 때문에 고육지책으로 채택된 방법이 조직형태 변경 방식이었다.

이후 모든 조직들이 산별노조로 전환할 때 이 방식을 채택했는데, 문제는 이 경우 차후 산별노조 소속의 한 기업 단위 지부(지회, 분회)가 마찬가지 방식으로 조합원 총회, 혹은 대의원대회에서 다수결 의결의 방식으로 '탈퇴' 등을 결의할 경우 사실상 이를 견제할 방법이 없게 된다. 2004년 금속노조 소속의 INI스틸 포항공장 노조(지회)가 금속노조 탈퇴와 금속연맹 소속으로의 조직변경을 결의했던 일, 그리고 2004년 보건의료노조 중앙교섭 이후 2005~2006년에 걸쳐 서울대병원 등 다수의 지부들이 보건의료노조를 탈퇴한 것 모두 사업장별 집단 결의에 의한 것이었다. 산별노조에서 이를 규약으로 금지하고 있다 해도, 법적으로는 인정될 수밖에 없다는 것이 일반적인 판단이었다.

출범 직후 산별노조가 해결할 과제가 많았지만 서울대병원노동자들과 간부들은 산별노조의 힘을 느끼고 있었다. 단위사업장으로서는 해결하기 어려웠던 투쟁을 공동투쟁으로 돌파하였던 경험, 단위사업장 파업을 엄호하기 위한 산별노조의 지원과 연대를 통해 상급조직과 일체감을 느끼고 있었다. 산별노조 건설 후에도 서울대병원노동조합은 보건의료운동의 핵심 주체로 섰다.

서울대병원이 공공병원으로서 전국 가이드라인이나 정부지침을 깨기가 굉장히 어려웠는데, 그래도 서울지역 공동 투쟁을 같이 하면서, 서울지역의 대형병원들이 전선을 만드는데, 서울대병원은 거의 같이 했어요. 그런데 우리가 혼자 싸웠을 때는 직빵으로 맞으면서 힘들기도 했죠. 정부 가이드라인 못 깨고 우리의 투쟁이 투쟁의 초점에서 묻혀버리곤 했었죠. 그래도 초기 산별노조가 원칙적으로 투쟁을 고민하고 이런 부분들에 대해서 노력을 했었죠. 초기 집행부에서 2000년 초반까지는 구조조정 투쟁에 공동전선을 치는데 나름대로 애를 썼어요. 서울대도 열심히 했지만 산별노조에서 초반에 그런 힘들을 만들어주지 않았으면 작살이 났을 수도 있었다고 봐요. 서울대 간부들 대부분이 그렇게 생각을 했죠. (구술자 Q)

상급단체나 노조중앙, 서울본부가 뭘 해줘야 된다기 보다도, 우리랑 상급단체를 거의 일체화시켜서 우리가 중소병원에 있어서 어떤 역할을 해야 될까, 고민을 했죠. 서울대 간부들은 대형병원 간부들 같지 않다, 이런 얘기를 종종 들었거든요. 그런 부분들은 병원노련 건설할 때부터 선배들이 했던 고민, 면면이 이어져 내려 왔던 거 같아요. 우리가 조직이 크고, 재정도 되고, 서울대병원이라는 대표성도 있기 때문에 우리가 먼저 나서서 해야 된다. 그리고 재정사업을 하더라도 항상 1/3은 노조 중앙에다, 연맹에 주거나 보건의료에 주었어요. 저는 그게 당연한줄 알았는데 제가 부위원장이 되어 올라가 보니 그렇게 하는 데가 서울대병원 밖에 없었어요. IMF때, 1996년~1997년 노개투 총파업을 하고 또 1997년에 파업을 해야 하는데 조직력이 파업을 할 상황이 아닌 거예요. 그런데 서울대가 싸워야 된다 이런 게 있었고, 내부적으로도 싸움을 안 하면 임금 삭감이나 동결을 얘기 할 상황이어서, 결단을 해서 1997년도에 파업을 들어가는데, 이때 연맹 지도부에서는 진짜 어려운 파업 들어가는 거다, 우리가 엄호하지 않으면, 여기 무너지면 다 깨진다, 이런 부분들을 지도부가 전국에 있는 지부장, 위원장들을 모아 놓고 설득하면서 파업 전야제 때 전국에 있는 연맹 간부들 한 200명이 다 올라오는 거예요. (구술자 R)

3 1996~97년 노동법개정투쟁

김영삼 정권 하에서 신한국당은 1996년 12월 26일 새벽 6시 날치기로 노동법, 안기부법을 통과시키는 '쿠데타'를 저질렀다. 온 국민이 잠들어 있는 새벽에 신한국당의원 154명이 국회로 모여 이 같은 만행을 저질렀다. 이 나라 온 국민을 대표한다는 대통령과 여당이 자기를 뽑아준 국민을 배신하고 몇몇 재벌의 똘마니 노릇이나 하면서 자기 국민의 목에 칼을 들이댔다. 그래도 설마 설마하며 믿었던 문민정부가 한 가닥 남은 양심마저 팔아 스스로 국민의 대표이기를 거부하였다.

1996년 12월 26일, 날치기 통과에 분노하여 거리로 나선 서울대병원 노동자들

개악된 노동법의 핵심 내용은 변형근로제와 정리해고제 도입이었다. 변형근로제는 1주 48~56시간까지 탄력적 근로시간제 도입, 당사자 합의 시 1

주 12시간 연장근로였다. 근로자파견제 영역도입의 합법화였으며, 정리해고제는 긴박한 경영악화/조직, 작업의 형태 변화/신기술 도입 기타 기술혁신에 따른 산업의 구조적 변화에 따라 해고가 가능하도록 입법하는 것이었다.

이러한 상황이었으나 간호사협회, 간호정우회 혹은 간호사의 이해를 대변하는 그 어떠한 단체도 날치기 통과된 노동법에 대해서 간호사를 대변하는 목소리를 내는 조직은 없었다. 노동조합이 나서야 했다.

'개악안통과! 헌정쿠데타! 이제 더 이상 물러설 곳은 없다. 12월 27일 총파업 투쟁으로 떨쳐 일어나 김영삼 정권을 심판하자!'

노개투 총파업을 하면서, 서울대가 결단을 해야 하는 위치에 있었어요. 10월에 집행부가 들어섰지만 전임자도 제대로 안 꾸려진 상태였기에 부담이 있었어요. 하지만 정리해고가 통과된다는데 조직 내부적으로 힘들더라도 지금은 투쟁할 수밖에 없는 상황이다, 라고 판단했죠. 최종 결정을 위해 간부회의를 했고, 300명만 넘으면 가자고 해서 서울대병원노동조합도 파업을 했던 거죠. (구술자 R)

이에 서울대병원노동조합은 민주노총의 "①민주노총 산하 전 조합원은 26일 오전부터 즉각 무기한 총파업에 돌입한다. ②이를 위해 오전 출근 직후 파업 출정식을 갖는다. ③출정식을 마친 조합원들은 각 지역 또는 권역별로 작업장 밖에서 규탄 집회를 갖는다."는 총파업 지침에 따라 병원노련 서울본부의 다른 조합원들과 함께 총파업에 동참하였다. 병원노련 서울본부 및 서울대병원노동조합은 1996년 12월 총파업 기조를 다음과 같이 설정하고 거리투쟁에 돌입하였다.

"첫째, 민주노총과 함께 전국적으로 대정부 공동전선을 친다. 둘째, 보다 많은 노조가 함께 파업에 들어가야 승리할 수 있다. 셋째, 병원은 공익사업장으로서 대국민 홍보작업과 이해작업을 함께 한다. 넷째, 개악저지와 함께 우리 병원노조의 단체행동권을 직접 봉쇄하고 있는 직권중재 철폐투쟁을 부각시켜 나간다. 다섯째, 이번 투쟁을 통해 민주노총강화, 조합원 정치의식화, 조직강화 등 내부 목표를 달성하면서 우리 힘으로 개악을 저지시켰다는 승리적 관점으로 총파업이 마무리될 수 있도록 해야 한다. 여섯째, 이번 총파업은 단기적인 승패의 개념이나 실무적인 접근보다는 앞을 내다보면서 총체적인 접근이나 역사적인 접근이 되어야 할 것이다."

서울대병원 노동자들은 왜 총파업 투쟁에 나섰을까. 노동조합에서 낸 선전물을 보면 알 수 있는데 노동조건 저하의 위험성이 예고되고 있었기 때문이다.

"첫째, 생리휴가 폐지 백지화, 연월차 축소 후퇴는 우리 투쟁의 성과입니다. 둘째, 퇴직금 중간정산제가 날치기 통과된 이후 곧바로 라미화장품이라는 회사에서는 근속년수가 오래된 조합원에게 일방적으로 퇴직금을 지급하고 재계약을 맺었습니다. 말이 좋아 근로자가 원할 경우이지 지금까지 근로자가 원할 경우 된 일이 있다면 이번과 같은 총파업투쟁도 없었을 것입니다. 셋째, 변형근로제가 도입되면 당연히 시간외 근무수당은 없어집니다. 날치기 된 법안에 따르면, 주당 48시간을 한도로 2주 단위로 변형근로가 가능, 노사 간 서면 합의에 의하면, 주당 56시간 단위로 변형근로가 가능합니다. 이것은 현재 1일 8시간, 주 44시간을 초과하면 시간외 수당을 줘야하나 변형근로제가 되면 이번 주에 56시간을 일해도 시간외 수당을 지급하지 않는다는 것이며, 그 다음 주에 40시간을 일해야 한다는 것입니다. 넷째, 서울대병원에서 정리해고제가 없다는 것을 전체 직원 앞에서 약속할 수 있고 책임질 수 있습니까? 병원의 설명은 국가에서 운영하기 때문에 정리해고의 여지가 거의 없다고 하고 있으나, 국가가 운영하기 때문에 더군다나 믿을 수 없는 것입니다."

병원에서는 조합원들이 초미의 관심을 가지고 있었던 퇴직금 문제와 임금인상의 문제에 대해 "우리 병원의 퇴직금제도는 현재와 같이 유지됩니다. 다만 사용자가 퇴직금 보험에 가입할 경우 공무원의 연금제도와 같이 퇴직 후 매월 연금형태의 퇴직금을 받을 수 있고 근로자가 원할 경우에 한하여 중간정산이 가능하도록 하여 근로자의 선택권이 확대된 것입니다. 또한 우리병원에서는 현재 단체협약 제45조에 의거 매년 단체교섭을 통하여 결정한다고 되어 있으므로 단체협약을 개정하지 않는 한 현재와 변함이 없습니다."라며 회유하였다. 하지만 조합원들은 병원의 회유에 굴하지 않고 투쟁을 전개하였다.

또 한 가지 큰 이유는 새벽 날치기 통과라는 민주주의 위협 행위를 도무지 용납할 수 없었기 때문이었다.

그때 간부들이 야간 순회까지 하면서 법이 통과됨으로 인해 정리해고가 가능해진다, 노동조건 저하된다는 얘기를 많이 했습니다. 그리고 저는 충격을 받았던 게 새벽에 날치기 했다는 거. 날치기에 충격을 받았어요. 3당 야합으로 출발한 정권이라는 데 분노하고 있던 차에 새벽에 도둑처럼 날치기로 법을 통과시킨 것은 용납할 수 없는 거였어요. 그래서 병동 애들이랑 같이 얘기를 해서 우리도 나가자고 했던 거고요. (구술자 U)

조합원들은 노동조합과 간부들을 믿고 파업에 적극 참여하였다. 이렇게 신뢰를 확보할 수 있었던 것은 철저한 준비를 바탕으로 한 것이었다. 노조 간부와 대의원들은 1년 가까운 기간 동안 노동관계법에 대한 교육과 선전을 꾸준히 진행하였고 순회와 철야농성을 하면서 긴장감을 늦추지 않고 있었다.

대의원과 상집간부들의 농성은 12월 3일부터 시작되었고, 임시대의원대회와 전조합원 중식집회로 결의를 모으면서 12월 중순 총파업을 예고하고 있었다. 노동법개악 저지와 노동법 개정을 위한 전조합원 쟁의행위 찬반투표 결과 총조합원 수 2,093명 중 투표자 1,651명, 찬성 1,423명, 반대 224명으로 86.2%의 찬성률로 파업이 가결되었다. 12월 24일부터는 민주노총의 총파업돌입 선언을 기다리며 비상대기 농성을 하고 있었다. 민주노총은 12월 26일 오전 총파업 선언을 하였고 기아자동차노조를 시발로 전국적으로 총파업이 시작되었다. 190개 노조, 21만여 명이 참여했다.

서울대병원노동조합은 민주노총의 제1차 총파업과 제2차 총파업, 그리고 1997년 1월 15일 수요일 총파업을 선언한 투쟁까지 연인원 7,200명의 조합원과 함께 동참하였다.

1997년 1월, 해를 넘겨도 식지 않는 노동악법 철폐투쟁

	날짜	참여 인원
제1차 총파업 (96년 12월 27일 ~ 12월 30일)	12. 27	600명 결집
	12. 28	650명 결집
	12. 29	400명 결집
	12. 30	700명 결집
제2차 총파업 (1997년 1월 7일 ~ 1월 14일)	1.7	500명 결집
	1.8	500명 결집
	1.9	600명 결집
	1.10	500명 결집
	1.11	450명 결집
	1.12	250명 결집
	1.13	550명 결집
	1.14	500명 결집
수요파업(전환)	1997. 1. 15	1000명 결집

12월 27일 오전, 농성장에서 잠자던 대의원과 상집간부들은 아침 6시가 되기도 전에 눈을 떴다. 평소에는 부스스한 모습이었던 사람들이 긴장과 초조함과 결연한 표정 일색이었다. 재빠르게 고양이 세수를 하고 각자 정해진 구역으로 갔다. 출근하는 조합원들에게 27일 07시를 기해 총파업에 돌입한다는 긴급속보를 들려주고 2층 농성장으로 가도록 하였다. 조직을 방해하는 복지과 직원들과 가벼운 몸싸움이 있기도 했다.

'임금인상투쟁도 아니고 단체협약에 관한 싸움도 아닌데 조합원들이 모일까?'

하나 둘 농성장으로 조합원들이 모습을 드러냈다. 간부들은 안도의 한숨을 쉬었다. 농성장이 600여 조합원으로 꽉 찼을 때는 감격의 눈물이 나올 지경이었다.

간부들의 구속 결단식을 시작으로 농성대오 조를 편성하고 총파업 투쟁의 정당성에 대한 분임토론을 하였다. 농성대오의 반은 여의도 집회에 참여하였고, 반은 프로그램을 진행하였다. 노가바, 오행시(근로자파견, 날치기통과, 정리해고제, 변형근로제), 비디오 상영 등으로 하루 프로그램을 진행하였다. 저녁 마무리는 조합원 소감발표로 하고 100여 명이 철야농성을 하였다.

간부 구속, 손해배상 청구 등 탄압에 맞서 조합원이 끝까지 함께하겠다는 각오로 파업에 참여하였고, 파업 참가자 전체가 소송고지 투쟁과 조합비 자동이체를 위한 계좌이체 서류를 작성하기도 하였다.

파업 이틀 되는 날엔 더 많은 조합원들이 로비로 모였다. 하루만에 파업에 돌입하여 미처 노동조합의 지침을 확인하지 못했던 부서에서 조합원 내부 결의를 하고 2층 로비로 모였다. 모든 병동의 간호사, 간호보조원들이 온갖 탄압과 회유에도 흔들림 없이 파업투쟁에 참여하였다. 주말이 무색했다. 철야 농성에 돌입한 조합원들은 4구동성, 스피드퀴즈를 하며 하나가 되었다.

민주노총 수도권 종묘 집회에 참여했던 조합원들 옷에서는 알싸한 최루탄 냄새가 났다. 최루가스를 처음 마셔본 조합원들은 "이것은 사람을 죽이는 살상무기다."라고 했다. 노동조합 사무실은 거리에 나갔다 온 조합원들로 꽉 찼다. 너도나도 무용담을 이야기했다.

나이가 지긋한 급식과 한 조합원이 최루탄 세례를 받았다는 이야기는 오래 교훈으로 이야기되었다. 동그란 물체가 데굴데굴 굴러 그의 발 앞에 떨어졌다. 눈이 어두워 두꺼운 안경을 쓰고도 잘 보이지 않아 이게 뭔가 들여다보는 사이 팡! 터져버렸다는 이야기. 전투경찰이 대오를 치고 들어오면 뒷걸음질로 흩어져야 안전하다는 경험에서 나오는 퇴각 방법. 뽀얀 연기가 조금 가라앉으면 누군가 깃발을 들고 구호를 외치니 어디 숨어있었는지 보이지 않던 사람들이 다시 모여들었다는 이야기. 깃발을 든 간부 하나가 엉겁결에 구호를 거꾸로 외쳐서 눈물 콧물 흘리면서 배꼽 잡았다고 했다. 명동성당 진입을 위해 거짓말 하는 방법도 이야기 속에서 발전했다. 전투경찰이 막으면 짜장면집에 그릇 찾으러 왔다, 골목 찻집에서 약속이 있다, 남녀가 짝지어 다녀야 한다 등등.

모두들 승리를 예감했다.

'이번 투쟁은 이미 우리가 승리한 것이다. 진국의 노동자가 총파업 투쟁으로 노동자의 힘을 보여주지 않았는가? 연말연시, 주말인데도 흔들림 없으니. 정부와 병원의 어떠한 유언비어에도 속지 않고 스스로 결정한 민주적 방침을 지키는 모습이야말로 노동자의 참모습 아닌가.'

농성은 30일까지 지속되었고 풍물패 노래패 공연 등 공동체 놀이가 조합원들을 총파업 투쟁으로 묶어줬다.

서울대병원노동조합은 2차 총파업(1997년 1월 7일~14일)에서도 사무전문직과 공공부문과 함께 참여하였다. 1월 7일부터 비제조업 노동자들이 대거 참여하여 상승곡선을 그리며 1월 14일에는 한국노총이 시한부 연대 총파업에 들어가고 민주노총과 한국노총 위원장이 명동성당에서 만나 역사적인 연대투쟁의 원칙에 합의하는 등 총파업으로 불붙기 시작한 투쟁전선이 하나로 모아졌다. 또 종교계와 학계 등 각계의 지지도 급속도로 늘어났다. 국제연대 지지투쟁도 확산되어 네덜란드, 벨기에 등 세계 18개국 노총이 한국대사관 앞에서 집회 개최, OECD노조자문위원회 사무총장 등 항의 방문단 입국, ILO사무총장이 김영삼 대통령에게 긴급 항의서한 전달, 국제 노동단체들이 민주노총 투쟁을 적극 지지하고 한국 정부에 항의하였다. 서울대병원노동조합은 보건의료부문 노동자들의 중심에 서서 제2차 총파업 투쟁을 지켰다.

1월 7일부터 15일까지 농성을 벌였고 연일 많은 조합원들이 참여하였다. 전직 간부들이 농성을 진행한 날도 있었고, MBC노조와 KBS노조가 연대발언, 노래패공연을 하기도 했다. 15일에는 천여 명의 조합원이 모였다.

환자들도 지지하였다. 아무리 최소 인력을 병동에 배치한다고 하였어도 환자나 보호자가 느끼기에 완벽한 의료서비스를 제공받는다고 볼 수는 없다. 그럼에도 지지와 격려가 끊이지 않았다.

"작은 돈이지만 크게 써달라."며 기금을 주시는 분이 계셨다.

"열심히 하세요. 먹을 것 먹어가며 하시고요." 자판기에서 율무 한 잔을 뽑아주셨다.

서울대학교병원은 개정된 노동법이 합리적인 법이라며 직원을 속이고 회유 협박하여 파업농성을 방해하였다. 투쟁 참가자의 연월차 수당을 지급하지 않았고 환자를 지속적으로 입원시켰으며 수술장에는 대체인력이 투입되었다. 1996년 12월 총파업을 이유로 부서장의 임의보고에 따라 조합원의 월급을 지급하지 않았다. 하지만 조합원들의 열기는 더 높아졌다. 부분파업에 대해 문제제기하며 전면 총파업 요구가 제기되기도 했다.

민주노총은 제3차 총파업을 수요파업으로 전환하고, 전교조 합법화, 정리해고제 철회, 전임자 임금지급금지 반대 등 민주적 노동법 개정, 한보사태로 드러난 부정부패 구조 척결 및 재벌 위주의 경제구조 타파, 단위노조 탄압 중지 요구 실현을 위해 26일부터 단계적 4단계 파업돌입을 선언하였다. 즉 26일에는 간부집회, 27일에는 간부파업, 그리고 28일에 전면파업을 진행하는 것으로 전환하였다. 서울대병원노동조합은 민주노총의 총파업 지침을 수용하여 조합원들을 현장으로 복귀시키는 대신 간부들은 민주노총의 수요파업 및 단계적 4단계 파업투쟁에 집중하였다.

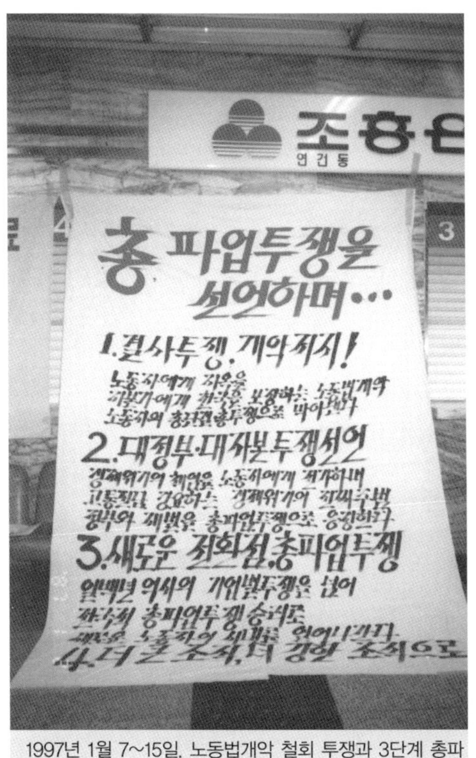

1997년 1월 7~15일, 노동법개악 철회 투쟁과 3단계 총파업(9일간)

대자본과의 싸움이었기 때문에 결국에는 최소 인력을 남길 수밖에 없었던 거죠. 그러니까 3교대 같은 경우에는 근무 시간을 배정해서 최소 인력을 남기고 투쟁에 나왔어요. 2,000명 전체가 다 파업에 동참한다는 것은 어렵고, 기본적으로 파업이 언제까지 갈지도 모르는 상황에서 전면파업을 계속 하기는 어려우니까 최소한의 파업 동력을 유지하는 것, 그래서 그렇게 스케줄 짜고 참여했어요. 수요파업을 전개하면서도 똑같은 방식으로 갔지만, 수요파업으로 바뀌면서 동력이 많이 떨어졌던 것 같아요. 그건 서울대병원뿐 아니라 전체 병원 사업장들이 동력이 떨어질 수밖에 없었죠. 하지만 그 당시 수요파업을 전개할 때 병원 사업장이 그래도 많이 참여했던 것 같아요. (구술자 J)

1996년 12월에 시작되어 1997년 1월까지 진행된 노동법 관련 총파업 투쟁으로 노동조합의 조직력과 투쟁력은 높아졌다. 조합원들의 끊임없는 투쟁열기는 파업 마지막 날까지 계속되었다.

1996~1997 노동법개정투쟁은 전국을 뒤흔들고 세계를 놀라게 한 투쟁이었지만 결과를 놓고 보면 노동법 개악을 막아내지 못했고 바로 닥친 경제위기, 민주노총의 정리해고제 수용 등으로 '패배' 한 투쟁으로 평가되기도 한다.

하지만 서울대병원 노동자들이 기억하는 노동법개정투쟁은 '승리' 한 투쟁이었다. 가장 큰 이유는 자신이 역사의 한복판에서 싸웠다는 자부심을 꼽았다. 무노동무임금 적용도 투쟁의 힘으로 깼고 현장으로 돌아가서도 당당했다. 무엇보다 조를 짜서 가두투쟁에 나가면서 같이 차를 마시거나 밥을 같이 먹으면서 동료애를 키웠다는 점, 로비에서 농성을 하면서 병원에 대한 불만도 이야기하고 개인의 이런저런 고민도 이야기하면서 서로를 이해할 수 있게 되었다는 점이 가장 신나고 좋았다고 한다. 이 힘과 결속력은 이후 구조조정 저지투쟁을 진행하는 데 밑바탕이 되었다.

03

구조조정 저지 투쟁 (1998~2004)

1 산별지부 조직 체계와 운영

1998년에는 보건의료노조 출범으로 산별노조 체계가 시작되었다. 따라서 서울대병원노동조합도 지부 체계로 전환하고 일상활동도 그에 맞춰 진행하였다.

보건의료노조가 조직전환 방식으로 산별노조를 건설하였기에 이 시기 서울대병원지부 조직률은 특별한 변동을 보이지 않았다. 조합원 수는 1998년 3월 2,166명, 1999년 12월 2,154명, 2000년 11월 2,123명, 2001년 12월 2,153명이었다.

지부 2대 집행부는 1998년 10월 23일~2000년 11월 24일을 임기로 최선임 지부장, 신훈철 · 유행선 · 이명호 · 현정희 부지부장 · 김희은 사무장이 집행을 맡았다. 2년차에는 부위원장에 김태용과 김희은을 추가 선출하고 유행선이 사무장을 담당하였다.

지부는 1998년과 1999년에 조합원 간담회를 연6~7회씩 진행하였다. 매년 수차례 진행되는 간담회는 서울대병원노동조합이 조합원들과 소통하는 가장 중요한 수단이었다. 간부들이 담당 구역을 나누고 통상근무자뿐 아니라 교대근무자들도 밤낮으로 나눠 현장을 순회하면서 만났다. 점심시간에 조합원들을 만나 주요 안건을 설명하고 조합원들이 식사를 끝내고 나면 같이 토론하기도 하였고, 밤에는 간식을 들고 모여 이야기를 나눴다.

이 시기에는 보라매병원의 조직력과 활동이 활발해졌다. 1998년 1월에는 소모임 '한울림'이 결성되었다. 한울림은 드럼, 기타, 베이스, 키보드, 노래로 구성된 밴드로 첫 공연으로 3월에 총회전야제 때 본원에서 바위처럼과 불나비를 연주했다. 보라매에서는 조합원강좌로 칼라믹스, 종이접기를 열기도 했고 편집부 2주 1회 정기모임을 하면서 소식지를 꾸준히 냈다.

지부는 1999년 들어서 고용대책위원회를 두고 정규직 및 비정규직 고용실태 파악, 고용관련 고충처리뿐 아니라 장기적 대안 마련을 위한 노력을 시작하였다. 조합원 하루 교육을 본부와 함께 진행하였고 열심조합원 교육, 대의원·간부·전임자 교육도 빠짐없이 진행했다.

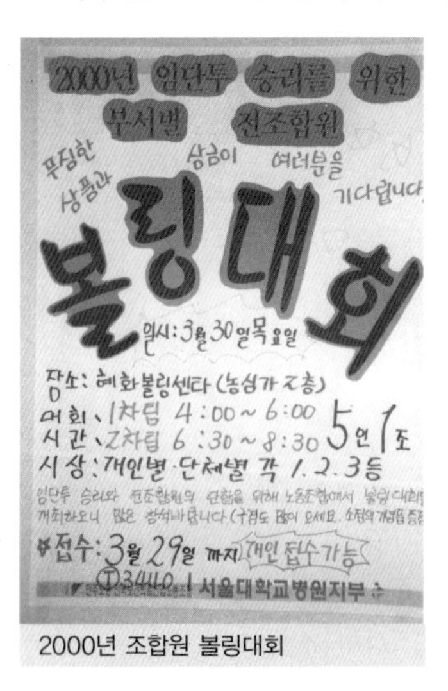

2000년 조합원 볼링대회

2000년에는 조합원들과 함께하는 노동조합 행사가 풍성했던 해이다. 2000년 3월 30일 임단투 승리를 위한 전조합원 볼링대회에는 88명이

2000년, 고구마도 캐고 조합원의 마음도 캐고

참가하였다. 처음 하는 행사였는데 평소 노조 활동에 참여하지 않았던 조합원들의 참여도가 높았다. 9월 7일 '2000년 임단투 및 체포영장 철회투쟁 승리기념 조합원 일일호프'에서는 맥주 500cc 한 잔에 천원, 안주 무료라는 파격적인 자리를 선보였는데 300여 명의 조합원과 내외빈이 참석하여 자리가 비좁을 정도로 성황리에 진행되었다. 10월 1일에는 1999년에 이어 조합원 고구마 캐기 행사를 했다. 서울대병원 99명, 청구성심병원 18명, 소화아동병원 31명이 참여하였다. 비가 조금 와서 참석인원은 적었지만 참여자들의 평가가 좋았다. 특히 다른 지부도 함께 가서 더욱 좋았다. 산별노조가 건설되었

조합원 하루교육은 노동조합의 평생교육

음을 실감하는 행사였다.

이러한 사업은 이후 매년 조합원과 함께하는 사업으로 이어졌고 2001년에는 스타크래프트 대회, 2002년에는 투쟁 승리를 위한 시산제, 통일사진전, 조합원 볼링대회를, 2003년에는 서예반 작품 전시회, 종이접기 교양강좌, 환자보호자 노래자랑을 했다.

지부 3대 집행부는 2000년 11월 25일~2002년 10월까지 활동하였는데, 최선임 지부장, 김애란 · 김태용 · 유행선 · 최양선 부지부장, 이향춘 사무장이 조직을 맡았다. 지부 4대 집행부는 2002년 11월~2004년 10월까지 김애란 지부장, 김진경 · 박덕영 · 유행선 · 이향춘 부지부장, 이승아 사무장이, 지부 5대 집행부는 2004년 11월부터 2006년 10월까지 김진경 지부장, 김애란 · 윤태석 · 이용한 · 이향춘 부지부장, 오은영 사무장이 조직을 이끌었다.

2 구조조정 저지, 의료공공성 쟁취 투쟁

1) 임단협

IMF구제금융 도입 직후 정부와 자본은 임금삭감, 노동조합과 단협 무력화, 구조조정 공세를 대대적으로 시작하였다. 1998년 병원은 구제금융 여파가 크지 않았음에도 이에 편승하여 임금삭감과 단체협약 개악안을 관철하려 하였다. 노동조합은 IMF이후 노사관계를 개편하는 투쟁에서 물러서서는 안 된다는 의지를 가지고 산별노조 원년이므로 산별차원의 공동투쟁으로 대응하고자 하였다. 5월 20일부터 교섭이 진행되었으나 개악안 공방이 계속되었고 7월 9일 700여 명의 조합원이 임시총회(파업)에 돌입하여 임금삭감을 막아내고 고용문제 발생 시 협의 등에 합의하였다.

1999년은 정부 차원에서 구조조정 공세가 거세었고 민주노총 공공3조직과 금속은 대정부 정치투쟁으로 투쟁 성격을 명확히 하였다. 보건의료노조도 김대중 정부의 신자유주의 구조조정 정책 거부투쟁으로 임단투를 승리해야 하는 절박함을 안고 있었다. 서울지하철노조가 총파업투쟁으로 전체 투쟁의 포문을 열었으나 전체 노동자의 파업으로 연결되지 못하고 서울지하철노조에 대한 대대적인 탄압이 이어졌다.

이러한 상황에서도 노동조합은 5월 13일 800여 명의 조합원 임시총회(파업)에 돌입하는 결의를 보여주었고, 이후 병원장과의 협상이 진행되어 임금삭감, 연봉제차등성과급제 도입, 휴가축소, 퇴직금누진제 폐지, 급식과 용역도입 등 정부와 병원의 구조조정안을 저지하면서 임금인상과 단체협약을 사수하고 당일 오후4시에 타결하였다. '정년을 58세에서 2년에 걸쳐 단계적으로 57세로 단축'(2007년에 다시 58세로 환원함)에 대한 아쉬움이 있지만 어려운 시기에 굴하지 않는 조합원의 투쟁과 앞으로 계속될 구조조정 음모에 맞서기 위해서는 노조조직 사수가 중요하다는 대다수 대의원과 조합원들의 판단으로 찬성률 82%로 가결되었다.

2000년도 단체교섭의 시작은 소아급식 위탁 저지 투쟁에 이어 일찍 시작되었다. 1월 28일 퇴근 후 조합원총회를 통해 소아급식 외부위탁을 핵심요구로 할 것을 결의하고 바로 진행하여 2월 22일부터 6월 23일까지 진행되었다. 5월 31일부터 6월 4일까지 5일간의 조합원 임시총회(파업)를 통하여 매일 조합원 800~1,100명이 임시총회에 참석하여 힘을 모았고 이를 바탕으로 실질임금 쟁취, 정규인력 21명 확보, 연봉 · 성과급제 저지, 소아급식 위탁 평가 후 재논의 등을 합의하였다. 보건의료노조는 산별 중앙교섭 요구를 최우선으로 내세웠고 서울대병원지부도 이를 요구하며 투쟁하였다.

2000년, 산별 중앙교섭을 외치며 투쟁했던 서울대병원지부 조합원들

2001년에는 1월 1일부터 퇴직금제도 개악 반대 투쟁으로 한 해를 시작하였고 임단협 단체교섭을 4월 20일부터 7월 10일까지 진행하였다. 6월 13일부터 25일까지 조합원 임시총회를 13일간 지속하다 6월 25일 잠정합의하였다. 13일동안 매일 800여 명의 조합원이 참여하여 투쟁하였고 결국 임금인상, 단체협약 개선, 정규직 인력확보, 보건직 6급 철폐, 운영기능직 2급

2001년 2월, 정기대의원대회에서 뭉친 어깨와 목을 서로 풀어주는 시간

까지 자동승급제 도입, 보라매병원 선택진료비 인하, 단시간근로자 정기휴가 3일 부여 등에 합의한 것이다.

2002년에는 4월 9일부터 8월 1일까지 맥킨지를 앞세운 구조조정 저지 및 2002년 임금 · 단협 · 의료민주화 · 특별요구안 쟁취 단체교섭을 진행하여 구조조정저지와 임금인상, 해고자복직 합의의 성과를 거두었다. 연초부터 민주노총의 노동법개악 및 공기업 사유화 저지 투쟁이 진행되었고 발전노조 파업이 한달 넘게 전국을 흔들고 민주노총은 4월 2일 연대파업을 결의했지만 무산되었다. 서울대병원은 2월 27일 퇴근 후 조합원총회를 통해 근로기준법 개악 저지 투쟁에 동참하고 4월 2일 연대파업 결의를 모으는 등 적극적으로 연대투쟁에 함께 했다. 민주노총 연대파업이 무산된 후 보건의료노조는 국면을 반전하기 위해 5월 전 지부 동시 조정신청, 5월 23일 동시파업투쟁을 추진하였다. 서울대병원지부는 보건의료노조 동시파업을 결의하려 했지만 여러해에 걸친 파업과 전년도의 장기파업의 여파, 연초부터 2차례의 연대파업 결의 이후 조직의 피로가 겹치면서 파업이 부결되는 역사상 초유의 사태가 발생하였다. 투표율77.9%, 찬성 65.8%(1,068명)였지만 재적조합원 2,184명에 대한 과반수 찬성 미달(48.9%)로 노동법과 산별규약 상 부결된 것이다. 조직적인 충격이 컸지만 이를 딛고 조합원의 결의를 모아 재투표를 통해 파업을 다시 결의하였다(총조합원 2,200명, 투표율92.4%, 찬성1,439명(73.4%)). 조직적 위기를 넘어 투쟁의지를 다지면서 끈질긴 교섭을 하던 끝에 구조조정을 저지하고 임금인상, 해고예정자 복직 합의, 교대근무자처우 개선, 단시간근로자 위험수당 지급 및 4대 보험적용 등의 성과를 거두었다.

2003년에는 투쟁필수인력확보 · 공공의료강화 · 비정규직차별철폐를 걸고 제9차 단체교섭(6.27) 이후 조정신청(6.30)하고, 제12차 교섭(7.8), 지노위 조정, 쟁의행위 돌입 등을 거쳐 잠정합의(7.16)를 하였다.

2004년에는 산별교섭쟁취 온전한 주5일제 쟁취를 위한 보건의료노조 산별교섭, 산별총파업 및 지부총파업을 6월 10일부터 7월 23일까지 44일간 벌였다. 그 결과 온전한 주5일 실시를 위한 210명의 인력확보 및 단기병상제와 병실료 인하에 대한 개선안 마련, 생리휴가 및 연월차 보존수당, 간호부 근무시간 개악 중단, 치과병원 고용안정 및 노조 사무실 합의, 파업 시 병원의 손배가압류 및 형사고발 철회 등을 합의하였다.

2) 정부의 공공의료부문 구조조정에 대항한 의료공공성 강화 투쟁

정부의 병원 합리화정책

세계적으로 의료산업을 포함한 공공부문 구조조정정책은 서구 선진 자본주의 체제의 복지국가모델이 실패하고 경제위기가 심화되었던 1980년대 초반부터 지속적으로 추진되었고, 한국에서도 역시 순환적으로 발생하는 경제위기 때마다 추진되었다. 한국에서의 공공부문 구조조정정책은 박정희 정권의 제2차 경제개발계획이 추진되었던 1968년~1970년에 처음으로 추진되었고 이후 그 범위와 내용에 있어서는 약간씩의 차이가 있지만, 모든 정권이 구조조정정책을 폈다. 그중 공공의료부문에 대한 구조조정정책은 김대중 정권 하에서 본격화되었다.

IMF환란 이후 경영합리화라는 이름으로 교육부와 국립대병원 경영자들이 수익성을 앞세워 인력감축, 임금삭감, 그리고 성과주의적 구조개편을 추진하였는데, 이는 국립대병원이 공공적 의료기관으로서의 역할과 기능을 포기하는 것이었다. 병원의 경영합리화는 곧 돈벌이였다. 구체적으로는 장시간 노동과 교대근무, 정신적 · 육체적 노동강도 강화, 기능화 되고 단순한 업무로 인한 성취감 저하, 그리고 높은 이직률을 동반하였다.

실제 1998년 병원노련 2차 고용실태조사(조사시기 1998년 4월 2~14일) 결과에 의하면, 조사 노조 81개에서 893명의 병원직원이 감소되었다. 46개 병원(57%)이 자연감원인원을 채우지 않는 방식으로 감원했으며 인력재배치와 부서통폐합, 병동폐쇄로 인한 감원도 25개 병원에 이른다. 그 외 비정규직 도입이 8%, 정리해고가 8%로 집계되었다. 또한 66개 병원(81%)에서 임금이 삭감(수당 삭감)되거나 상여금이 체불(16개 20%)되었다. 수당 삭감은 주로 근무형태변경을 통한 시간외수당의 삭감으로 시간외 청구를 못하게 한 뒤 연월차를 반납 혹은 강제 사용하게 함으로써 이루어졌다. 특히 근무형태변경과 변형근로제 확대는 임금의 삭감과 여유인원 산출에 주요한 근거로 작용하였다. 근무형태의 변경에는 당직제를 근무제로 전환, 통상근무, 3교대근무 외의 근무형태로 24시간 격일근무, 토요전일근무제, 근무시간 변경(심하게는 한 부서에 출퇴근시간이 6개로 나눠져 있다.) 등 주44시간을 월단위로 계산하는 것이었다.

2002년 경영혁신의 이름으로 추진된 구조조정의 대상기관은 21개 부처(청)에 소속되어 있는 214개 기관이었다. 기획예산처는 공공부문 산하기관의 분야별 구조조정 과제를 다음과 같이 예시하였다.

원칙	과 제
조직 및 기능 · 인사관리의 합리화	기능 및 조직 재설계, Team제 도입, 직급별 정원 구조조정, 외부 위탁, 분사, 민영화, 자회사 정리, 불필요한 자산 매각, 잉여인력 해소 노력, 기능직, 계약직, 임시직 운영의 합리화
예산운영의 적정성 확보	분기별 예산 집행계획의 수립, 예산의 이 · 전용의 최소화, 섭외성 경비 등의 경상비 절감, 사내복지기금 운영 합리화, 복리후생제도 개선(경조금, 개인연금, 유급휴가제도의 개선, 연월차 휴가제도의 개선, 대학생 학자금 제도의 개선, 사택 및 주택자금 지원의 개선, 희망퇴직 및 명예퇴직금의 개선)
운영시스템의 혁신	업무권한 및 책임 하부 위임, 회의 간소화, 민원처리절차의 개선, 감사제도의 개선, 교육훈련제도의 개선
경영의 효율성 제고	경쟁체제 도입을 위한 제도의 개선, 성과평가제도의 개선 등 운영 내실화, 연봉제 및 계약제의 확대, 내부조직 단위별 책임경영체제
운영시스템의 혁신 대고객 서비스의 질 및 경영투명성 제고	민간규제의 완화, 고객 신뢰도 및 고객 만족도의 조사, 고객서비스 헌장의 보완, 재무의 투명성 제고 등

이러한 과제들은 곧 공공부문의 인력구조조정정책과 노동조건의 악화를 강요하는 것들이었다. 물론 운영시스템의 혁신과 대고객 서비스의 질 및 경영투명성 제고와 관련된 과제들은 그동안 공공부문의 문제점으로 지적되어 왔던 것을 개혁하는 차원으로 이해할 수 있다. 하지만 나머지 과제들은 공공부문 노동자들의 노동조건을 하락시키지 않으면 불가능한 것들이다. 인력감축 및 각종 복리후생조건의 하락을 중심으로 하는 공공부문 구조조정정책인 것이다.

그리고 노무현 정부는 이러한 원칙과 과제를 성실하게 집행하고 있는가의 여부를 중심으로 하는 공공기관 경영평가를 강화하면서 공공부문의 구조조정을 지속하였다. 구조조정의 원칙과 과제는 정부에서 매년 시행하는 공공기관에 대한 경영평가의 항목으로 반영되었다. 기획예산처는 법정 경영평가(정부투자기관관리기본법, 정부산하기관관리기본법, 정부출연연구기관 등의 설립운영 및 육성에 관한 법률)을 받는 정부투자기관(14개), 정부산하기관(87개), 정부출연연구기관(47개)에 대해서는 2006년도부터 별도의 경영혁신 점검(혁신평가)을 실시하지 않고 경영평가 항목에 이를 반영시켜 통합하기로 하였다. 이밖에 행정자치부가 2002년 이후 자체 경영평가를 통해 관장하는 지방공기업, 지자체 출연기관(모두 116개)에게 기획예산처가 정한 경영혁신추진지침을 원용하고 있는 '행정자치부 경영평가' 를 받게 했다. 문제는 인력구조조정의 실시, 연봉제 및 차등성과급제 도입 여부를 경영혁신의 평가항목으로 넣었다는 점이었다.

2000년 10월, ASEM반대! 신자유주의 반대! 거리투쟁에 나선 노동자들

서울대병원의 구조조정정책

1998년 7월 30일 정부의 공공부문 구조조정 방침에 따라 교육부 산하에 국립대병원 경영혁신연구단이 발족되어 서울대병원에서도 5개 팀으로 구성되어 활동해왔다. 노동조합은 노사협의회를 통해 계속 참여를 요구했으나 병원은 이를 무시해왔다. 서울대병원의 구조조정정책은 정부보다 한발 앞서 추진되었던 것으로 1997년 12월 31일 비상경영대책안이라는 이름으로 노동조합에 제시된 적이 있던 것

이다.

서울대병원이 IMF 구제금융 시기부터 2001년까지 추진했던 경영혁신의 안에 대해 외부기관에 보고한 내용은 다음과 같다.

경영혁신안	진행 내용
이사 중 1명을 병원경영 전문가로 영입	9인의 이사 중 당연직 이사를 제외한 1~2명의 임명직 이사가 있으나, 변호사, 의료인, 일반 기업인 등이 대부분
과장급 이상 보직자를 정관에 명시	진행 완료
처와 실의 조직구조 감축	1처 1부 1실 체계로 감축-진행 완료
각종 위원회 통폐합	5개~23개까지 감축 : 진행 완료
직종 단순화	7개 직종으로 단순화
병실 감축	병상 수는 상황에 따라 증가 혹은 감소로 조정되었음
병상당 직원 조정	조정
의료수입 대비 인건비 개선	상시적으로 진행
보직자 임기제	처, 국, 실, 부장 2년(일부 3년) 임기제 및 복수직급제 실시
연봉제 단계적 도입	계속적으로 시도
정년 감축	57세로 정년조정 완료
퇴직 수당 조정	퇴직금 누진제 폐지 완료

서울대병원이 제시한 경영혁신의 핵심적인 목표는 예산과 인력을 축소하는 방식의 구조조정이었다.

서울대병원에서도 아웃소싱을 시행하기 시작했죠. 소아병원 식당을 외주화하고, 청소, 경비, 사직한 자리를 충원 안 하고 그 자리를 용역회사로 배치하면서 비용절감하는 방식을 썼어요. (구술자A)

신자유주의 관련한 내용들이 어떻게 들어 왔냐면, 1998년도에 IMF 터지면서 고용이 대단히 불안한 상황이었는데, 의사들을 뺀 나머지는 원가 절감, 인건비 절감 등을 위해, 각종의 비용을 계수화해서 실제 돈이 얼마가 들어가는지 원가분석을 해서, 각 부서단위 장을 비롯해서 밑에 단위에 인원들을 최소한 단기적으로, 5개년 안에 몇 명씩 줄여간다는 식의 계획을 했고, 그것을 실천했어요. 그리고 병동 같은 조직은 "야, 우리 수입 안 난다." 아니면 "야, 외과 병동은 왜 외과만 봐야 되냐, 병실 비면 다른 과도 봐야 되는 거 아니냐." 이 과정에서 일목요연하게 체계화된 병동 시스템이 다 무너진 겁니다. (구술자 G)

서울대병원의 정책은 ①의료수익을 기준으로 한 인건비 상한제 ②연봉제 및 성과급제 도입 ③비정규직 확대(용역, 임시직, 시간제, 계약직) ④근무성적 평정요소 확대로 현장통제 수단을 강화하려는 인사제도 개편 ⑤노동자 간의 경쟁을 유발, 강화시키려는 팀제 중심의 조직개편 등이었다. 구체적으로는 강제퇴직, 용역 도입, 퇴직금누진제 폐지, 유급휴가제도 개악, 연월차휴가 보상 150%에서 100%로, 대학생자녀 학자금지원 중단, 계약 · 연봉제 확대, 노동조합 전임자 축소 등이었다.

1998년 투쟁(왼쪽), 2000년(오른쪽) 총파업 투쟁 결의대회

하지만 연봉제 성과급제 및 팀제 도입은 노동조합이 몇 년에 걸친 파업투쟁으로 본격적인 도입을 막아내었다. 서울대병원은 연봉 · 성과급제를 최소한 병원의 3급이상 관리자에게까지라도 도입하려 시도하였으나 노동조합 파업투쟁으로 실패하고, 의사들에게만 적용하였다. 퇴직금누진제는 폐지되었지만 퇴직수당누진제로 일부 보전되었고, 대대적인 용역도입도 소아급식 일부로만 한정되었다. 병원은 파업투쟁에 막혀 눈에 보이는 제도 변화를 만들어내지 못했던 것이다.

의료공공성 강화 투쟁

서울대병원노동조합은 병원의 구조조정정책에 대해 다양한 투쟁방식으로 대응하였다. 병원정책의 문제점들을 제시하고 그것을 사회화하는 투쟁, 정책대안을 제시하는 투쟁, 총파업 투쟁을 전개해왔다.

의료시장 개방이 가시화되던 1998년에는 병원경영실태분석을 시작하였고 하반기에 고용대책위원회를 구성하였으며 1999년에는 경영분석과 팀제연구를 산별노조 차원에서 진행하였다. 2001년에는 교대근무자 근무조건 개선사업을 시작하였고 주5일제 도입에 따른 문제들, 공공병원과 국립대병원의 역할과 위상에 관한 프로젝트를 진행하였다.

이러한 활동의 결과, 아래의 표와 같이 서울대병원노동조합이 현재까지 추구하고 있는 병원개혁의 방향, 그리고 그것을 실현하기 위한 투쟁 요구안을 수립하였다.

개혁의 방향	요구안	
공공성의 강화	공공성의 강화가 수익성 증대보다 우선되어야 한다.	의료공공성 확대강화, '공공의료에 관한 법률' 제정
의료서비스의 질 향상	적정한 의료인력 확보를 통해 의료서비스의 질을 높여야 한다.	'의료기관 인력에 관한 법률' 제정/노동시간 단축/ 비정규직 확대 저지/실질임금확보/노동자들의 노동관, 직업관 확립
방만한 경영체제의 타파를 통한 구조개혁과 의료비리 척결	전문경영인 도입, 민선이사제 도입, 병원장 추천위원회 구성 등을 통해 무책임한 경영을 타파하고 투명한 경영을 이루어야 한다.	민간사외이사제 도입/의료기기도입 심의위원회에 노조 참가/병원장추진위원회 구성. 보직자 상향평가제도 도입/인사위원회 노조 참여
노조의 경영참가	의료기자재 도입 심의위원회 도입 등 직원과 시민단체 등 각계각층의 의견 수렴과정이 필요하다.	정부, 사용자단체, 노동조합, 시민단체로 구성된 의료산업인력위원회 설치 운영
관료적 조직의 개혁	강요된 경쟁이 아닌 자발적 협동과 노동조합의 경영참가를 통해 민주적 조직으로 개혁	관리회의 및 이사회에 노조참여, 현장위원회 및 직장위원회의 조합원 활동 모색

노동조합은 투쟁을 통해 1998년 실업자 지정진료비 감면, 1999년 진료비 카드결제도입, 환자편의향상위원회 노동조합 대표 1인 참가, 인사제도 개편 시 노조 협의, 2001년 보라매 선택진료비 중 진찰료, 검사료 10%인하, 2002년 의료사회사업 및 의료봉사 등 공공의료사업 확대 합의를 이뤄냈다. 특히 서울시 예산으로 운영되는 보라매병원에도 선택진료비를 도입하는 것에 대해 노동조합은 2001년 단체교섭에서 보라매 선택진료제도 폐지를 요구하였고 임시총회(파업)에 돌입해서도 끝까지 요구하였다. 그 결과 비록 제도를 폐지시킬 수 없었지만 선택진료비 10%인하라는 상당한 성과를 거둔 것이다.

2000년대 들어 서울대병원노동조합은 공공성 강화 투쟁을 더욱 확장하여 체계적으로 진행했다. 2001년에는 예산권 남용으로 구조조정을 강요하는 기획예산처를 대상으로 공공부문노동조합들과 함께 투쟁하였다. 지방공사의료원 활성화 및 공공의료 강화, 민간의료보험 도입 반대를 제기하는 공청회와 집회도 열었다. 2002년에는 '서울대병원 공공성 강화를 위한 특별위원회' 를 구성하여 보다 조직적인 대응을 시작하였고 이후 의료공공성 강화를 위한 투쟁이 전면에 배치되었다.

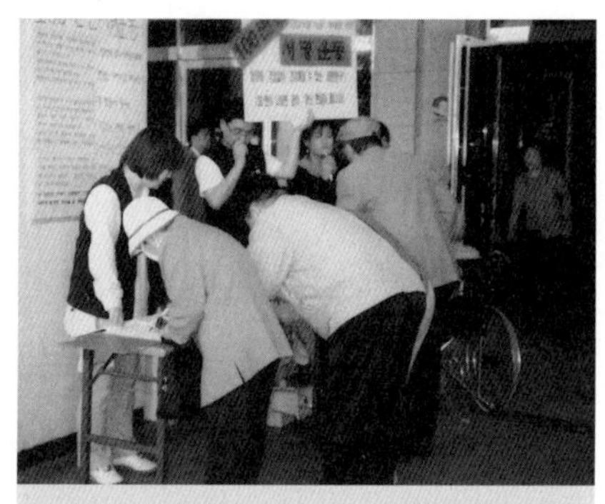
2004년, 건강보험의 적용을 확대하기 위한 서명운동

노조는 그 활동을 더욱 넓혀 2003년 10월 7일, 제12차 국립대병원 지부장 회의 이후 '국립대병원 공공성 강화투쟁 기획팀' 을 구성하여 현장의 공공성 훼손 사례를 조사하고 대응방안을 마련하였다. 병원에서 공공성이 훼손된 사례로 지목한 것은 특진제, 무균실, 단기병상제, 격리병동 · 화상병동 폐쇄, 주차장, TV시청 유료, 병원 내 감염 등이었고, 이러한 공공성을 강화하기 위해 내부고발, 시민사회단체와 함께 사회적으로 여론화하는 투쟁을 전개하였다.

서울대병원노동조합은 노동조합의 경영참여 투쟁도 적극적으로 벌였다. 보건의료노조는 제도개혁의 일환으로 2000년 주요 요구사항 중에 "경영정보 및 자료의 공개, 병원회계준칙 개정 및 적용 의무화, 공인회계사 감사 의무화, 의약품심의위 및 의료기심의위 공익인사 참여, 공개입찰제도의 도입, 이사회 친인척 참여 제한 및 공익이사제도 도입, 시민감사 청구제도 도입"을 제시하였다. 서울대병원노동조합도 한발 앞서 이 문제를 제기하였는데 1998년 경영참여를 위한 리본달기, 서명운동을 벌이며 관심을 불러일으켰고, 1999~2000년 임단투의 목표 중에서 국가 중앙병원인 서울대병원의 진정한 개혁과 공익성 및 공공성을 높이기 위해 노동조합의 경영참여 문제를 다양한 차원에서 제기하였다.

노동조합은 서울대병원의 구조적, 체계적 문제의 근원은 서울대병원 경영자들의 잘못된 경영과 국가 차원의 보건의료징책의 부재 또는 잘못으로 파악했다. 노동조합은 경영문제의 책임소재를 명확히 하고, 그 해결방법으로 경영에 있어 투자계획, 진료(생산), 분배과정에 구조적 참여를 할 수 있는 방법을 찾으려 하였다.

2000년, 외래환자 보호자들에게 병원 민주화의 필요성 선전

서울대병원노동조합이 제기한 내용은 민간사외이사제 도입, 의료기기도입심의위원회에 노조참가, 병원장추천위원회구성, 보직자 상향평가제도 도입, 인사위원회 노조참여, 관리회의 · 이사회 노조참여, 현장위원회 · 직장위원회 구성 등이었다. 특히 역점에 두었던 점은 이사회와 의약품구입위원회 및 의료장비도입심의위원회에 노조가 참여하는 것이었다. 즉 노조대표 및 노조가 추천하는 시민대표를 병원 이사회에 참여시켜, 그 회의 내용을 투명하게 공개하려 하

였던 것이다.

그 이후에도 큰 성과를 내지는 못했지만 노동조합은 '서울대병원의 공공성 강화를 위한 협의회'를 통해 끊임없이 병원 개혁과 공공성 강화를 위한 경영참여 문제를 제기하였다.

3) 팀제 연봉제 차등성과급제 도입 저지 투쟁

"한마디로 말하면 (연)봉제는 (봉)급자를 죽이는 (제)도입니다."

연봉제는 직원들 사이에 과열경쟁을 일으키고 의료서비스를 저하시킬 수밖에 없다. 1995년 연봉제를 도입했다가 실패한 방지거병원의 사례를 보면 실적을 높이기 위해 환자에게 불필요한 검사를 하고 경쟁자인 동료의 근태성적을 낮추기 위해 환자상태에 대한 인수인계를 제대로 하지 않고 원가절감을 위해 1회용 물품을 재소독해 쓰는 일이 생기기도 했다. (한겨레 2000.5.17일자) 그럼에도 서울대병원은 연봉제와 차등성과급제를 도입하기 위한 검토를 하였다.

연봉제, 차등성과급제를 위한 인사고과는 고용된 노동자를 통제하여 생산성과 수익을 높이기 위한 수단으로 활용되어왔다. 평가요소와 승진대상, 원칙을 명시하고 있지만 병원사용자가 일방적으로 하고 중간관리자가 농간을 부려도 노동자들의 항의를 무시하기 일쑤다. 이러한 상황에서 조합원들이 서울대병원의 인사제도를 신뢰할 수 있겠는가.

서울대병원 인력관리의 기본은 TO제한 제도다. 아무리 능력 있고 오래 근무해도 TO가 없으면 승급, 승진할 수 없다. 또한 운영기능직은 아예 승진이 불가능하다. 인사고과의 적용대상은 2급이하 직원에 한해서만 적용하도록 되어 있고, 평가기준은 근무성적 60점, 경력 30점, 연수성적 10점, 그 외 포상가점이고, 평가자는 겸직교수 및 3급 이상 보직자이다. 연 2회 실시하며 수 20%, 우 40%, 양 30%, 가 10%로 상대평가 하도록 되어 있다.

그 문제점을 보면 첫째, 상급자의 일방적인 평가와 비공개다. 평가를 꼭 해야 한다면 평가자(겸직교수 및 3급이상 보직자) 또한 평가를 받는 사람들에게 평가를 받아야 최소한의 공정성을 확보할 수 있다. 두 번째, 이상의 기준으로 평가한 내용과 결과가 공개되지 않는다. 당사자에게 평가내용 및 결과 공개는 직원발전을 위해서라도 당연히 해야 한다.

이러한 인사고과제도 문제로 인해 많은 직원들이 승진, 승급, 임금에 있어 불이익을 받고 있는데, 서울대병원은 개선할 생각은 커녕 한술 더 떠서 인사고과점수를 가지고 임금과 고용문제까지 연결시키겠다고 하니 노동조합의 반발을 샀던 것이다.

노동조합은 1999~2002년까지 연봉제, 차등성과급제, 인사제도에 대한 조합원 교육과 선전을 대대적으로 진행하였다. 이 문제는 임단협 시기에 핵심으로 제기되었고 파업투쟁으로 병원의 정책 도입을 저지하였다.

4) 의약분업과 의사파업에 대응한 의료민주화 투쟁

1994년 개정된 약사법에 1997년 7월부터 1999년 7월내에 대통령이 정한 날로부터 의약분업을 시행한다고 명시하였다. 1997년 정부 의료개혁위원회에서 단계적 의약분업안과 의약품분류안을 제시하였다. 1단계로 1999년 7월 이전에는 항생제, 스테로이드제, 습관성 의약품 등을 '제한적 전문의약품'으로 지정해 우선 부분분업을 시작하고 2단계 2002년부터 모든 의약품을 전문, 일반의약품으로 분류해 약은 처방전을 받아 약사가 조제한다는 것이었다. 하지만 위원회는 1997년 7월부터 주사제를 제외한 전문의약품 전체에 대해 의약분업을 실시한다고 발표하였다.

의료계는 이에 반발하여 오남용과 약화사고 유발 가능성이 있는 모든 의약품은 의사의 처방에 의해서만 조제되어야 완전 의약분업을 할 수 있다고 주장하였다. 수차례 협의 과정에서 의견이 관철되지 않자 의사들은 2000년 4월, 6월 두 차례 집단휴진을 하기에 이르렀다. 정부가 2000년 7월 약사법을 개정하기로 해 잠정 정리되는 듯하였으나 다시 통과된 약사법이 임의조제 대체조제를 실질적으로 열어놓고 의사의 진료권을 제한하고 있다고 주장하며 8월, 9월, 10월까지 총5차에 걸친 집단휴진을 실시한 것이다. 이후 10월 24일 의정합의로 마무리되었다.

의정합의 내용은 노인, 임산부 등 의약분업 예외조치, 포괄수과제 및 주치의등록제 전면유보, 처방전 중 환자보호자용을 없애고 처방전에 병명 코드와 병 · 의원명 기재하지 않도록 하자는 주장 검토 수용, 보건의료발전위원회에서 의사들의 주장을 재논의하기로 한 것이다. 서울대병원노조는 10.24 의정합의는 그동안 사회적으로 진행되어 온 의료개혁 논의를 후퇴시킨 것이라고 보았다.

의사들의 집단적인 진료 거부 과정에서 병원은 환자 입장이 아닌 의사 입장에 섰다. 의사들의 파업이 시작되기도 전에 의사파업 계획에 따라 서울대병원의 입원, 수술, 외래진료는 모두 연기되었다. 병원이 앞장서서 파업 이전에 태업과 직무유기를 했다고 볼 수 있다. 이 과정에 환자, 보호자, 직원이 개입할 여지는 전혀 없었다. 오히려 의사파업 준비를 위해 직원의 의사에 상관없이 동원되는 경우가 있었다. 예약 변경 등으로 시간외 근무를 하거나 환자, 보호자들의 항의를 받거나 전화로 온갖 항의를 들어야 했다. 잡혔던 수술이 미뤄져도 환자 보호자는 항의할 길이 없었기 때문에 직원들에게 항의했다. 퇴원을 주저하거나 보통 때는 퇴원하지 않았을 환자도 퇴원을 시켜버렸고, 분만을 위해 입원한 임산부에게 의사파업 전 퇴원을 위해 유도분만을 권유 시행하는 일도 있었다.

병원에서 이렇게 준비를 하였으니 의사파업 이전부터 입원환자가 줄기 시작하여 파업 당시 입원환자는 500~600명으로 줄었다. 서울대병원 침상 수가 1,700개임을 고려할 때 1/3정도였다.

병원에서 의사파업을 지원했고 그 피해는 직원에게 돌아왔다는 게 더 큰 문제였다. 과별직원 모임, 병동 컨퍼런스, 간호부 직무교육 등에서 전공의 비대위 소속 사람과 교수가 직접 참석해 파업 의사들의 입장을 홍보하는가 하면 파업관련 각종 의사모임이나 직원대상 설명회를 원내 방송으로 알리면서 직원들의 참여를 종용했다. 직원들에게는 경영상의 이유를 들면서 월차사용 강요, 일부 변형근로, 시차제 근무, 법정근무수당 지급 거부 등 각종 부당노동행위를 하

"생명은 소중합니다." 의사들의 파업 철회 요구 선전전

는가 하면 병동에는 간호사 인력을 줄였다.

노동조합은 의약분업 등 의료개혁에 대한 교육을 지속적으로 해왔다. 1998년 3차 항생제 반코마이신 내성 장구균의 병원 감염 문제가 산업안전보건위원회에서 문제제기 되었고 이를 계기로 항생제 오남용에 대한 공감대가 형성되어 의약분업 시행에 찬성하게 되었다.

노동조합은 이어서 1999년 8월 의료보험 통합, 의보재정 국고지원 50% 등을 주제로 지부 조합원 일일교육, 1999년 9월에는 의약분업, 의료개혁을 주제로 지부 내 노동조합학교를 조합원 대상으로 열었다. 뿐만 아니라 각종 유인물과 지부 소식지, 대자보를 통해 교육하였다. 2000년에도 한국 의료제도의 문제점과 병원노동자의 역할과 의약분업과 의사폐업에 관한 주제로 의료개혁 강좌를 실시하였다. 병원 정상화를 촉구하는 활동으로 직원식당 앞에서 중식 선전전, 혜화 전철역 앞 대국민 선전전, 원장실 항의방문, 아침 홍보를 실시하였다. 시민단체, 암환자 대책위 등에서 응급실 앞 침묵시위, 외래 피켓시위를 함께하기도 하였다. 한편으로는 전공의 비대위와의 대화도 시도하였으나 입장차이가 분명하여 큰 성과를 내지는 못하였다.

이후 노동조합은 의료개혁의 주체로서 올바른 의약분업 정착을 위한 활동, 보건의료발전특별위원회에 노동자 · 농민 · 시민 과반수 참여, 의료보험료 및 환자부담금 인상 철회 및 국고지원 확대를 요구하였다.

5) 소아급식과 위탁 반대투쟁

서울대병원은 1994년 1월 1일부터 소아병원 환자운반을 외주화하려 하였다. 이에 맞서 서울대병원노동조합은 1월 1일부터 28일까지 외주화 반대투쟁을 전개하여 승리하였다. 그런데 서울대병원은 1999년에 또 다시 소아급식과를 외주화하려 하였다. 서울대병원은 1998년 상반기에만 41억 3,000만 원의 흑자, 1,102억 1,000만 원의 유동성 여유자금 확보, 737억 5,000만 원의 현금 보유, 외래 환자 수 4.4% 증가, 의료사업수익 총액 14.5% 증가, 그리고 IMF의 한파 속에서 노동자들의 임금을 동결시켰는데도 서울대병원 소아급식과를 외주화하기로 한 것이다.

서울대병원은 1999년 10월 21일 3/4분기 노사협의회에서 급식업무 위탁을 요구하였다. 이에 서울대병원노동조합은 절대불가 입장을 표명하고 그날부터 소아급식과 위탁반대를 내걸고 간부들이 무기한 철야농성에 들어갔다. 결국 12월 30일 노사협의회에서 일방적으로 진행하지 않기로 합의한 후 무기한 철야농성을 마무리하였다.

그런데 새해 들어 병원은 외주업체와 몰래 계약을 체결하고 소아급식과 조합원들을 짐을 싸 본원으로 이동시켰다. 노동조합의 항의에 대비해 소아급식과 출입문을 철문으로 교체하여 봉쇄하고 외주업체를 식당으로 들였다.

노조에서는 급식과로 가는 길목을 차단하고 소아급식과 진입을 시도하였다. 1월 25일 오후 9시 소아급식과 진입을 시도하였고, 26일 새벽 5시와 오후 3시 진입을 시도하였다. 병원은 여성관리자들까지 총동원하여 진압하였다. '살려달라, 사람 죽는다.'는 비명에도 아랑곳하지 않고 사람들을 깔아뭉개고 이로 인해 여러 조합원들이 부상당했다. 손가락 인대가 늘어나고 어깨가 빠지거나 실신한 조합원도 있었다.

노조는 1월 24일 원장실 앞에서 천막농성을 시작하였다. 천막 안에 난로를 피워도 얼음이 꽁꽁 얼었다. 얼마나 추웠는지 지나가던 고양이도 천막에 슬그머니 들어와 앉아 추위를 피할 정도였다. 노조가 환자급식업무 외부위탁 반대의 내용으로 환자 보호자 및 국민 서명을 진행하자, 환자 식사를 무책임하게 외부업체에 넘긴다는 것에 동의할 수 없다며 외래에 진료를 보러 온 환자들이 서명에 참여하였다.

천막 안에서 진행되는 비상대의원대회에는 보통 30~60여 명이 참가하였다. 과모임에서는 투쟁진행 상황과 병원 입장 등을 설명하고 이후 투쟁전술을 공유하는 내용으로, 대의원이 주관하고 전임간부가 주로 진행하였다. 집행위원회 회의에서는 조직 · 부서 상황점검과 투쟁전술을 논의 하고 공유하여 결의를 다지는 회의로써 조합원들이 지치고 힘들어할 때 현장 곳곳에서 서로 챙겨주는 역할을 하였다.

같은 일을 하는 서울시내 병원 노동자들의 연대도 이어졌다. 서울시내 병원 영양과 모임에 경희대 · 서울중앙 · 보훈 · 이대 · 고대 · 중앙대 · 한양대병원의 급식영양과 대의원 및 간부가 함께 참석하여 서울대병원의 환자급식위탁 반대투쟁의 중요성을 인식하고 보건의료노조 서울본부 차원의 공동투쟁을 결의하였다. 그리고 피켓시위 때 참여하기도 하였다.

이후 노조는 200여 명이 참여한 임시총회를 통해 소아급식과 위탁철회를 2000년 단체교섭 핵심요구사항으로 결의하고 한 달 동안의 천막농성을 2월 22일 마무리했다.

2000년 1월, 외주용역과 위탁관리를 저지하기 위한 투쟁

2000년 단체교섭 결과 "소아급식위탁은 위탁시행일(2000.1.25.)로부터 1년 6개월간의 실적을 조합에서 복수 추천하는 공인된 기관 중에서 병원이 선정한 기관에서 평가하고 그 결과에 따라 재위탁을 하거나 철회를 결정한다. 다만 평가기준과 방법은 계약기간 만료 2개월 전까지 마련하고 평가는 계약기간 만료 1개월 전까지 종료한다. 본원 보라매병원 급식의 배선, 조리, 세척부분은 향후 5년간 위탁을 실시하지 않으며 이 기간 중 업무량의 변화가 없는 한 현재의 정원을 유지한다."라고 합의하였다.

서울대병원지부는 투쟁을 통해 소아부문 급식 위탁을 시작으로 하여 환자 급식 전체를 용역화하려는 병원의 구조조정 음모를 일단 중지시키고 본원급식과로 파급되는 것을 막아냈다. 급식과 조합원을 중심으로 간부, 조합원이 일치단결하여 장시간의 투쟁 끝에 이후 투쟁의 보루를 마련하였다는 점에서 의의가 있다. 그리고 2000년 임단투 전체 투쟁 속에서 급식위탁 철회투쟁의 중요성을 알렸다.

6) 퇴직금누진제 폐지에 대항한 13일간의 파업

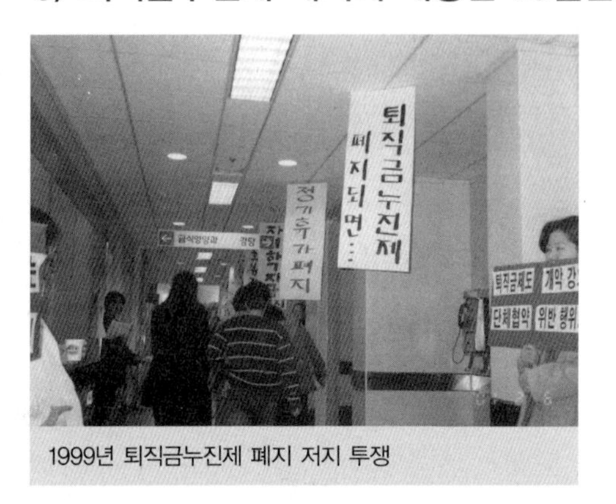

1999년 퇴직금누진제 폐지 저지 투쟁

정부의 퇴직금누진제 폐지 방침은 신자유주의 구조조정 방침으로 IMF 이후 계속된 것이었다. 정부는 2000년에서 2001년초에 걸쳐 '퇴직금누진제 무조건 폐지' 지침을 내리고 국회에서 통과된 예산에 대해 기획예산처가 구조조정 실적과 연동하여 지급하는 초법적 불법적 방법으로 강요하였다. 이런 협박으로 2000년말까지 거의 모든 사업장에서 퇴직금누진제가 폐지되었다. 보건의료노조 사업장 중에서도 지방공사의료원의 경우 누진율을 삭감하는가 하면 보훈병원과 원자력병원에서도 2000년말 폐지되었다. 이어 교육부와 기획예산처는 서울대병원의 퇴직금누진제 폐지를 강요하였다.

서울대병원에서 퇴직금누진제 폐지 문제는 1999년부터 쟁점이었다. 당시 서울대병원 노사는 퇴직금누진제 문제를 추후에 협의하는 것으로 합의하였다. 하지만 정부 지침으로 퇴직금누진제 문제가 다시 불거지자 병원은 2001년 초부터 직원 개개인에게 퇴직금단수제 도입 동의서를 강요하였다.

서울대병원노동조합은 '김대중 정부의 구조조정 반대와 병원의 부당노동행위 분쇄투쟁' 이라는 목표 하에 2001년 1월 1일 이후부터 '퇴직금제도 개악반대 투쟁' 을 시작하였다. 과별로 모여 구조조정과 퇴직금제도 개악에 대해 토론하였고, 1월 26~27일, 29~31일에는 철야농성을 하였다. 2월 들어서는 국립대 동시 철야농성, 보건의료노조 동시 철야농성을 진행하였다.

2월 16일, '김대중 정부의 구조조정 반대와 병원의 부당노동행위 분쇄를 위한 전 조합원 결의대회'에 모인 250여 명의 조합원들은 다음과 같은 요구를 제시하였다.

> 하나, 병원은 동의서 서명강요 등 부당노동행위를 즉각 중단하고 단체협약을 존중하라.
> 하나, 기획예산처와 교육부는 구조조정을 중단하고 예산 집행을 즉각 시행하라.
> 하나, 우리는 병원이 조합원들을 분열시키고 노동조합을 훼손하려는 음모에 맞서 강력하게 투쟁할 것을 결의한다.
> 하나, 우리는 2월 27일 기획예산처 항의집회를 비롯하여 보건의료노조 조합원과 공공부문 노동자들과 함께 김대중 정부의 노동자를 죽이는 구조조정에 맞서 노동자 생존권을 지켜내는 투쟁을 끝까지 전개할 것을 결의한다.

그러나 서울대병원은 퇴직금누진제 폐지를 위해 직원들로부터 동의서를 강압적으로 받는 것을 멈추지 않았고, 기획예산처는 서울대병원 등 국립대병원의 예산 배정을 유보하는 방식으로 압박하였다.

과장이 직원을 직접 불러 서명을 강요했다.

"서명할 수 없어요."

"노조가 이길 거라고 생각해? 정부가 이젠 파업해도 눈 하나 깜짝하지 않을 거야."

그래도 거부하자 "너, 나 볼 생각하지 마!"

수간호사가 앞장서서 조건부라 써도 관계없다며 요구하기도 했다. 그래도 거부하니 "동의서 안 쓰면 근무태도 문제로 자를 수 있다."며 협박했다. 동의서에 서명하지 않는 사람은 인사고과에 반영하여 누락시키라는 과장의 지시가 있었다며 공공연하게 이야기하고 동의서에 서명토록 한 것이다. 아이가 아파 휴가를 요청하자 동의서에 서명해야 휴가를 주겠다는 비인간적 태도를 보이기도 했다.

이런 소식을 듣고 노동조합 간부들이 항의하러 갔다. 수간호사가 빈 진료실에 간호사들을 불러 모아 문을 잠그고 협박하면서 동의서를 받고 있었다.

"퇴직금 제도가 노동조합과 합의해야 할 단체협약의 대상인 거 모릅니까? 문은 왜 잠갔습니까?"

"나는 내 할 일을 하는 거다. 과장한테 지시받은 일 하는 거다. 노동조합이 올까봐 무서워서 잠갔다."

4월 20일부터는 교섭을 시작하였고 릴레이 시위, 조합원 배지달기, 단체복 입기, 아침 선전전, 간부 철야농성을 하면서 조합원 모임을 활발히 진행하였다. 투쟁의 열기는 점점 달아올랐고 6월 5~7일 쟁의행위 찬반투표에서 75.3% 찬성으로 가결되었다. 마침내 서울대병원노동조합은 조합원들에게 투쟁지침을 내리고 6월 13일부터 13일간의 파업투쟁을 전개하였다.

이 파업의 가장 큰 특징은 조합원 분임토의를 매일 진행하고 그 토론 내용을 반영하여 투쟁의 방향과 수위를 결정하였다는 점이다. 노조는 구조조정 투쟁을 통해 '투쟁의 시작과 끝, 모든 결정을 조합원과 함께해야 하는데 조합원을 어떻게 투쟁의 주체로 세울 것인가?'에 중점을 두고 분임토의를 배치했다. 간부들은 "2층 로비가 좁은데 1,000여 명이나 되는 임시총회에 참석한 조합원의 분임토의를 어디서 어떻게 하지?"라며 행복한 고민을 하기도 했다.

그만큼 총회투쟁 과정에서 토론에 참여하는 조합원이 많았고, 토론 내용도 다양했다.

2001년 1월 퇴직금누진제 폐지 반대 아침선전전

농성 중 주말 대책과 관련하여 철농 조 짜기, 수간호사 개별접촉 삼가기, 가족과 함께 파업투쟁에 참여하여 주말 농성장 지키기를 대안으로 내놓고 실천하였다. 신자유주의 구조조정에 대해서는 파업 참여자 심경 등을 소자보로 써서 참여하지 않고 있는 조합원들에게 알려나갔다. 파업이 장기화되자 강도조절, 이 기회에 소모임 만들자, 꾸준히 파업, 경력 짧은 직원들의 공감대 형성 노력, 부서 단합의 기회로 삼자는 의견을 내놓았다. 장기화에 따라 예상되는 탄압에 대응하기 위해서는 최소인원까지 끌어올려 투쟁강도를 높이자, 개인이 판단하지 말고 대의원에게 알려 같이 공유하고 대처하자고 했다. 마음이 흔들리는 사람을 병원이 개별 접촉하는 경우가 많은데 예를 들면 "잠깐 잠깐 근무시간에 내려와 일을 도와주면, 병원에 명단 올릴 때 빼주겠다."고 하기도 하는데 이런 경우 한 귀로 듣고 한 귀로 흘리자고 했다. 집에 전화하여 말하거나 수간호사가 타부서로 이동시킨다고 협박하면 노조간부가 되겠다고 맞장을 뜨자고 했다. 직권중재에 대해서는 모두들 아무렇지 않은 듯 2층 로비를 지키자, 직권중재에 의해 근무지로 돌아간다면 앞으로도 파업 시 직권중재에 의해서 근무지로 가야 하니까 처음부터 우리에게 통하지 않는다는 사실을 이 자리를 지킴으로써 보여주겠다는 결의를 보였다. 그 중에서도 파업 장기화에 따른 대책 논의가 가장 활발했다. ①농성장 수칙-자리 이탈하지 않는다. 남자 직원들 사수대를 만들어 공권력 투입 대비하자, 지치거나 지루하지 않게 교육을 적당히, 시간 엄수, 서로 격려하자. ②철야농성조 운영-잘 되고 있다. 한국영화 상영바람, 스포츠댄스를 배우자, 음주를 하지 말자, 요가시간 평가 좋다 매일 했으면 좋겠다. ③식권문제-장기화되어 쟁의기금 모자라면 더 내자. 철농조만 식권배부. ④장기화될수록 화끈하게 하자. 우리의 의지만큼 목표가 달성되지 않았다 하더라도 집행부의 방침대로 따르고 투쟁이 끝나는 날까지 한 배의 구성원이 되도록 각자의 마음과 정신을 재무장하자.

파업기간 동안 교육도 많이 이뤄졌다. 영남대병원 투쟁 사례를 듣고 실제 있었던 현장 이야기를 생생하게 들어 앞으로 있을 공권력 투입과 계속되는 파업투쟁에 도움이 되었다고 했고 공권력 투입 시 대처방안을 배우게 되었다고 했다. 노동자정치세력화, 정부에 대한 생각 및 우리가 바라는 정부에 대한 교육 이후 토론에서는 "우리가 잘 알지 못하고 멀다고 느꼈던 정치세력화에 대해 잘 알 수 있고 민주노동당의 중요성과 노동자로서 더 열심히 싸워야겠다. 강사가 선거운동을 하는 듯 했다. 노조를 하는 사람이 국회에 간다면 정말 세상이 바뀔까 하는 의문이 든다. 민주노동당 당원이 되겠다. 보라매 수술장은 모두 민주노동당에 가입하기로 했다. 파업현장과 동떨어지고 쉽게 받아들이기 어려웠다."는 의견이 나왔다. 비정규직의 정규직화 관련 교육은 소속감, 유대감을 서로 가져야 한다는 점을 느끼게 했다. 비정규직의 현실에 대해 공감하고 비정규직이 갖고 있는 문제를 잘 지적, 비정규직도 노조에서 힘을 길러줄 수 있으면 좋겠다고 했다. 세계적 추세가 비정규직이 늘고 있으니 비정규직의 처우개선 문제로 바뀌어야 한다는 의견도 있었고 지역노조 산별노조의 미약함으로 비정규직이 계속 증가하고 있다며 지역차원의 조직과 대응이 필요하다는 점도 짚었다.

이렇게 파업 프로그램을 진행하면서 조합원들은 스스로 성장했다. 분임토의를 통해 조합원은 퇴직금누진제 문제를 단순히 개인의 손실이나 임금인상 문제로 보지 않고 '노동자 목줄을 죄고 공공의료를 말살하는 신자유주의 구조조정'의 문제로 자각하고 투쟁의지를 높여나갔다. 이에 따라 핵심요구도 신자유주의 구조조정정책에 거스르는 선택진료제 폐지, 자동승급제 쟁취, 유니온샵 쟁취 등으로 모아졌다.

한 간부는 파업은 노동자의 학교라는 말을 실감했다고 했다.

> 분임토론을 매일 배치했고 그러면서 파업이 노동자들의 학교라는 걸 절감했어요. 간호사들 특징이 처음에는 내용을 잘 몰라서 1일차 2일차 파업 때는 많이 나오지 않아요. 근데 간부들이 더 밀착하여 순회하고 동료들이 우르르 파업에 참가하고 그러면서 귀를 더 열어서 유심히 보게 되는 거죠. 아, 이게 문제구나, 그래서 3, 4일째 되면 간호사들이 파업대오에 많이 결합해요. 교육 받으면서 내용이 풍부해지고 이것저것 보지 않고 끝까지 쭉 갑니다. (구술자 U)

이렇게 단련된 조합원들은 집행부와 대의원들이 잘못된 판단을 하지 못하도록 강제하는 역할을 했다.

6월 19일경 노동부는 '우리가 공권력 투입을 막고 있다. 교섭을 잘해라.'며 위협했고 언론 등 각계각층에서는 공권력 투입이 예상된다는 이야기가 들려왔다. 보건의료노조 차수련 위원장 또한 이날 파업대책본부회의에서 공권력투입에 대한 우려를 표하며 밤샘교섭을 통해서라도 가능한 한 오늘 타결할 것을 이야기했다. 그후, 19일과 20일 실무교섭에서 병원의 입장은 "단수제 도입에 대해서는 7월 1일 이후 신규 입사자에 대해서는 단수제 적용하고 재직직원은 3개월 내에 전향적으로 합의하여 개선한다."였다. 지부장 체포영장 발부, 공권력 투입의 위협, 직권중재 등의 급박한 분위기에서 파업대책본부회의에서는 병원안에 대해 "신규직원을 희생발판으로 기존 직원의 이익을 지키는 것은 노동조합 기본정신에 위배되는 것이고 또한 신규직원과 재직직원을 분리하는 것은 이후 노동자를 분열시키는 결과를 가져오기 때문에 절대 수용할 수 없다."라는 입장을 분명히 하며 퇴직금누진제 사수투쟁에 임했다.

6월 22일 총회파업 10일차에 집행부는 13일간 파업을 하면서 큰 고비를 맞게 된다. 퇴직금누진제 대신 다른 것으로 임금을 보전하겠다는 병원의 안을 놓고 투쟁을 마무리할 것인지 여부를 논의하게 되었다. 21일 집행부는 병원 안을 놓고 퇴직금누진제가 대부분의 병원에서 모두 폐지된 상황이고 한 사업장만의 투쟁으로 뛰어넘을 수 없는 한계를 가진다는 점, 조직력이 살아있을 때 마무리를 하는 게 이후 현장을 강화하는 데 유리하다는 점 등을 들어 논란 끝에

2001년, 직권중재와 공안탄압, 투쟁으로 맞선다.

투쟁을 마무리하는 쪽으로 가닥을 잡았다. 오랜 논의 끝에 대의원대회에서도 집행부의 뜻을 받아 마무리하기로 결정하였다. 이 소식이 알려지면서 조합원들이 거세게 반발했다. 집행부 다 나가라고 항의하는 조합원, 분하다며 펑펑 우는 조합원, 다 그만두고 집에 가버린 조합원. 결국 다음날 파업 참여 조합원들이 투표를 하여 투쟁을 지속할 것인지 여부를 결정하기로 하여 사태를 마무리하였다. 22일 투표 결과는 "파업 계속 한다."였다.

투쟁을 마무리하자고 했던 간부들은 조합원들의 투쟁 의지를 보고 감동하였고 실무교섭위원을 교체하고 더욱 힘차게 투쟁에 임했다.

조합원들의 의지가 병원 측에도 전해졌다. 병원 측에서는 파업참여자 무도동무임금 해결을 위한 노조 재정자립기금 3억 원 지급과 보라매병원 선택진료비 10%인하 안을 추가로 내놓았다. 다른 안은 파업 지속 여부를 묻기 위해 토론에 붙였던 안에서 크게 진전되지 못한 것이었다. 하지만 조합원들은 의료민주화 요구안을 따냈다는 것에 크게 기뻐하면서 투쟁을 마무리하기로 하였다. 모두들 토론을 통해 구조조정 투쟁이 한 해에 끝날 투쟁이 아니라는 것, 서울대병원지부만의 투쟁으로 해결될 일이 아니라는 인식을 공유하고 "올해 투쟁의 결과에 상관없이 조합원은 살아있다는 것과 이후 투쟁이 계속될 것이라는 것을 보여주기 위해 마무리도 최선을 다하자."고 결의했다. 6월 25일 잠정합의하고 29일 잠정합의안이 83.6% 찬성으로 가결되었다. 합의 내용은 다음과 같다.

2001년 합의 내용

① 임금인상 총액 8.84% (조합원 평균임금 대비 월 166,200원)

② 노동조합 활동보장

- 보건의료노조 및 서울본부 대의원대회 연4회 공가
- 현정희 부위원장 상급단체전임 인정(추가전임 1명 확보)
- 교섭위원 2인 교섭 전기간 공가인정

③ 복리후생증진과 근로조건 개선

- 근로자의 날 휴무
- 치과 특진관련 비급여 인상 항목에 대해 직원 및 가족에게 40%감면
- 2001년 8월 31일까지 퇴직금누진 인정 후 단수제 적용
- 퇴직수당 2001년 9월 1일부터 30%, 2002년 50%, 2003년 70%, 2004년 80%, 2005년 90%, 2006년 100%인상 지급
- 퇴직금중간정산에 대해 추후 노사합의
- 탁아소 수용인원 7명 증원(54명)
- 교대근무자 근무와 근무 사이에 최소한 16시간 이상 휴게시간 보장
- 본인이 원하는 경우만 점 오프 지급
- 간호부 교대근무자 근로조건(근무표 운영방식 포함) 개선을 위해 노사간 실무협의회를 각 3인 이내로 구성하여 6개월 이내에 개선안 마련

④ 비정규직 정규직화와 처우개선

- 최저임금 55만 원을 60만 원으로 인상
- 150시간 이상, 6개월 이상 단시간근로자에게 정기휴가 3일 보장
- 소아응급실

⑤ 구조조정 관련

- 재직중인 직원에게는 조직개편 및 인력운영 등 구조조정으로 인한 신분상 불이익 주지 않음
- 향후 3년간 대학생자녀 학자금보조 폐지, 연봉제, 차등성과급제 도입에 대해 노조와 합의
- 보라매 응급실, 중환자실, 수술장, 인공신실 팀제도입 보류

⑥ 보건직 6급 철폐

- 2003년 공채부터 5급으로 채용하고, 새로운 공채자 발령전에 재직 중인 6급직원 승진(2년제 대졸 이하자 정원은 운영)

⑦ 운영기능직 자동승급제 도입
- 5등급은 5년초과, 4등급은 8년 초과, 3등급은 10년 초과한 직원 자동승급(인사규정 개정 후 1개월 이내 시행)

⑧ 인력충원
- 2000년 합의 중 보라매 미해결 7명, 금년내 충원
- 보라매 : 임상병리 야간근무자 1명, 물리치료사 1명, 51병동 간호사 각 1명씩, 치과 수술장 4명
- 기타 인력요구는 추후 실무협의회 구성해 협의

⑨ 의료민주화
- 보라매 선택진료비 중 진찰료와 검사료 10% 인하

⑩ 무노동무임금 등 이후 탄압 대비
- 월차처리하되, 4일은 임시총회로 인정
- 노조 재정자립기금 2001년과 2002년 각각 1억5천만 원 지원
- 민형사상의 책임과 인사상 불이익 없음

당시 서울대병원노동조합이 설립된 지 14년, 서울대병원노동조합 역사상 열세 번의 파업을 했지만 13일간의 장기파업은 최초였다. 1996~97년 노개투 파업, 1987년 첫 단체협약 체결을 위한 7일 간의 파업 외에는 거의 하루파업이었고, 2000년에 처음으로 5일간 파업을 했다. 2001년 보건의료노조에서는 가장 큰 조직이 최초의 장기투쟁을 한 것이다.

2001년, 비정규 노동자 문제는 어제 오늘만의 일이 아니었다.

무엇보다 조합원들이 대정부투쟁 속에서 반노동자적 정권과 신자유주의 구조조정의 본질을 깨달았다는 점이 가장 큰 성과였다. 그동안 의료개혁 투쟁에 조합원이 주체로 서지 못한다는 것이 한계로 지적되었는데 2001년 투쟁 과정에서는 이를 깨고 선택진료제 폐지를 핵심요구로 끝까지 투쟁하였다. 하지만 서울대병원지부만의 투쟁으로 퇴직금누진제 폐지 강요로 나타난 김대중 정부의 신자유주의 구조조정을 저지할 수는 없었다. 더욱이 지방 국립대병원장들은 '추후 논의'라면서 그 결과를 서울대병원에 미루는 식으로 대응하여 사실상 서울대병원 투쟁이 대리전 양상을 띠었다. 이미 병원 측이나 교육부 모두 병원 경영개선에 실제 도움이 안 된다는 것을 알면서도 정부 지침이다, 다른 기관도 폐지했으니까 병원도 폐지해야 한다는 식의 잘못된 행태를 고수하여 파업을 장기화시켰다. 교육부는 노사합의인 단체협약 파기를 강요했고, 불법으로 노사관계에 개입했던 것이다. 이러한 상황에서 실제 퇴직금누진제를 사수하지는 못했지만 13일간의 파업투쟁은 철저한 준비와 토론, 조합원의 투쟁 의지가 모여 최선을 다한 투쟁이었다.

7) 3인 해고자 원직복직투쟁

서울대병원 두 번째 해고는 구조조정 저지투쟁으로 발생하였다.

2000년 투쟁으로 인해 2000년 6월 1일 간부 3인(당시 최선임 지부장, 현정희 부지부장, 유행선 사무장)에 대해 업무방해 및 불법파업으로 체포영장이 발부되었다. 2000년 11월 최선임 지부장은 불구속기소, 현정희 부지부장은 약식기소로 벌금 300만 원, 그리고 유행선 사무장은 기소유예가 이루어졌다. 2001년 1월 31일부터 5월 9일까지 최선임 지부장에 대한 재판이 진행되어 벌금 500만 원이 확정되었다.

그러나 2001년 6월 김대중 정부의 구조조정정책에 맞서 퇴직금누진제 사수와 신자유주의 구조조정저지 총회투쟁에 돌입한 첫날 최선임 지부장에게 체포영장이 또다시 발부되었으며 파업이 장기화되자 현정희 부지부장과 유행선 사무장에게도 체포영장이 발부되었다. 노조는 "체포영장 철회를 위한 전조합원 서명, 리본달기(7월 2일부터), 스티커 붙이기 (7월 2일부터): 화장실, 게시판 등 곳곳에 스티커를, 매일노동뉴스, 노동과 세계 등에 광고, 청와대, 검찰청 등 홈페이지에 항의서한, 최선임 지부장 면회 투쟁 및 편지 쓰기, 최선임 지부장 석방과 후원회 발족 및 일일호프, 부서별 · 과별 · 개인별 후원금 모금투쟁" 등이 전개되었다.

2001년 7월 12일 세 사람과 머물 장소를 제공하였던 손○○ 조합원도 범인은닉죄로 연행되었으나 다른 세 사람은 석방되었고 최선임 지부장은 구속되어 이후 서울구치소에 수감되었다.

2000년, 구속 동지 석방투쟁

8월 28일 1심 선고공판에서 최선임 지부장은 집행유예로 석방되었다.

2004년 1월, 해고자 원직복직을 위한 투쟁결의 및 투쟁위원회 구성

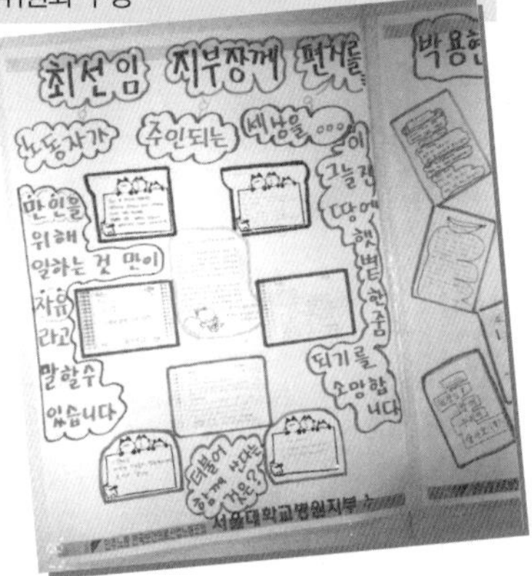

서울대병원지부는 2002년 "2001년 파업과 관련하여 형사사건으로 대법원에 계류 중인 최선임 지부장 외 2인에 대하여는 판결결과에 따라 처리하되, 사면 복권이 되지 않을 경우 현 원장 임기 만료 전에 인사위원회를 거쳐 임용되도록 한다."라는 합의를 쟁취했다.

그러나 정부는 직권중재라는 노동악법을 근거로 불법파업 운운하며 2003년 11월 28일 결국 최선임 지부장외 2인에 대해 대법원에서 집행유예가 확정판결되었으며, 서울대병원은 당연면직 사유를 핑계로 3인을 즉시 해고하였다. 이에 서울대병원지부는 2003년 12월 3일 제72차 대의원대회에서 원직복직투쟁 결의 및 투쟁위원회를 구성하고 2002년 복직합의 즉시 이행과 원상회복을 촉구하는 투쟁에 돌입하였다. 2004년 연초부터 아침 선전전과 시계탑 중식 피켓시위를 진행하는 등 조합원들의 실천투쟁이 전개되었다. 또한 조합원의 마음을 모아 복직까지 기본급 0.4%를 해고자 임금보전기금으로 결의했다. 이렇게 2004년 원직복직투쟁은 해고자 복직뿐만 아니라 민주노조를 위한 투쟁의 구심으로, 자본의 노동탄압에 대한 힘찬 투쟁으로 전개되었고 결국 2004년 5월 3일 원직복직을 쟁취했다. 그리고 거센 투쟁의 힘은 2004년 44일간 투쟁의 든든한 밑거름이 되었다.

8) 분당서울대병원 조합원 조직화 투쟁

분당서울대병원은 1992년부터 분당신도시에 노인전문의료기관 설립의 필요성과 분당 및 인근 지역 의료기관 부족해소를 위해 건립을 시작해 2003년 5월 10일 개원하였다. 직원 규모는 정규직 450여 명, 비정규직 300여 명 규모였다. 노조는 2003년 4월부터 분당병원 순회를 통해 서울대병원지부의 실체를 알리고 이후 노동조합 활동을 함께 할 것을 알렸다. 그러면서 신규가입도 받았다. 그리고 임단투 교섭기로 접어들면서 요구안 중 분당관련 요구안과 투쟁을 알리는 선전전을 하였다.

임단투가 마무리시기로 접어들어 노조가 분당에 대한 추가 전임을 확보하자 분당병원은 선수를 쳤다. 분당서울대병원노동조합을 급조하여 성남시에 신고를 해서 상급단체 없이 단일노조로 8월 5일에 설립을 한 것이다.

노동조합이 별도로 존재하면서 발생하는 문제는 본원에서 서울대병원지부 조합원으로 있다가 분당병원으로 옮겨간 직원들이었다. 그래서 서울대병원지부는 분당서울대병원의 돈벌이 전략을 비판하면서 기존 조합원들에게 분당병원 노동조합 가입을 유보시키면서 노조의 말에 귀 기울일 것을 강조하였다. 노조는 서울대병원과 분당서울대병원은 법인도 같고 분당병원에 대한 주요 결정권한은 이사장인 서울대학교병원장에게 있고, 서울대병원에서 옮겨 온 조합원들은 여전히 서울대병원의 조합원이라는 사실을 강조했다. 그리고 본래의 취지와는 다르게 일반 돈벌이 병원과 다르지 않는 병원을 설립하여 운영하려 하는 분당병원의 신경영전략이 가져올 폐해를 강조하여 노동조합의 필요성을 인식시켰다.

분당서울대병원은 재벌병원들을 벤치마킹하여 국립대병원에서는 최초로 팀제 · 연봉제를 도입하여 의료를 완전히 상품화하면서 성과 위주의 경영을 강요하였다. 직원은 과열 경쟁과 고용불안으로 내몰리고 환자들을 돈벌이 대상으로 만들었다. 게다가 의료 보조인력을 전부 비정규직으로 하여 직종 간 위화감과 노동자 간의 부익부 빈익빈의 차별을 심화시키고 고용불안을 증대시키고 있었다. 사회적으로 문제가 되고 있는 분당서울대병원의 비정규직 수는 어떤 사립대 · 민간병원보다도 많아 공공 의료의 질을 저하시키는데도 앞장서고 있었다.

이러한 상황을 반영하여 서울대병원지부는 분당병원에 대한 대응을 두 가지 차원에서 진행하였다. 하나는 분당병원의 신경영전략의 문제점에 대해 선전하는 것이며, 다른 하나는 분당서울대병원노동조합을 민주화시키는 것이다.

노조는 분당병원의 신경영전략의 내용 및 그 폐해에 대해 다음과 같이 선전하였다. "분당병원은 직원 간 유기적인 관계를 불가능하게 만들고 돈벌이 경쟁을 심화시키는 팀제 연봉제 실시, 일부 부서의 직원을 제외하곤 대부분 비정규직을 채용하고 있으며 노동조합의 존재를 부정하고 있습니다. 연봉제는 노사 간에 향후 몇 년간 도입하지 않겠다는 합의를 했음에도 분당병원은 본원과 다르게 운영한다며 실시하고 있습니다. 또한 저임금과 고용불안에 시달리는 비정규직을 대거 채용하여 안정된 의료서비스가 나올 수 없는 구조를 만들어 동료 간의 불신과 반목, 직종 간의 이질감과 배타적인 감정, 갈등을 유발하고 있습니다. 이에 노동조합에서는 분당병원의 팀제 연봉제의 폐지와 비정규직을 2년 내 정규직화하는 것, 노동조합의 전임자를 요구하였습니다."

노조는 분당서울대병원의 노동조합을 민주화시키는 데도 노력을 기울였다. 분당서울대병원의 노동조합은 총회나 대의원대회가 거의 보장되지 않는다는 점에 착목하여, 서울대병원지부는 분당서울대병원노동조합의 총회와 대의원대회를 이용하여 노동조합을 민주화시키려 하였다. 서울대병원지부는 분당서울대병원노동조합의 민주적인 운영, 특히 총회와 대의원대회는 보장되어야 한다고 선전하였다.

서울대병원지부는 이 과정에서 분당병원과 서울대병원은 뗄 수 없는 관계라는 점, 서울대병원과 분당병원은 그 성과든 실이든 서로가 부메랑이 되어 넘나들 수밖에 없는 구조라는 점을 강조했다. 그리고 병원이 노동자들 간의 단결과 연대를 막기 위해 갖은 노력을 다할 것이라는 점도 빠뜨리지 않았다. 그동안 노동조합과 병원의 관계를 고려해 볼 때, 병원은 분리정책으로 각개격파하여 노동자들의 단결을 가로막을 것이고, 서울대병원이든 분당병원이든 긴밀하게 협조하여 정보도 공유하고 대책도 마련할 것이다. 노동조합이 이에 대처할 수 있는 방안은 하나가 되는 것이고 하나로 뭉쳐서 함께 싸우는 것이라고 강조하였다.

서울대병원지부는 조합원 조직화를 위해 노력하였으나 분당병원으로 옮겨간 조합원들이 대부분 보직을 약속받고 간 사람들이라 노조활동에 소극적이어서 근거를 마련하기 어려웠다. 노조는 분당병원의 기업별노조 민주화를 꾀하였으나 분당병원 내 노조가 어용적 색채를 갖고 있어 쉽지 않았다. 서울대병원지부는 노력에도 분당서울대병원은 별도의 노조로 존재하고 있다.

9) 치과병원설립 반대, 민주노조 사수 투쟁

김대중 정권은 2001년 11월 WTO뉴라운드협정에 조인한 상태에서, 2002년 6월 30일까지 전력 · 통신 · 교통 · 금융 · 보건의료 · 교육 등의 13개 공공서비스 분야의 시장개방과 관련된 양허요청서(request)를 제출하였고, 노무현 정권도 2003년 3월 31일까지 시장개방 양허안(offer)을 제출하였다. 또한 2001년 12월 22일 한국과 일본은 투자협정의 초안에 합의하였는데, 주요한 내용은 ①해외 투자자의 권리를 정부 · 지역사회 · 시민 · 노동자 그리고 환경 등 다른 어떠한 부문의 권리보다 우선시하며, ②해외 투자자에 대한 어떠한 사회적 민중적 통제가 있어서도 안 되며, ③해외 투자자가 국가를 상대로 직접 제소할 수 있는 권리 부여 등이다.[4]

이에 따라 보건의료부문의 민영화는 병원의 주식회사화의 실질적 토대인 영리법인화, 의료채권법 제정, 병원부대사업 범위 확대, 건강

4) 「투자협정?WTO반대 국민행동, 투자협정 제대로 알기」, 2002.2.5.

보험 무력화 및 민간의료보험 활성화로 구체화되어 가고 있었다. 그리고 국립대 재정회계법 제정도 보건의료부문, 특히 국립대병원의 영리법인화를 향하고 있었다.

서울대병원은 2001년 말 이후 맥킨지 컨설팅사(2001.11), 서울대 노사관계연구소(2001.12)의 경영진단결과 및 구조조정방안을 동원하여 구조조정정책을 주도적으로 추진하였다. 이러한 컨설팅 기관들은 서울대병원을 독립 분사화시키고, 각 병원마다 상시적인 구조조정 시스템을 도입하여 노동조합을 무력화시키려 하였다. 맥킨지 보고서의 5개 구조조정 핵심과제는 "①병동파괴, 장기환자 타병원 이송 등으로 재원기간 단축 ②수술시간 변경, 팀제 도입 등으로 수술장 효율성 개선 ③근무형태 변경으로 진단의 병목 해소 ④167명 감원과 비정규직 도입 등으로 비용절감 및 효율성 증대 ⑤진료성과 관리 및 이에 따른 인센티브 지급"이었다. 그 내용은 "①서울대병원 본원을 중심으로 회계와 경영, 인사 등을 통합 · 운영하는 국립중앙병원 형태에서 보라매, 분당, 치과 등을 분사화하여 독립적 경영체계를 도입 ②분사 독립운영되는 분당병원을 분원 중 대표적으로 선정하여 삼성이나 현대 등 재벌병원들로부터 벤치마킹하여 경영수익을 최대화 ③서울대병원 본원을 상시적 구조조정 체제로의 전환을 위해 맥킨지의 결과를 바탕으로 강도 높은 구조조정을 추진 ④본원의 구조조정을 통해 분당병원으로 핵심인력을 이동시킨다."는 것이었다.

위 내용의 구체적인 정책을 보면, 다음의 표와 같다.

분류	방향	내 용
서울대병원 본원	맥킨지 컨설팅사 동원한 부서별 구조조정	– 사무직 : 다기능적 팀제 도입 추진 – 보건직 : 인력의 대폭 감소 추진 – 간호직 : 근무형태의 변경, 인수인계의 변경 – 하청 도입 및 파견근로제 활용
분당 병원	완전한 신경영 전략의 도입	– 핵심인력 : 완전 연봉제 – 비핵심인력 : 용역, 파견근로 도입 – 팀제 운영 – 본원과의 분리 운영
치과병원	본원으로부터 분리독립화	– 독립경영 – 직원신분의 분리
보라매병원	회계분리를 넘어 인사분리	– 본원과의 순환체제에서 보라매 병원의 독립 신규채용 등 인사분리

서울대병원은 멕킨지 보고서를 근거로 치과병원 분립을 가속화하였다. 서울대치과병원 설치법안은 1999년 교육부 국립대병원 경영혁신방안의 하나로 채택되었고, 2001년 11월 입법 발의되었다. 서울대병원이 제시하고 있는 치과병원 설립배경은 "교육, 연구 및 진료면에서 의과와 상이한 치과진료부문의 발전을 위해 별도의 독립법인으로 분리하자는 의견이 대두되어 1999년도 국립대학교 병원 경영혁신안 중 하나의 과제로 선정하여 추진하게 된 것"이었다.

2004년, 치과병원이 분립해도 고용 및 단협은 승계되어야 한다.

그러나 서울대병원지부는 서울대치과병원 설치법안이 국가 진료체계와 의료법을 바꾸는 중요한 법안이라고 간주하고, 법안의 제정에 반대하는 투쟁을 전개하였다. 서울대병원지부는 이 투쟁에 대한 문제의식을 다음과 같이 가지고 있었다.

> 첫째, 서울대병원 치과병원 분리독립은 지방국립대병원으로 확산되는 게 수순이며, 국립대병원 진료체계가 바뀌는 것이자 현재 치과를 포함한 종합병원 진료체계를 바꾸게 되는 문제이다. 치의학의 전문성은 부인하지 않더라도 종합병원의 치과진료영역은 타진료 과목과의 협력적 진료가 이루어져야 하며, 앞으로 진료영역에서 치의학이 발전하려면 종합진료체계 안에서 협진을 높이는 것이 더욱 절실하다. 치과병원 분리독립 법안은 종합진료 기능을 훼손할 수밖에 없는 것이다.
> 둘째, 교육부의 평가결과와 서울대병원 자체 진단에서 경영효율을 높이기 위한 조치가 없는 한 일정한 진료수익으로 운영비를 보전하기란 힘든 상황으로 조사되었다. 즉 국고의 지원이 뒤따라야 한다는 것이다. 또한 경영수익에 지나치게 집착할 경우, 현재도 지적되는 비급여 항목에 따른 환자부담이 더욱 증가하며, 수익성 중심의 치료가 발생하고 환자에 대한 의료서비스의 질이 낮아질 수밖에 없다. 치과병원이 분립되면 수익성 위주의 경영으로 과잉진료, 비정규직 확대, 고용불안, 비민주적 운영이 우려된다. 치과병원 분리법안은 종합병원의 협력진료체계의 혼란을 야기해 환자에게 직접적인 피해와 이중적인 부담을 줄 수밖에 없다.
> 셋째, 노동조합에서 자체 조사한 설문에 의하면, 대다수 직원들이 고용불안, 근로조건 저하 등을 우려하며 분리독립에 반대하고 있다. 서울대병원노동조합은 치과분리독립반대 설문조사 결과(2002.4.30) 고용불안, 단체협약 승계, 노동조합 조직력 약화, 신분상의 불이익, 근로조건 저하, 인사경영의 횡포, 국가적 낭비, 공공성 약화, 의사횡포 심화, 비민주적 운영, 용역 · 비정규직 확산, 재원낭비와 중복투자우려, 의료의 공공성을 무시하는 것이고 치의학 발전보다 국민의 의료비 부담을 증폭시키고 수익성 사업에 한몫을 담당하려 할 것이다. 팀제 · 연봉제 도입 등의 문제의식으로 분리독립에 반대하는 의견이 다수였다.

2002년 4월 30일, 치과분립독립 반대를 위한 조합원 설문조사를 시작으로, 조합원 간담회 및 순회를 통해 분립반대 이유에 대한 설명과 홍보 및 간담회 개최, 치과병원 분리독립 반대를 위한 국회 앞 1인 시위, 치과병원 분립반대를 위한 철야농성을 전개하였다. 그리고 2003년 1월 7일, 치과분리독립 반대를 위한 대책위원회를 구성하여 투쟁을 전개하였다.

치과병원 2004년 치과병원 독립법인 설립 전부터 치과병원은 노동조합활동에 대해 지배개입하였다. 2004년 3월 26일, 치과병원장은 "치과직원 한 명도 본원 가겠다고 하는 사람이 없기를 기대한다. 치과병원 내 노동조합은 제3자 어느 누구도 개입할 수 없다. 치과병원 구성원으로서 대표하는 사람으로 내부의 일을 잘 아는 사람들 속에서 했으면 좋겠다."고 했다. 6월 2일에는 서울대병원장도 같은 취지로 말했다. "직원에 대해 고용상 불이익이 없도록 하겠다. 단협과 노조는 승계한다. 하지만 치과병원 직원은 서울대병원 직원이 아니다. 보라매와 다르다. 법인이 다르고 독자적으로 운영한다. 치과병원에 남아있는 사람 중에서 조합원이 있으면 치과병원에 근무하는 사람 중에 운영했으면 하는 바람이다. 직원들이 선택하는 노조에 대해 스스로 별도의 노동조합으로 해야 한다고 생각한다." 이는 노조를 분리하겠다는 것으로 치과병원 완전고용, 노조와 단협 승계 등 2003년 합의사항을 뒤집는 것이었다.

2004년 6월 이후, 서울대병원지부는 2003년 합의사항 이행과 관련하여 치과병원과 실무협상을 전개하였다. 노동조합이 제시했던 요구안은 다음과 같았다.

1. 서울대학교치과병원 조합원들의 권익을 대표하는 유일단체가 보건의료노조 서울대병원지부임을 인정한다.
2. 병원은 조합활동의 자유를 보장하며 조합활동을 이유로 불이익한 처우를 하지 않는다.
3. 치과병원직원은 서울대병원 단체협약 및 합의내용을 동일하게 적용한다.
4. 치과병원직원에 대한 처우개선 및 직제개선 문제는 노사 합의 한다.
5. 치과병원직원 중 서울대병원 직원 소속이고자 하는 사람에 대해서는 본인이 원하는 자리가 날 때까지 치과병원에 파견근무를 인정한다.
6. 병원은 조합이 필요로 하는 건물에 조합사무실을 제공하고 기타 조합 활동에 필요한 집기 비품 및 기타시설을 제공하고 전임자를 인정한다.

서울대병원지부는 44일 간의 파업투쟁으로 치과병원 조합원 단협 승계 등을 약속받았고 7월 23일 합의한 노동조합 사무실 집기 제공 포함, 합의사항에 대해 서울대학교치과병원장 장영일이 확인서를 작성 날인하였다. 그런데 7월 26일, 치과병원장은 조합원과 면담하는 자리에서 "서울대병원지부는 우리식구가 아니다. 절대 받아들일 수 없다. 별도 노조로 하면 더 잘 해줄 거다."라며 태도를 바꿨다.

본원의 원장과 노동조합 간의 합의사항을 잘 준수하겠다고 밝혔던 치과병원장의 태도 돌변에 항의하며 서울대병원지부는 2004년 7월 24일 이후 10월 18일까지 치과병원노조 사무실 철야농성 투쟁 등 치과병원 민주노조 사수투쟁을 전개하였다.

그러나 투쟁의 과정은 쉽지 않았다. 한쪽에서는 치과병원 독자 노조를 추진하려는 움직임이 진행되었고, 병원 측의 탄압은 더욱 거셌다. 2004년 9월 2일 새벽 2시경에는 치과병원 이재봉 교수가 치과병원 민주노조 사수투쟁을 위한 철야농성 중인 임시 노조사무실에 만취한 상태로 들어와 자고 있던 서울대병원지부 간부들을 발로 차는 등 행패를 부리기도 하였다.

보건의료노조도 서울대병원지부가 요청한 운영규정의 개정을 인정하지 않았다. 서울대병원지부는 2004년 6월 9일, 서울대병원 치과병원 분립과 관련하여 "서울대병원지부는 서울대학교병원, 치과병원, 분당병원, 보라매병원 등에 속해 있는 보건의료산업노동자로서 조합에 가입한 자로 구성한다."는 운영규정의 개정승인을 보건의료노조에 요청하였다. 하지만 9월 15일, 보건의료노조 중앙위원회에서 서울대병원지부 운영규정개정 승인이 부결되었고, 9월 22일, 보건의료노조 임시대의원대회에서 그 요청은 안건으로 상정되지 못했다. 서울대병원지부가 운영규정개정안을 안건으로 상정시켜줄 것을 요구했지만 부결된 것이다. 이에 항의해 보건의료노조 서울대병원지부 대의원을 포함한 다른 지역 지부의 대의원들은 대의원대회 장소에서 퇴장하기도 했다. 이후 서울대병원지부는 보건의료노조 임원, 중집회의 등에서 운영규정 개정내용의 승인을 요청하였다. 서울대병원지부장 김애란은 2004년 10월 15일부터 18일까지 치과병원 민주노조 사수를 위한 지부운영규정 승인을 요구하며 보건의료노조 위원장실에서 단식농성을 하였다. 보건의료노조는 10월 18일 중집회의에서 "서울대학교 치과병원과 관련된 지부승인에 관한 것은 하나의 지부로 가는 것을 원칙으로 한다. 다만 이후 서울대병원지부가 치과병원 관련해서 교섭방안과 일상 조직활동에 대한 대책을 마련하여 이후 중집에서 논의하는 것으로" 결정하였으나, 2004년 11월 9일 임시대의원대회에서 치과병원 운영규정개정 요청 건이 60(찬): 63(반)으로 부결되었다.

이러한 어려움 속에서 서울대병원지부는 12월 16일 병원 이사회가 열리는 장소에서 민주노조 사수를 위해 노동조합 및 단체협약 승계투쟁을 전개하였다. 서울대병원지부는 치과병원이 더 이상 공공의료를 훼손하고 국고를 낭비하여 의료의 질을 떨어뜨리고 비민주적인 운영과 인사경영의 횡포로 고용불안을 야기하는 행위를 중단할 것을 요구하며 말도 안 되는 핑계를 이유로 합의사항 불이행, 단체협약 위반, 교섭해태, 부당노동행위 등을 중단하고 합의사항 이행, 단체협약 준수, 성실교섭에 임해줄 것을 촉구하였다.

서울대병원지부가 치과병원 독자노조 설립을 막기 위해 노력하였지만, 2005년 4월 7일 보건의료노조 서울대치과병원지부가 창립했다(조합원 78명, 위원장 정정미). 그리고 4월 11일 보건의료노조는 중집회의에서 서울대치과병원지부를 중집위원 전원 만장일치로 승인하며 정식 지부로 인정하였다.

3 여성권리 확보 투쟁

여성노동자 수가 많은 서울대병원에서는 노동과정이나 노동조합 활동 속에서 여성노동권 문제가 등장하곤하였다. 병원의 수직적 권위주의적 운영체계 속에서 나타나는 문제는 노동조합이 투쟁을 통해 극복해갔고, 가부장적 사회의 영향으로 조합원들 사이에 내재되었던 문제들은 각종 교육과 사업을 통해 극복해갔다. 서울대병원노조에서 여성노동권 확보를 위해 활동한 내용과 현장에서 성폭력과 싸웠던 내용을 보자.

1) 여성노동권 확보

여성문제에 대한 인식이 낮았던 노동조합 활동 초기에는 여성문제가 조합원 간의 갈등으로 나타나기도 했다. 남성 조합원들이 여성들의 권리를 제대로 인식하지 못하는 경우도 있었던 것이다.

> 다양한 직종, 다양한 사람들의 의견을 취합해서 하나의 의견으로 만들어내는 과정이 굉장히 힘들었죠. 병원이라는 데가 여성 중심 사업장이잖아요, 간호사들이 제일 많고. 그러다보니까 모성보호 조항을 넣을 때 남성 조합원들을 설득하고 이해를 얻어내는 과정. 남자들은 "왜 맨날 여자들을 위한 조항만 자꾸 만들어내느냐. 난 좋아할 이유가 하나도 없다."는 얘기도 했습니다. 사회가 발전하면서 남성들도 여성들의 권리를 점차 알아가고 있어 변한 것 같아요. (구술자 A)

그러나 노동조합은 의무와 권리에 있어서 여성 조합원과 남성 조합원이 동등하다는 것을 병원의 노동현장 내에서 실천하였고, 여성 조합원들의 요구를 적극 수용해서 해결함으로써 여성조합원들이 조합활동에 적극 참여하도록 하였다. 또한 상대적으로 더 열악한 여성노동자들의 근로조건을 전체 노동문제 속에서 함께 풀어내고 주체적으로 실천할 수 있는 토대를 만들어, 작은 문제 하나하나라도 나만의 문제가 아니라 여성노동자의 문제로 인식할 수 있도록 노력하였다. 특히 병원노동자의 2/3 이상을 차지하고 있는 여성의 요구와 활동은 연령과 직종에 따라 다양할 수밖에 없었지만, 서울대병원노동조합 여성부는 이러한 내용들을 정리하여 노동조합 활동 속에서 실천하였다.

일주일 데이(낮 근무) 하다가, 일주일 저녁 근무하고 일주일 밤 근무하고. 이러면 생체 리듬이 달라지잖아요. 그러니까 위장병, 수면장애 같은 것도 있구요. 생리문제가 생기고. 그래서 우리끼리는 여자들이 독하니까 교대근무를 하는 거라고 할 정도였어요. 남자들 같으면 못할 거라고. (구술자 D)

서울대병원노동조합은 생리휴가 추진(1988년 3월, 조합원 설문조사 결과, 조합원의 73.78%가 생리휴가를 받지 않고 있었고, 그 이유 중에서 48.52%가 근무시간과 인력 때문이라고 하였다.)과 그에 걸맞는 인력보충 요구활동/여성강좌/여성문제 비디오 상영/여성문제에 대한 홍보활동/수유 및 탁아문제를 해결하기 위한 활동/기혼 여성노동자의 실태 조사/민주여성단체와의 연대/여성 중심의 타 사업장 방문/종이공예와 같은 소모임 활동/어린이집 운영/미혼의 당신에게, 암탉이 울면 등의 책을 함께 읽고 토론하거나, 1990년에는 매월 '여성의 날' 교육에 참여하면서 여성문제에 대한 인식을 높이려 하였다. 노동조합 및 간부들은 여성단체의 연대모임 및 자료수집, 교육, 공연에 함께 참여하여 외부 여성단체와 계속적인 교류를 하였다. 이 외에도 서울대병원노동조합은 주로 3월 8일에 개최된 '세계여성의 날' 여성(노동자)대회에 참여하여 모성권(탁아) 강화, 폭력 근절 등을 위해 슬라이드 상영, 시낭송과 같은 사업을 진행하기도 했다.

1993년 3월에는 여성노동의 큰 문제 중에 하나라고 할 수 있는 시간제 노동의 문제를 여성단체 및 여성 중심의 사업장, 즉 여성민우회, 현대백화점노동조합, 롯데월드노동조합, 해태유통노동조합, 제

2001년 12월, 근로조건 개선과 모성보호를 위한 정책은 현장에 있었다.

일은행, 신탁은행, 주택은행 노동조합, 서울대병원노동조합이 함께 연구하면서, 정부에서 적극적으로 추진하고 있었던 시간제 노동자에 대한 문제점과 외국사례 및 현재 취업 중인 시간제 노동자들의 근로조건 및 구체적 대안을 마련하기도 하였다. 또한 육아문제를 제기하고 직장보육시설을 설치하는 데 공동으로 노력하였다. 그동안 출산과 육아는 여성의 역할이라는 고정관념 때문에 기혼여성의 사회참여가 많이 단절되었으나, 일하는 여성들의 의식변화와 사회적으로도 여성노동력의 필요가 맞물리게 되면서 현실적으로 보육문제는 고아나 빈곤층 아동들의 문제가 아니라 사회적 역할문제로 인식하고, 대안을 만들었던 것이다.

2) 병원 내 폭력과 성희롱에 맞선 투쟁

노동현장에 존재했던 가장 큰 문제는 폭력과 성희롱이었다. 권위주의적 노사문화가 존재하는 상황에서, 남성 관리자나 의사들의 폭력과 성희롱이 발생하곤 하였다. 환자들이 그러한 행위를 하는 경우도 있었다. 아래 표는 1987년부터 2003년까지 발생했던 폭행사건이나 성희롱 사건의 일지를 정리한 것이다.

1987	11.20~23	제5차 단체교섭 도중, 병원장이 교섭위원에게 반말하는 사건 발생, 처음에는 사과를 거부하다가 23일에 사과하고 교섭 재개
1989	12.29	병원장이 노조간부를 폭행하는 사건 발생(교섭대표, 상집간부 철야농성)
1990	9.14	방호과장의 조합원 폭행사건 발생, 급식과 작업 거부, 철야농성 시작, 노조는 9월 17일에 긴급대의원대회 개최
1994	11.22	비뇨기과 의사 권봉철, 간호부 조합원 폭행 사건 발생
	12.9~12	간호사 폭행문제로 대의원 원장 면담, 대책위 모임
	12.13	간호사 폭행문제에 대한 리본달기
1999	6.28~10.28	직장폭력 근절투쟁 : 레지던트 강재훈, 간호사 폭행사건/폭행의사 강재훈 해임과 병원 내 폭력근절을 위한 대책회의 구성
2003	2.18	비상대의원대회, 병원 내 폭행과 성희롱 근절 및 이상은 교수 해임을 위한 대책위원회 구성
	4.23	성희롱 관련, 교수윤리위원회에서 구두 진술
	4.24	성희롱 관련, 환자 피켓시위
	4.25	성희롱 관련, 국가인권위원회와 논의
	9.3	국가인권위원회, 성희롱 보도자료 발표(성희롱 교수, 특별 인권교육 받아라. 서울대학교와 서울대병원은 성희롱 예방대책을 세워라)

폭행 근절 투쟁

폭행의 대표적인 사례는 1994년 11월 22일 오전 9시 30분경, 정형외과 4116호실에서 인턴이 간호사를 폭행한 사건이다. 폭행을 당한 조합원은 2주 진단이 나왔다. 안경이 떨어지고 눈이 퍼렇게 멍들고 머리에 혈종이 생겼으며 정신적 고통까지 겪어야만 했다. 폭행을 당한 조합원은 11월 26일 폭행을 가한 권봉철을 서울지방검찰청에 폭행으로 고소하였다. 그리고 12월 6일, 간호사 폭행사건 대책을 위한 간호사 조합원(34명) 모임이 구성되었다. 노동현장에서 간호사 폭행

사건을 해결하기 위한 대책위원회가 자체적으로 구성된 것이다. 간호사 대책위원회는 모임을 결성하면서, 다음과 같은 요구사항을 제시하였다. 그것은 "첫째, 의사 권봉철의 공개 사과문 게시 둘째, 폭행 의사 추방 셋째, 피해자에 대한 정신적, 물질적 보상 넷째, 폭행 근절을 위한 병원 당국의 대책 마련, 다섯째, 물리적, 언어적 폭행사례집 발간"이었다.

또한 간호사 대의원들도 폭행사건에 대한 입장을 밝혔다. 폭행사건에 대한 대책만이 아니라 노동현장에서 짓밟히는 조합원들의 권리를 되찾겠다는 의지를 표현했던 것이다. "첫째, 폭행을 행한 의사에 대한 명쾌한 처벌이 따라야 한다. 이것은 개인적인 보복 차원의 문제도 아니고 대다수 의사를 폭력집단으로 매도하는 것도 아니다. 죄를 지었으면 벌을 받아야 한다는 당연한 원칙에 따른 것이다. 또 폭행을 행한 의사와 함께 환자의 진료를 할 수 없다. 둘째, 병원 측은 이 문제의 조속한 해결을 위해 노력해야 한다. 이 사건이 일어난 지 10여 일이 지나도록 이렇다 할 대응이 없고 원장이 없다는 이유로 징계위원회 소집조차 안 되고 있다. 이러한 병원 측의 태도는 마치 시간이 흐르면 저절로 잊혀질 거라는 생각을 하고 있는 것 같다. 이러한 문제는 시간이 흐를수록 잊혀지는 것이 아니라 오히려 병원내의 불신과 갈등의 골만 깊어진다. 이 점을 확실히 인식하고 명확한 해결방안을 제시하기 바란다. 셋째, 앞으로 병원내의 이러한 폭력 사태가 발생하지 않도록 제도적 장치를 마련해야 한다. 이번 문제가 원만히 해결되어야만 의사와 간호사의 관계가 서로 예의를 지키고 존중하는 동반자적 관계로 확립될 것이다."

서울대병원노동조합은 12월 7일, 폭행사건을 제52차 대의원대회에 안건으로 상정하고, 폭행사건의 해결 및 재발 방지를 위한 투쟁을 전개하기로 결정하였다. 노동조합은 병원장과 면담하여, 폭행 당사자인 권봉철 씨를 본원 레지던트 시험에 불합격시켰고, 감봉 2개월과 벌금 70만 원의 징계를 이끌어냈다.

노동조합과 간호사 폭행사건 대책을 위한 간호사 대책위원회는 폭력발생 이유로 "의사의 권위주의와 우월주의"를 가장 큰 문제로 뽑았고 "직종간의 업무에 대한 존중과 효율적인 업무 분화가 이루어지지 않은 결과"이며 "여성에 대한 남성이라는 특권의식" 때문이라고 했다. 이러한 "복합적인 감정과 과다한 근무 환경에서 쌓인 스트레스가 대화로 해결되지 않고 폭력으로 치달은 것"이라고 보았다. 이는 병원사회가 안고 있는 문제의 일면이었다. 노조는 "자칫 폭행 사건이 직종간의 대립과 분열로 증폭될 수가 있는 미묘한 사안이지만 어떠한 이유로도 직장 내의 폭행은 정당화될 수 없다는 원칙"을 강조하며 "직장 내 폭행을 근절할 수 있는 제도적 장치"를 마련하고 "폭력뿐 아니라 폭력이 야기되기까지의 원인을 철저히 분석하여 업무를 조정해야"한다고 했다. 성폭력근절투쟁을 통해 인간의 생명을 다루어야 하는 업무의 특성상 인간 존중 사고가 중심이 되는 인식의 변화가 요구되는 계기로 삼겠다고 하였다.

하지만 폭행은 지속적으로 발생했다. 1999년 6월 보라매병원 신경외과 병동에서도 폭행사건이 있었다. 남자의사가 여자간호사를 업무상의 문제로 환자 보호자들이 보는 대낮에 감금하고 폭행하였다. 노조에서는 1,400명의 직원서명, 항의 면담, 피켓시위를 벌였고 가해자 중징계와 직장폭력근절대책마련을 요구하였다. 결국 3/4분기 노사협의회 안건으로 상정하고 병원과 교섭하였고 '강재훈 감봉 3개월의 징계. 노사협의회 때마다 그의 근황에 대해 노동조합에 보고한다. 인턴과 레지던트 오리엔테이션에서 직장폭력 예방 교육을 실시한다.' 는 노사합의안을 마련하였다.

보건의료노조 간부의 성폭행에 대한 대응

노동조합 활동가의 성폭행도 문제가 된 적이 있다. 1999년 12월 27일 보건의료노조 신임 사무처장 당선자인 송보순이 만취한 사무처 상근 활동가를 여관으로 끌고 가 성폭행 미수 사건이 발생하였다. 사건 발생 다음날과 29일 가해자와 피해자, 목격자가 만난 자리에서 가해자 송보순은 "스스로를 용서할 수 없다. 사퇴하겠다. 병원도 그만두겠다. 운동판도 떠나겠다."며 용서를 빌어 피해자가 문제를 크게 만들지 않고 정리하는 길을 택했다. 그러나 30일 차수련 위원장 당선자가 피해자를 찾아 사무처장 사퇴 이유를 듣고 사퇴를 받아들임과 동시에 피해자에게 "몸을 가눌 수 없을 정도로 술을 마신 것은 도의적으로 책임이 있다. 책임을 묻겠다."고 하였다. 피해자는 이 발언을 인정할 수 없음을 명확히 하고 다음날 임원회의와 상집회의에서 문제를 공식적으로 다루게 되었다. 사무처 간부들은 이 사건의 성격을 '직장내 성희롱' 이라고 규정하고 대책위를 구성하고 '송보순 사무처장 사퇴, 공식사과, 피해자 병가, 차수련 당선자의 피해자 문책발언에 대한 해명' 을 신임지도부에게 요구하였다. 그 결과 1월 4일 상집회의에 송보순이 참석해 사퇴의사를 밝히고 공개사과 하였고, 차수련 위원장도 피해자에게 사과하고 1개월 병가가 주어졌다. 사무처장 사퇴 건은 1월 31일 3차 중집회의에서 이뤄졌고 사건의 진상을 공개하지 않기로 하고 2월 대의원대회에서는 '일신상의 이유' 로 사퇴 처리하기로 하였다. 가해자의 사무처장 사퇴와 피해자의 동의로 사건이 마무리되는 듯 했으나 사건 관련 왜곡된 이야기들이 떠돌면서 문제가 다시 불거졌다.

"둘은 연인사이였다." "집에 가는 것을 거부해서 여관에 데려다주었을 뿐 아무 일도 없었다." "아무 일도 없었는데 선거에 진 진영이 보복으로 만든 작품이다." 등 소문이 퍼졌고 가해자는 마치 자신이 피해자인 양 태도를 돌변했다. 소문의 진상지로 지목되는 임원들에게 답변을 요구하였으나 보건의료노조는 명확한 입장을 밝히지 않았고 결국 왜곡된 소문에 2차 가해에 시달린 피해자가 이 문제를 보건의료노조 산하 지부에 공개하였다. 보건의료노조 지도부는 결국 진상조사단을 구성하게 되었다. 사건 발생 4개월이 넘어서였다.

4월 5일 보건의료노조 중집회의에서는 피해자의 명예회복과 피해자에게 더 이상 피해가 가지 않도록 하고, 보건의료노조 지도부의 지도력과 조직력이 더 이상 훼손되지 않도록 활동방향을 잡았고 사건발생 이후 2월 대의원대회까지의 사건 처리과정, 사건의 진상조사와 성격규정, 왜곡된 소문의 진원지와 사실규명을 중심으로 조사활동을 벌였다.

5월 8일 보건의료노조에서 공식 채택한 진상조사보고서는 "사건발생 이후 대의원대회까지 사건처리 과정에서 지도부가 사건을 고의로 은폐 축소했다는 주장이 사실이 아님을 확인하였다. 사건의 진상조사와 성격규정에 대해서는 다소 논란이 있었지만 가해자도 잘못을 인정함으로써 사건을 성추행사건으로 규정하였고 따라서 가해자를 징계위원회에 정식회부하고 피해자의 요청이 있을 시 휴가와 심리치료가 필요하면 치료비를 지원하기로 하였다. 왜곡된 소문의 진원지와 사실규명에 대해서는 지목된 일부 임원의 고의적, 직접적 왜곡이 아닌 것으로 확인되었다."고 발표하였다.

가해자 송보순이 서울대병원노조 위원장 출신이고 조합원으로서 보건의료노조에 파견근무를 하고 있어 서울대병원지부도 이 문제를 피해갈 수 없었다. 서울여성노조는 서울대병원지부에 '송보순 징계 조치 촉구' 항의 공문을 보내왔고, 지부 내에서도 사건의 진상을 요구하는 조합원들의 요구가 늘었다.

내부에서는 첫째, 사건의 진상을 공개할 것인가 여부, 둘째, 징계를 한다면 그 수위를 어느 정도로 할 것인가 문제를 두고 논란이 되었다. 병원 내 성희롱 문제를 전면에 제기하고 투쟁하는 노동조합이 노동조합 내부 문제에는 이중 잣대로 감싸는 것은 옳지 않다는 견해로 내부 논의를 마무리하고 보건의료노조에 '징계결의요구서'를 발송하였다. 지부는 3월말 송보순 성폭행 사건에 대해 조합원들에게 대자보로 알렸다. 5월 15일 본조 중집회의에서 송보순 정권 3년 징계가 내려졌다.

성희롱 근절투쟁

병원에서는 노동과정에서 성희롱이 다반사로 발생하곤 하였다. 2003년 당시 보건의료노조의 보도자료에 따르면, 병원 내 폭언, 폭행 및 성희롱은 위험 수위에 달했다. 성희롱 가해자의 57.6%가 의사였다. 수술실의 경우, 진료 또는 수술 중에 환자의 신체에 대한 성희롱은 31.9%였고, 여성조합원(간호사) 중에서 40%가 폭언이나 폭행을 당한 경험이 있고, 환자 · 보호자의 경우에는 41.2%가 폭언과 폭행을 경험했다.

서울대병원에서는 간호사뿐 아니라 환자까지 대상으로 한 성폭력이 발생하였다. 2003년에 있었던 이상은 교수의 성희롱 폭력사태는 국가인권위에 제소되었다. 2003년 2월 7일 본원 수술실에서 비뇨기과 이상은 교수는 내시경을 이용한 신장절제술을 하는 도중 업무가 미숙하다는 이유로 피 묻은 장갑을 낀 손으로 몸이 휘청거릴 정도로 간호사의 머리를 때리는 폭행을 자행했다. 평소에도 업무 중에 "빈약한 가슴이다."라고 얘기하며 바로 옆에 있는"성형외과 방에 갖다 와라."라며 상대방을 당황하게 만들고 "너 첫 키스 언제 했냐?", "팬티는 매일 갈아 입냐?", "엉덩이가 탱탱하다." 며 톡톡 치고 다니는 등 심한 모욕감을 느끼게 했던 교수였다. 또한 반말은 기본이고 "간호사 주제에 내가 일해서 돈 벌어 놓으면 하여튼 쓸데없는 것들이 다가지고 가. 의사가 수술하는데 어디 간호사가 밥 먹으러 가?" 하면서 함께 일하는 사람에 대한 상호 존중 없이 타 직종에 대해 폄하하는 발언을 서슴없이 해왔다. 비뇨기과 이상은 교수의 상습적인 성희롱과 폭력으로 인해 직원이 사직하거나 가슴앓이로 인해 위궤양 등의 고통을 받아왔다. 또한 이상은 교수는 수술 중 남

2003년, 성희롱 교수 해임하라!

자환자의 생식기를 가리키며 '송이버섯' 운운하면서 불가피하게 신체의 일부를 노출시킬 수밖에 없는 환자를 대상으로 성적인 농담을 상습적으로 해왔다. 이는 아무리 마취상태의 무의식 환자라도 환자의 인권을 심각하게 침해하는 행위로 의료인으로서 절대로 해서는 안 될 태도였던 것이다.

이에 수술실 간호사들은 그 다음날 이상은 교수의 폭행 및 성희롱한 사건에 대해 공개사과, 재발하지 않겠다는 각서를 요구하며 서명하기 시작하였다. 이상은 교수는 끝내 두 가지 요구를 수용하지 않았다. 그래서 간호사들은 노동조합을 방문하여 이상은 교수의 폭행 및 성희롱한 사건을 고발하였다. 서울대병원노동조합은 2월 18일에 비상대의원대회를 소집하였다. 노동조합은 대의원대회에서 대책위원회를 구성하고 병원과 서울대학교 측에 진상규명과 징계요청의 공문 발송 원내통신과 대자보, 각 언론매체와 홈페이지에 사건을 알려내는 등 본격적인 싸움에 돌입하였다. 2월에는 국가인권위원회에 여성부에 제소하였고 노사협의회 안건으로 상정하였다. 3월, 특별인사위원회에 보직해임과 서울대학교 측에 겸직해제 요청을 하였고, 여성부에서는 진상조사를 지시하였으며 서울대학교에서는 겸직해임을 결정하였다. 노조는 3.8여성대회에서 사건 경과보고 및 투쟁연설을 하였고 서울대병원대책위와 서울대학교 공대위는 공동 피켓선전전 및 서명전을 벌였다.

원내통신, 인터넷을 통해 이 사건이 알려지면서 많은 조합원과 다른 사업장에서 놀라움과 분노를 표시했다. 신문과 방송에서도 공공연히 발생되는 성희롱과 폭행사례를 다루었고 보건의료노조에서는 전국병원 노동자를 대상으로 폭행 및 성희롱에 관한 설문조사를 실시하였다. 또한 사회단체와 서울대학교 관악여성연대모임에서도 이 문제의 심각성을 알고 연대하며 피켓시위와 선전전을 함께 했다. 4월 들어 서울대학교 의과대학교 학생들도 수업거부투쟁을 하면서 문제는 점점 확산되었으며 노동조합 홈페이지와 각 언론사의 게시판에 지지하는 글들이 쇄도하였다.

한편 연합뉴스에는 환자 344명이 '이상은 교수 복직탄원서'를 작성하여 서울대학교에 전달했다고 발표되었다. 병원에서 환자들의 개인 신상기록을 도용한 문제를 발생시키기도 한 것이다.

5~6월 단체교섭에서도 이 문제가 다뤄졌고 서울대병원은 징계위원회를 개최하였는데 감봉 2개월로 결론을 내렸다. 노조는 징계위의 결론에 대해 항의 및 재임용 절대 불가 입장을 표명했다. 이후 서울대학교 총장 면담 등 활동을 벌였다.

노동조합이 투쟁과정에서 요구했던 핵심 내용은 "병원은 직원을 폭행하고 상습적으로 성희롱한 비뇨기과 이상은 교수를 해임하고 직장 내 폭력사태 재발방지에 대한 근본적인 대책을 마련하라! 서울대학교는 폭행 및 성희롱 사건의 이교수를 해임하라! 서울대학교 총장은 서울대병원 성희롱교수 재임용을 전면 재검토하라!"였다.

이 사건은 서울대병원만의 문제가 아니라 서울대학교 의과대학의 문제, 국가인권위원회와 여성부의 문제, 그리고 환자의 권리문제로 비화되었다. 여성부는 서울대학교 측에 공문을 발송하여, 철저한 진상조사 결과를 토대로 당사자에 대한 적절한 조치 및 재발방지 대책을 마련하도록 요청하였다. 국가인권위원회는 '국가인권위 피해자와 참고인 면담조사, 병원 개인정보 유출경로와 이상은 교수 진료여부에 대해 확인 할 것을 다시 요구, 서울대학교 총장과 교수윤리위원회에 항의공문 보냄, 피해자 구두진술시 범죄자 취조하듯 질문하는 것과 현장검증 시 피해자들은 배제한 채 극비리에 비뇨기과 의국 교수들과 전공의 중심으로 진행한 점에 대해 재검토할 것' 을 요구하였다. 그리고 국가인권위원회는 9월 3일, 이 교수에게 특별인권교육 권고, 관리감독 책임자인 서울대학교 총장, 서울대병원장엔 성차별 예방대책 수립 등을 권고하였고, 또한 서울대학교 총장과 서울대병원장에겐 실질적인 성희롱 예방교육을 철저히 시행하고 성차별 및 인권침해 행위의 예방대책의 수립을 권고하였다.

그러나 초기의 빠른 대응과 적극적인 대책위 활동이 특별위원회 결과 이후로 활동이 미비해졌고 시간이 지나면서 조합원들의 관심에서도 멀어지게 되었다. 또한 환자들이 이 교수 복직에 대한 탄원서를 제출하는가 하면 서울대학교 앞 집회를 하면서 사회적으로 진료권 문제가 대두되었다.

이에 노동조합과 병원은 2003년 7월 25일에 단체협약을 체결하면서, '병원 내 폭행폭언 및 성희롱 금지' 에 대한 문안을 신설하기로 하면서 국면전환을 하였다. 2003년 단체교섭 시 노사동수의 '폭행폭언 및 성희롱 근절위원회' 를 설치하여 성희롱 예방을 위한 각종 교육을 계획 점검하고 사건 발생 시 진상조사와 징계를 할 수 있도록 요구했으나 이 부분은 합의되지 못하고 병원이 자체적으로 원내 게시판에 '성희롱 신고' 상담소를 설치했다. 결국 서울대학교와 서울대병원은 노동조합이 반대하였음에도 이교수를 재임용했으며 분당서울대병원에 발령을 냈다.

4 산별협약 쟁취 투쟁과 보건의료노조 탈퇴

1) 보건의료노조의 산별협약 쟁취 투쟁

보건의료노조는 설립 이후 병원의 개혁 및 의료제도의 개선에 역점을 두고 투쟁하였다. 1998년 이후 2004년 산별 총파업 이전까지, 보건의료노조는 일방적 구조조정 저지, 인력충원과 주5일제 쟁취 투쟁, 임금체계의 개선 및 생활임금 확보 투쟁, 노동조합의 경영참여 투쟁, 의료의 민주화 및 공공성 강화 투쟁, 그리고 비정규직의 조직화로 산업별 조직의 역량을 배가하기 위한 조직강화 및 확대 등을 투쟁의 목표로 설정하였다. 이러한 목표를 달성하기 위해 산별교섭 쟁취 투쟁을 지속적으로 전개하였지만, 산별교섭구조를 확보하기가 쉽지 않았다. 이에 보건의료노조는 병원노련과 거의 유사한 집단교섭 및 대각선 교섭으로 단위 사업장의 제반 문제들을 해결하다가, 2004년에는 산별 총파업을 단행하였다.

보건의료노조는 2004년에 산별기본협약, 의료공공성요구안, 근로시간단축(주5일제)안, 비정규직문제, 임금인상안, 특별요구 등 사실상 단체협약의 전 범주에 걸친 요구안을 제출했다.

보건의료노조 2004년 산별 공동요구안

요구 영역	요구 내용
산별기본협약	전문/유일 교섭단체/협약 적용범위와 우선 적용/균등 처우/사용자단체 구성과 산별교섭 원칙/노사 자율교섭/협약 유효기간과 자동갱신
의료공공성	*대사용자; 환자권리 장전 선언/다인 병설 확보 및 적정병실 면적 확보/병원 평가위원회 구성 *대정부 제도 건의; 건강보험 보장성 확대 및 포괄수가제 전면시행/공공의료기관 확대·강화 및 의료기관

의료공공성	*공공성 강화; 지방공사의료원 보건복지부 이관 부도 · 폐업 민간병원을 공공병원으로 전환/주민발의로 공공병원설립-조례를 제정한 지역(성남 등)에 우선적으로 정부예산 지원 1차2차3차 의료기관의 전달체계 확립/보건의료예산 증액/의보통합 반대/의료공공성 강화 추진위원회 구성 및 각종 위원회 보건의료노조의 참여
주 5일제	사회적 일자리 창출 차원에서 정규직 인력 대폭 충원/월 소정근로 기준시간 174시간으로 통일/통합연차 휴가 최소 22일부터 시작하고 근속 1년당 1일씩 추가/월 1회 유급 생리휴가 보장/모든 연장노동 수당 150% 할증율 적용/중소영세 비정규직 차별없는 주5일제 시행 전 병원 동시 실시
비정규직	정규직화/균등처우/4대보험, 노동관계법 적용과 불법행위 근절/노조활동을 이유로 한 불이익 금지/동일노동 동일임금을 시행하면서 최소한 정규직 임금의 80% 이상 임금인상
임금	10.7% 인상/보건의료산업 최저임금제 도입-정액급여의 50%(정액 770,518원) 시급/연봉제, 임금 피크제 반대/보건의료산업 임금제도개선 위원회 구성
기타 특별 (노동연대 기금)	노사는 임금인상분 총액의 1%를 각각 각출하여, '보건의료산업 노동연대기금' 으로 적립한다. 정부도 같은 금액을 지원하도록 요청한다. 이 기금은 노사가 공동으로 운영하되 보건의료 전체 노동자들의 고용안정, 비정규직 복지 교육훈련 모성보호 보건의료복지회관 건립 등의 용도로 사용한다.

보건의료노조는 이 요구안들을 중심으로 2004년 6월 10일, 산별 총파업을 단행하였고, 파업은 13일 동안 이어졌다.

6월 10일 산별 총파업이 시작되고 서울대병원 노동자들은 11일 서울대병원 로비 거점투쟁을 시작하였다. 총파업 기간 동안 서울대병원지부의 쟁점인 선택진료비 문제, 치과병원 독립 관련 문제를 항의하기 위해 보라매병원 순회투쟁, 치과병원 타격투쟁을 지속하였다. 의사와 1대 1로 일을 하기 때문에 파업 참여가 어려웠던 치과병원 노동자들도 파업투쟁에 적극 결합하였다. 지부는 투쟁 과정에서 근골격계 교육을 하였고 이후 투쟁으로 연결하였다. 로비 농성을 사수하면서 산별총파업승리 결의대회 및 투쟁문화제, 고려대 집중투쟁 등에도 적극 결합하였다.

2004년 서울대병원지부 조합원들은 산별 총파업의 선두에서 투쟁하였다.

보건의료노조 조합원들의 투쟁 열기가 어느 때보다 높았으나 사용자들 또한 버티기로 일관했다. 결국 교섭이 결렬되고 보건의료노조 지부장들은 지부 투쟁으로 전환하기로 하였다. 그런데 6월 23일 보건의료노조 지도부는 산별협약에 잠정합의하고 "오늘부로 산별총파업투쟁 중단을 선언하고 지부의 현안과 지부별 교섭에서 풀어야 할 세부사항들에 대해 지부별 투쟁으로 전환한다."고 밝혔다. 전국보건의료노동조합 위원장 윤영규, 보건의료산업 관계 사용자 사립대병원 대표 유태전 대한병원협회 회장, 국립대병원 대표 성상철 서울대병원장, 지방공사의료원 대표 박찬병 수원 의료원장, 민간중소병원 대표 이성식 소화아동병원장, 대한적십자사 총재 이윤구, 한국보훈복지의료공단 이사장 박종권, 원자력의학원장 이수용이 서로 합의한 2004년 보건의료노조 산별교섭 잠정합의가 이루어진 것이다.

보건의료노조의 결정에 따라 대부분의 지부는 업무에 복귀하고 서울대병원, 경북대병원, 한양대병원, 고려대병원, 이대의료원 지부는 현안 문제가 남아 지부 파업을 계속하였다.

잠정합의했다는 소식이 전해지자 서울대병원지부 조합원들은 지부장을 찾아 노조 사무실로 뛰어왔다.

"산별 파업 끝났다면서요!"

지부장도 모르는 소식이었다. 조합원들은 짝을 이뤄 택시를 잡아타고 고려대로 달려갔다. 보건의료노조 중집 회의장에 들어가 조합원들이 잠정합의에 대한 항의로 산별 위원장 면담을 요청하였다. 보건의료노조 산별협약이 공개되었고 조합원들은 반발하였다. 반발의 핵심은 10장 2조였다.

제10장. 협약의 효력

1) 산별교섭 합의 내용을 이유로 기존 지부 단체협약과 노동조건을 저하시킬 수 없다.
2) 단, 제9장(임금), 제3장(주5일제 노동시간단축) 제1조(노동시간단축), 제5조(년 · 월차 휴가 및 연차수당), 제6조(생리휴가)는 지부단체협약 및 취업규칙에 우선하여 효력을 가지며, 동 협약 시행과 동시에 지부의 단체협약 및 취업규칙을 개정한다.

문제의 10장은 두 조항으로 되어 있는데, 1조에서는 "산별교섭 합의를 이유로 기존의 지부 단협과 노동조건을 저하시킬 수 없다."고 규정하고 있으나, 단서조항인 2조에서는 임금 및 노동시간 관련 합의는 "지부단체협약 및 취업규칙에 우선하여 효력을 가지며, 동 협약 시행과 동시에 지부의 단체협약 및 취업규칙을 개정한다."고 하여 노동조건 저하를 강제하고 있는 규정이다. 그동안 노동조합들은 새로운 협약이 기존 노동조건을 저하시키지 않는 것을 원칙으로 단협 체결을 해왔는데 이 산별협약은 지부협약과 노동조건을 저하시키는 것이었다. 산별협약의 부족한 부분을 지부 투쟁으로 채워나가겠다는 원칙을 가진 서울대병원을 위시한 주요 지부들 입장에서는 교섭, 쟁의 자체가 막힌 형국이 되는 것이다. 산별협약에 대한 서울대병원지부의 입장은 다음과 같았다.

> 산별협약은 '기준협약'으로서 최저기준으로서의 위치를 차지하는 협약입니다. 즉 모든 조합원에게 최소한 산별협약 기준 이상의 노동조건은 적용되어야 한다는 것입니다. 그런데 제10장 2조는 노동자의 투쟁을 가로막는 족쇄가 되고 있습니다. 산별협약의 효력이 최저의 기준이 되어 부족한 부분을 지부교섭과 투쟁으로 쟁취해야 함이 당연한데 산별협약 10장 2조는 사실상 지부의 교섭권과 쟁의권을 박탈했습니다. 보건의료노조 산하 각 지부별 근로조건은 적지 않은 차이가 있습니다. 병원노동자들이 산별노조를 만든 것은 이러한 근로조건의 차이를 그냥 인정하는 것이 아니라 조금씩 줄여 나가면서, 보건의료노동자 전체의 단결을 만들어내기 위한 것이었습니다. 이것은 단계적으로 그리고 상향적인 방향으로 이루어져야 합니다.

서울대병원지부로서는 산별협약을 '통일협약'으로 해석함으로써 10장 2조에 의해 노동조건이 저하되는 상황을 받아들일 수 없었다. 서울대병원지부 조합원들의 불만과 보건의료노조에 대한 불신은 극에 달했다. 그 내용을 받아들인다면 20년간 투쟁으로 쟁취한 연월차, 임금, 생리휴가, 노동시간 등 노동조건이 한순간에 무너질 판이었다.

그리하여 서울대병원지부는 보건의료노조에게 10장 2조 삭제를 요구하였고, 한축으로는 지부 차원의 총파업을 지속하여 협약을 내용적으로 무력화시켜나가기로 하였다.

2) 서울대병원지부 총파업

6월 28일 서울대병원지부는 “보건의료노조 중앙교섭 잠정합의안은 주5일제에 따른 인력확충, 비정규 문제 등 핵심요구사항이 구체적으로 합의되지 않아 지부 교섭으로 넘어왔지만, 병원 쪽이 추가 교섭에 나서지 않고 있다.”며 병원쪽이 교섭에 충실히 임할 때까지 파업을 지속하겠다고 기자회견을 하였다.

김애란 지부장은 한 인터넷 언론사와의 인터뷰에서 “산별기본협약을 투쟁으로 넘지 못한다면 노사관행으로 굳어져 돌이키기 어려울 것”이라며 의지를 밝혔다. 조합원들의 만류와 눈물 속에 삭발로 지부장으로서의 결의를 보여줬다.

병원은 산별기본협약 10장 2조를 이유로 기본협약보다 개악된 교섭안을 내놓았다. 노사 양측은 실무교섭에서 단기병상제 폐지, 병실료 인하, 인력확충을 통한 주5일제 실시, 정규직 인력 도입과 비정규직 문제 해결 등 쟁점사안을 두고 입장 차이를 좁히지 못했다. 사측은 산별잠정합의안을 준수한 것이라고 했고 노조는 “의료공공성 강화 등에 배치된다.”고 맞섰다.

특히 문제가 된 간호부 근로시간 개악안을 보면, 현행 ‘낮번 오전 7시 출근 오후 3시 퇴근, 초번 오후 2시 30분 출근 밤 10시 30분 퇴근, 밤번 밤 10시 출근 다음날 7시 30분 퇴근’ 인데 병원 측 개안안은 ‘낮번 오전 7시 출근을 6시 30분 출근으로, 초번 밤 10시 30분을 11시 퇴근으로, 밤번 시간외 수당 삭감’ 이었다. 노동조합은 ‘출퇴근 시간 및 수당 보전(밤번 1시간 시간외 수당, 휴게시간 30분 보장)’ 을 요구하였다. 이 안은 근무시간을 현행대로 유지하면서 생리휴가 보장 인력을 정규직으로 확보하는 것이며 탄력근무제 도입 금지 및 D,

E(낮, 초번) 휴게시간 30분은 근무시간으로 포함하고 있다. 이에 따른 충원예산 인력은 RN 181명, AN 40명이며 주당 8개의 off와 생리휴가 보장을 근거로 산출된 것이다.

7월 9일 파업 30일째 간호부 조합원들은 간호부장과의 면담에서 출퇴근 시간이 대중교통을 이용할 수 없는 시간대라는 점, 그로 인해 파생되는 교통비 증가와 위험률 증가를 이유로 부당함을 이야기하였다. 노조는 현 근무형태를 유지하면서 인력충원을 하는 것이 최선의 해결책이라는 것을 제의하였다. 그러면서 간호부가 간호사들의 의사를 대변해달라고 요구하였다. 그러자 간호부장은 "생각하기 나름이다. 지금도 7시 업무 시작을 위해 6시 30분까지 나오지 않냐. 인계시간을 최소화하도록 할 방침이며, 퇴근시간이 늦어지는 것에 대해 보상(택시비정도)할 수 있도록 제의는 해보겠다."고 했다. 면담이 끝나고 나와서 간호부 조합원들은 근무시간 변경 없는 주5일제가 되도록 좀 더 강한 행동 방안을 모색하기로 했다.

조합원들이 주장한 대로 새벽 6시 30분 출근, 밤 11시 퇴근은 단순히 30분씩의 변화가 아니다. 정시에 출근해서는 일을 시작할 수 없는 상황이니 적어도 6시까지는 출근해야 하는데 출퇴근 시간을 위한 대중교통 이용이 만만치 않다. 가뜩이나 출퇴근길이 불안한 교대근무자에게 걱정을 만들어주는 시간인 것이다.[주)]

간호부 주장은 "인계시간은 10분, 15분이면 된다.", "나이트 근무시간 줄어서 삶의 질이 향상되지 않냐?", "8.8.8이면 하루 24시간인데 시간외 수당이 왜 필요하냐?"는 논리였다. 간호부는 설명 후 일방적으로 근무시간을 변경하여 시행하겠다고 하였다.

7월 14일 김애란 지부장과 성상철 병원장이 단독면담을 실시했으나 병원 쪽이 파업중단을 전제로 한 교섭을 고수하면서 별다른 진전 없이 끝났다. 병원은 김애란 지부장 등 노조 지도부 17명을 업무방해와 의료법 위반 혐의로 서울중앙지검에 고소하였다. 서울중앙지법에 노조 상대로 15억 원 상당의 손해배상청구소송과 채권가압류소송을 제기하기도 하였다.

이러한 탄압에도 조합원들의 투쟁열기는 뜨거웠다. 간호부 조합원들은 근무시간 개악안을 막겠다는 절박함을 가지고, 치과병원 노동자들은 병원 분리 후 나타날 문제를 해결해야 한다는 의지로 투쟁했다. 간호부 조합원들은 근로시간 개악 문제를 글로 쓰고 파업 참여 호소문을 써서 순회하면서 배포하였다. 조합원들은 매번 열리는 시계탑 앞 집회에 참여하였고 복지과 · 간호부 · 급식과 타격투쟁에도 적극 결합하였다. 병원 주변에는 2개 중대 250명의 경찰병력이 배치되어 이었지만 서울대병원 조합원들의 투쟁의지는 식지 않았다.

이런 상황인데도 보건의료노조는 지부 투쟁을 지원하지 않았고 오히려 방해하였다. 7월 15일 민주노동당 중앙위에서 서울대병원지부 투쟁에 대해 특별성명서를 채택할 때 본조 양태경과 조은숙 부위원장이 반대하였고, 서울대병원지부 투쟁지원 연설을 한 민주노동당 서울시당 위원장 후보에 대해 항의하는 공문을 민주노동당 대표에게 발송하였다. 또한 공권력 투입이 임박한 상황에서 본조와 서울본부에 지원요청을 하였을 때 거부하였고, 세 차례에 걸친 투쟁지원금과 조합원 생계비 지원에 대해 "조직적으로 잠정합의된 산별합의안에

주) RN(Registered Nurse) 간호대학 졸업, 국가고시를 합격한 후 간호사 면허를 받은 사람
NA(Nurse Aid) 간호조무사
off 비번, 쉬는 날

2004년, 서울대병원 노동자들은 산별 총파업에 이어 지부 총파업을 벌였다.

대한 수용 여부가 쟁점으로 되어 있어 지부의 입장변화가 없는 한 요청한 투쟁기금지원과 생계비 대여 요청은 수용하기 어렵다."고 하였다.[5]

보건의료노조가 서울대병원지부의 투쟁을 방해한 것과 달리, 노동단체들의 지원과 지지는 이어졌다. 아래의 표는 투쟁의 과정에서 발표되었던 각종 성명서들의 핵심 요구사항들이다. 이를 통해, 서울대병원 노동자들이 요구했던 내용과 정당성을 확인할 수 있다.

단체	지지 내용
사회진보연대	서울대병원장은 교섭에 성실하게 참여하라/서울대병원노동조합은 다인병실 확보와 부당한 고액병실료 인하, 지정진료제(특진제) 폐지, 입원환자의 TV무료시청/ 무료주차제를 요구하며 파업을 진행하고 있다.
전국학생연대회의	서울대병원노동조합의 지부파업은 의료공공성 쟁취와 비정규직 문제, 그리고 노조탄압에 맞서 투쟁하고 있는 의료 사업장이다.

5) 보건의료노조 서울본부 7월 19일자 공문

전국불안정노동 철폐연대	서울대병원은 노동조합의 표준적이고 모범적인 진료를 위해 적정한 진료를 위한 인력충원과 비정규직 정규직화 요구를 수용해야 할 것이다.
건강세상네트워크	병원의공공성 강화와 인력확충을 통해 노사협상을 조속히 마무리 지어야 한다.
전국민주노동조합총연맹 서울지역본부	의료공공성 강화! 주5일 쟁취를 위한 파업은 정당하다.
전국생명보험노동조합 흥국생명지부, 녹십자생명지부	서울대병원노조의 파업을 적극 지지, 교섭은 회피하고 손배 가압류라니.
서울민중연대, 서부민중연대, 남부민중연대, 북부민중연대, 중부민중연대	의료의 공공성 강화, 온전한 주5일 쟁취를 위한 파업은 정당하다.
전국공무원노동조합 서울지역본부	의료공공성 강화를 위한 서울대병원지부의 파업을 지지한다.
한국기독청년학생연합회	서울대병원은 투쟁하고 있는 노동자들과의 협상에 성실히 나서라

2004년 7월 16일, 건강권실현을 위한 보건의료단체연합, 건강사회를 위한 약사회, 건강사회를 위한 치과의사회, 노동건강연대, 인도주의실천의사협의회, 참의료실현청년한의사회 등의 17개 단체들이 공동기자회견을 하면서 "서울대병원은 손배가압류 철회와 노조탄압을 중단하고, 환자들의 불편을 최소화하기 위한 교섭에 성실히 임하라. 교육부는 서울대병원의 공공병원으로서의 위상을 찾기 위한 노동자들의 요구를 수용하고 서울대병원에 대한 지도감독 의무를 제대로 수행하라. 노무현 정부는 서울대병원 노동자들에 대한 탄압을 중단하라."고 요구했다. 이들 단체의 지원과 지지는 서울대병원지부

가 환자들을 위한 요구를 갖고 투쟁하고 있기 때문에 가능했던 것이다. 환자들을 위한 주요 요구는 선택진료제 폐지, 환자 개인 정보 보호를 위해 IR(전자의무기록) 도입 반대, 주차시설과 TV시청 무료화 등이었다. 아울러 노동조건 후퇴 없는 주5일제, 인력충원, 비정규직의 정규직화도 서울대병원지부 입장에서는 노동자로서의 정당한 요구임과 동시에 공공병원으로서의 서울대병원 입장에서는 환자들에게 지정진료를 제공하기 위한 필수적 사항들인 것이다.

지치지 않고 투쟁한 결과 서울대병원지부는 7월 23일 44일만에 잠정합의안을 이끌어냈고 8월 9일 조인식을 가졌다.

서울대병원 노동자들이 44일간의 투쟁으로 이루어 낸 잠정합의안은 의료공공성 강화 요구가 반영된 것으로 평가되었다. 그 내용을 보면 "우선, 병원은 노조가 줄기차게 요구해온 단기병상제와 2인 병실료 인하에 관한 논의를 연내 시작하기로 했다. 단기병상제는 2주 이상 장기입원 환자의 경우 다인병실로 입원할 수 없는 제도로 노조는 공공의료를 실현해야할 서울대병원이 다인병실 이용을 제한해서는 안 된다고 주장해왔다. 다음, 2006년 6월부터 병실의 TV 이용료를 받지 않기로 했으며 환자의 개인정보 보호를 위해 불가피한 경우를 제외하고 당사자의 허락 없이 개인정보를 사용할 수 없도록 합의했다. 주5일제 실시로 인한 인력 충원도 연말까지 늘리기로 합의점을 찾았다. 본원 간호사의 경우 104명이 늘어 종전보다 14% 증가한 것이어서 다른 병원보다 만족스런 결과라는 평가다.(D 7시~3시30분/ E 3시~11시/ N 10시30분~다음 7시30분 각각의 근무에 대해 근무시간 8시간, 휴게시간 30분을 인정합의) 인력 충원을 할 때 급식과 · 진단방사선과-진단검사과 비정규직의 정규직화에 합의함으로써 비정규직 처우 개선 문제에 대해서도 의미 있는 합의를 이뤄냈다." 그리고 "생리휴가 및 연월차 보존수당, 간호부 근무시간 개악저지, 치과병원 고용안정 및 노조사무실 제공 합의, 파업 관련 손배가압류 · 형사고발 철회"에 합의하여 자칫 저하될 위험에 있던 단체협약을 지켜냈다.

3) 보건의료노조 산별협약을 둘러싼 논쟁

한편, 산별협약에 대한 문제제기는 서울대병원지부와 잇단 국립대병원지부의 보건의료노조 탈퇴, 새로운 보건의료부문 산별노조 건설운동의 전개로 이어지며 1년 이상 지속되었다. 그 속에서 민주노조 진영은 산별노조에 대한 논의를 한 단계 구체적으로 진행하는 계기를 맞았다. 그 쟁점은 세 가지로 나눠 볼 수 있다. 산별협약은 기준협약인가 통일협약인가, 산별노조의 민주적 조직운영을 둘러싼 대립과 조직분리, 공공연맹 가입을 계기로 나타난 산별연맹 간의 조직 구획의 문제였다. 우선 산별협약에 대한 쟁점부터 살펴보자.

7월 29일 보건의료노조 산별협약 잠정합의안에 대한 보건의료노조 조합원 찬반투표 결과는 총 조합원수 3만 5,687명의 조합원 중에서 2만 6,899명(75.4%)이 투표에 참여하여, 2만 1,139명(78.6%)이 찬성하였고, 5,595명(20.8%)이 반대하였다. 무효표는 165명이었다. 하지만 서울대병원지부 조합원 투표의 결과는 정반대였다. 조합원수 2,349명 중에서 1,500명(63.6%)이 투표에 참여하여, 282명(18.8%)이 찬성하였고, 1,199명(79.9%)이 반대하였다. 19명(1.3%)은 무효였다. 이렇게 상반된 결과가 나온 이유는 무엇일까.

양보교섭이라는 비판

보건의료노조는 중앙교섭과 지부교섭을 동시에 진행시켜 중앙교섭에 고도의 집중성을 부여했다. 그러나 결과는 전 범주에 걸쳐 낮은 수준의 합의가 이루어진 타결이었으며, 어려운 조직 환경에 있는 지부들과 독자적인 조직력과 교섭력을 지닌 지부들 사이에서 이 협약의 수용을 둘러싸고 심한 입장의 차이가 나타날 수밖에 없었다.

보건의료노조의 교섭에 대해 양보교섭이라는 평가가 제기되었고 이는 보건의료노조 중앙위에서 거론되었다. 그 내용은 "①임금 타결률이 낮고 보건수당의 신규적용 제외 등 일부 타결내용이 불만스럽다. ②일부 타결내용이 구체적이지 못하고, 당장 현실화되지 못하는 내용이다. ③무노동무임금 해결과제가 지부에 맡겨졌다."는 것이었다.[6]

문제가 된 보건의료노조의 산별교섭 합의 내용을 구체적으로 정리하면, 아래의 표와 같다.

합의 영역	합의 내용
임금	1) 2004년 주 5일제 시행대상 병원 및 사업장은 주5일제 시행에 대한 병원의 비용부담 증가 등을 고려하여 기본급 2%를 인상한다. 2) 2004년 주5일제 시행대상이 아닌 병원 및 사업장은 기본급 5%를 인상한다. 3) 기 인상해서 지급하고 있는 병원 및 사업장은 기 인상액을 인정한다.
생리휴가	1) 사용자는 여성노동자에게 월 1 회의 무급생리휴가를 부여한다. 단 사용시 월 기본급의 30분의 1 일에 해당하는 금액을 공제한다. 2) 시행일 현재 재직중인 여성노동자에게는 월 기본급의 30분의 1에 해당하는 금액을 확정하여 월정액의 보건수당(통상임금에서 제외)으로 지급한다.

6)전국보건의료산업노동조합, 2004년 제3차 중앙위원회, 2004.9.15. 64쪽

연월차휴가 및 연차수당	1) 기존 근로기준법에 따른 월차휴가와 연차휴가를 폐지하고 개정된 근로기준법을 적용한다. 2) 시행일 현재 재직중인 직원에 대하여 기존 연월차 산정일수에서 개정된 근로기준법에 의한 연차 산정일수를 뺀 일수를 임금으로 보전하여, 시행일 기준으로 금액을 확정하여 수당(통상임금 제외)으로 보전한다.

보건의료노조의 2004년 협약에는 양보교섭으로 평가될 소지가 있는 또 다른 조항들이 발견된다. 최저임금, 휴가 축소에 대한 보상, 직접고용/간접고용 비정규직의 구분 등이 그러하며, 핵심 교섭사항이었던 근로시간 단축에 있어서도 사실상 이미 법률에 의해 보장된, 혹은 기존 지부 단협에 의해 확보된 수준 혹은 그 이하로 합의하면서 이를 이유로 낮은 임금인상률에 합의한 것 등이 그것이다.

노동부의 2004년 연구와 이주희의 2006년 연구 결과는 대형병원 2%, 중소병원 5%의 임금인상률 합의가 산별교섭을 통해 대/중소기업간 임금격차 완화라는 긍정적 효과를 가져올 수 있다고 적극적으로 평가하고, 이에 반발한 서울대병원 등의 문제제기를 대기업이기주의로 비판하는 경향을 보인다. 그러나 이 교섭에서 차등임금인상을 통한 임금격차 완화는 애초부터 노조의 교섭 목표가 아니었다. 규모별 임금격차 완화는 한국 노사관계의 가장 큰 쟁점의 하나지만, 대기업의 임금양보 혹은 규모별 차등 인상을 통해 격차를 완화해야 한다는 합의는 없으며, 이는 다른 나라의 경우도 마찬가지이다. 냉정하게 평가하면 2%든 5%든 모두 낮은 수준의 인상률이며(애초 요구는 10.7%였음), 이는 보건의료노조가 이미 법으로 정해져 있는 노동시간 단축 문제를 사용자와 교섭하면서 '병원의 어려운 경영상황' 을 감안하여 양보한 것이다.

이 산별협약에 대해서는 이후 토론 과정에서 극단적으로 다른 평가들이 나왔다. 보건의료노조 소속 조직들 사이에서도 평가는 극단적으로 엇갈렸다. 보건의료노조의 공식 평가는 "지역과 특성, 규모와 조건의 편차를 뛰어 넘어, 조직이 어려운 지부를 보호하는 진정한 의미의 산별합의안이다."라는 것이었다. 그러나 국립대병원 간부 모임에서의 토론은 "1~9장은 지부에서 쓸데없는 반쪽짜리에 불과: 환자권리장전은 결국 병원노동자들의 노동이 녹아나야 하는 것이고, 직접고용/간접고용 비정규직을 나눈 문제와 단계적 정규직화는 선언적인 것에 불과하다."고 평가하였다.

교섭전략이 빚은 문제점도 평가되었다. 산별총파업의 첫 교섭에서 보건의료노조는 산별중앙교섭과 지부교섭의 병행 전략을 선택했다. 중앙교섭 타결 이후 지부교섭에 들어간다고 하는 금속노조의 전략과 대비되는 이 전략은 한편으로는 첫 산별 중앙교섭에서 최대한의 성과를 거두려는 노조의 의욕을 반영하는 것이기도 했고, 중앙교섭과 지부교섭이 시기적으로 분리되는 경우 지부 조직들이 중앙교섭보다는 지부교섭에 더 비중을 둠으로써 본조가 첫 중앙교섭에서 필요로 했던 대중적 동원력과 투쟁력이 저하될 수 있다는 우려의 반영이기도 했다. 동시에 이는 교섭비용 절감을 원하는 사용자들의 우려를 불식시키기 위한 것이기도 했다. 그러나 결과적으로 이 전략은 산별 중앙교섭의 쟁점과 의제, 그리고 지부 (보충)교섭의 쟁점과 의제가 선명하게 구분되지 않고 뒤얽히는 현상을 초래하였으며, 중앙교섭 타결 이후 지부 파업의 합법성 문제가 불거진 데에서 나타났듯이 조직갈등의 한 원인이 된 측면이 있다. 단순한 절차상의 실수일 수도 있지만, 중앙교섭에 최대한의 조직력을 집중시킨다는 전략으로 인해 지부교섭과 지부 파업 문제를 감안한 지부 조정신청이 이루어지지 않았고, 이 때문에 중앙교섭 타결 이후 계속된 서울대병원의 지부 파업이 불법파업으로 규정되어 탄압의 대상이 되었다.

산별협약은 기준협약인가 통일협약인가

산별협약 10장 2조에 대한 서울대병원지부의 입장은 "첫째, 산별노조는 사회적 최저 노동조건을 상향적으로 개선하는 것을 목표로 하는데, 10장 2조는 노동조건의 상향적 통일의 원칙이 아닌 하향적 통일을 강요하면서, 노동자 간 단결 대신 분열을 유발한다. 현재 사업장별 노동조건의 격차는 상당하며 이는 점진적 상향적으로 통일되어 나가야 한다. 안 그러면 노동조건이 좋은 사업장과 그렇지 않은 사업장의 갈등이 생기고 투쟁력이 있는 사업장 조합원일수록 산별투쟁에 소극적일 가능성이 높아진다. 그러면 교섭이 투쟁력을 바탕으로 이루어지기보다는 산별노조 상층의 정치력과 교섭력에 의존하는 노사관행이 정착될 수밖에 없다. 둘째, 상층중심의 관료화된 산별노조를 만드는 수단이 될 가능성이 높다. 산별노조의 위험성 중 하나가 일부 상층간부들이 사용자들 및 정부와 적당히 밀착하여 조합원들의 건강한 문제제기와 현장 투쟁을 외면하는 것이다. 서울대병원지부 투쟁과정에도 이런 우려가 드러났다. 서울대병원 측은 10장 2조를 이유로 일체의 교섭을 거부하며, 지부에서 진행하는 파업이 불법이고, 보건의료노조 간부와 지부교섭을 하겠다고 했다. 이에 대해 보건의료노조 집행부는 분명한 답을 하지 않았다. 셋째, 10장 2조와 같은 조항이 근로조건 평준화나 산별협약으로 나아갈 수 있게 하는 것도 아니다. 단적으로 '임금인상률을 기본급 2%로 동일하게 적용한다.'는 것은 근로조건 평준화와는 거리가 먼 이야기다. 산별노조는 저임금 노동자의 임금수준을 높여내야지 대기업노동자의 임금을 낮추는데 그 목적이 있는 것이 아니라고 하였듯, 지부교섭을 통해 그 기준보다 상회할 수 있도록 길을 터야 한다."는 것이다. 때문에 서울대병원지부는 "산별합의 10장 2조의 문제점을 인정하고 내년에는 이를 삭제해야 한다."고 주장하였다. 그렇지 않으면 2005년 단체교섭에서 임금, 근로시간, 생리휴가, 연월차휴가 등 핵심 근로조건 개선이 어렵게 된다는 것이다. 다른 하나는 산별 잠정합의안 합의과정에 대해 공개하여야 한다는 점이다.

이에 대해 보건의료노조의 공식 입장은 산별협약 10장 2조의 폐기를 주장하는 서울대병원노동조합의 입장을 수용하지 못한다는 것이었다. 그 이유는 "첫째, 산별교섭 잠정합의과정은 지난 5월 18일 6차 투본회의에서 이미 결정하였고, 이후 잠정합의는 여기에 따른 조직적 절차를 모두 거쳐 결정된 것으로, 서울대병원지부의 요구는 조직적으로 인정하기 어렵다. 둘째, 산별교섭 잠정합의안 수용은 이미 되돌릴 수 없는 대세가 되고 있다. 따라서 현 시점에서 10장 2조 폐기 주장은 노사관계에 엄청난 혼란을 초래하면서 지부 투쟁을 원점으로 돌릴 수 있다. 셋째, 10장 2조는 갑자기 타결시점에서 나타나 노사 밀실합의한 것이 아니라, 기본협약과 주5일제 시행 방안을 논의하는 과정에서 이미 사측이 6월 11일 실무교섭에서 산별교섭이 지부교섭보다 우선한다는 조항을 제출하여 공방이 계속되었다. 넷째, 산별합의가 최저 기준을 정하는 기준협약이 되었다. 따라서 지부는 산별합의를 뛰어넘는 요구가 언제든지 가능하다는 주장은 일면 타당한 듯 보이나, 이는 올해 우리 보건의료노조가 산별교섭 초기 확정한 산별교섭 기조와는 차이가 있다. 보건의료노조는 이러한 입장의 정당성을 2000년의 투쟁, 즉 2000년 정기대대에서 의료공공성, 주5일제 등은 산별교섭에서만 다루고 지부교섭에서는 그에 따른 세부 요구를 다루는 것으로 결정한 바 있고, 그러한 산별교섭 방침은 산별교섭에서 주5일제, 임금 등의 최저기준을 만들고 지부교섭에서 추가 요구하는 형태가 아니고, 산별교섭 때 집중하여 전체 병원계가 동일하게 적용되는 주5일제 근무조건을 확보하자는 것이었기 때문에, 산별합의가 주5일제와 임금 관련한 지부 단체협약 조항에 우선한다는 산별합의 10장 2조는 주5일제 시행을 앞둔 교섭과 요구의 특수성을 반영한 것"이라고 주장하였다.

보건의료노조가 서울대병원지부의 문제제기에 대해 대응한 논리는 당시 노무현정부가 집권초기부터 줄기차게 주장한 대기업이기주의라는 이데올로기와 맞아떨어지면서 지부 조합원들을 공격하는 또 다른 무기로 작용했다. 노무현 정부는 마치 대기업 노동자들이 자신의 고용안정과 임금인상을 채우기 위해 비정규직 노동자들을 외면하는 이기심 가득한 노동자라고 도덕적으로 공격해왔는데, 당시 일간지 기사에 실린 보건의료노조 간부의 인터뷰는 서울대병원지부의 문제제기를 대기업이기주의로 매도하는 것으로 보였다.

> 이주호 정책국장은 "서울대병원은 보건의료노조에 속한 121개 지부 중 한 곳으로 이미 조합원 투표를 통해 합의된 사안에 대해 이런 반응을 보이는 것은 대형사업장의 이기주의일 뿐"이라고 비판했다. (한국일보 2004.8.2.)
>
> 보건의료노조는 "어렵게 얻어낸 산별합의를 무시하는 대형병원의 무책임한

태도"라며 강경대응 방침을 내비쳤다. …… 이주호 보건의료노조 정책국장은 "여건이 좋은 병원의 노조는 좀 양보하고 대신 노조의 단결력이 약하고 영세한 병원의 임금 등을 밀어올려 근로조건 격차를 줄이자는 게 산별교섭의 목적"이라고 밝혔다. (동아일보 2004.8.2.)

윤진호 교수(인하대 경제학과)는 "산별교섭이 노동자계급 전체의 이익이 아닌 개별노조 이기주의로 흐르는 것을 경계해야 한다"면서 "대형노조에서 경제적인 손해를 볼 수 있다고 해서 전체적인 산별교섭의 대의를 훼손하게 된다면 노동계가 그동안 쌓아온 도덕적 성과를 스스로 무너뜨리게 될 것"이라고 우려했다. (오마이뉴스 2004.8.4.)

이같은 보건의료노조 산별협약 10장 2조의 문제는 산별노조 건설운동을 전개하고 있었던 민주노조운동 진영의 문제로 떠올라 이를 둘러싼 논쟁이 2004년, 2005년의 주요 이슈였다.

2004년 보건의료노조 산별협의안 10장 2조의 문제점에 대한 토론(참세상)

서울대병원지부를 중심으로 전국의 민주노조운동 진영은 2004년 8월 28일, 보건의료노조 산별합의안 10장 2조의 문제점에 대한 전국토론회를 개최하였다. 보건의료노조 산별합의안 10장 2조의 문제점(황현섭 보건의료노조 대구경북지역본부장)에 대한 주발제문의 핵심내용은 이랬다. "①단체협약 개악의 길을 열어 주었다. ②지부 쟁의권을 원천적으로 봉쇄하였다."고 주장하면서, "왜 산별협약안은 기준협약안이어야 하는가?, 산별노조에서 공동협약안은 어떻게 가능한 것인가?" 등의 문제의식으로 본조의 입장을 비판하였다.

보건의료노조 산별협약 10장 2조에 대한 아래 조직들의 입장도 거의 유사한 문제의식을 담고 있었다. 물론 전체 운동진영의 정파 구조가 형성되어 있었다는 점을 고려하면, 보건의료노조의 입장을 옹호하는 진영은 독자적으로 의견을 제출하지 않았다.

> 산별노조의 단체협약이 오히려 현재의 권리상태를 하향시킬 수 있는 근거로 작용한다면 이는 심각한 문제라 아니할 수 없다는 것이 저희들의 판단입니다. 더불어 동지들의 문제의식이 조직 내 민주적 의사수렴 구조와 토론을 통해 노동운동의 발전을 가져올 수 있는 합리적 결론에 도달할 수 있기를 기대합니다. (2004.8.18. 민주노총 충북지역본부 상근자 일동)
>
> 산별노조가 노동자의 무기가 아니라 노동자 위에 군림하려는 관료화의 위험성을 유감없이 보여주는 보건의료노조 지도부에 대해 공식적으로 비판하며, 이에 대한 보건의료노조 지도부의 반성과 서울대병원지부 사태에 대한 올바른 해결을 요구한다. (2004.8.26. 성서공단노동조합)
>
> 산별협약은 임금구조의 통일, 최저 노동조건의 향상 및 고용안정, 사회공공성 강화 등의 방식으로 산별 내부 노동조건의 편차를 완화시키고, 장기적으로 동일노동 동일임금을 쟁취할 수 있는 토대를 마련하기 위한 기준으로 다듬어져야 한다. (2004.8.27. 한국발전산업노동조합)
>
> 개악된 근기법에 따라 단협을 개악시키려는 자본의 의도가 관철되었다. 상층중심의 관료화된 산별노조로 만드는 수단이 될 가능성 높으며 지부 현장투쟁의 족쇄로 작용하는 결과를 낳았다. (노동자의 힘)
>
> 산별합의안의 10장 2조는 명백히 민주노조운동의 원칙을 훼손하고 있다고 보아야 합니다. 먼저, 전국의 노동자들에게 칼날이 되어 돌아올 근로기준법의 개악을 인정하고 있다는 점에서 그러합니다. 다음으로는 전국의 수많은 비정

규직 동지들이 원청의 사용자성을 인정받기 위한 처절한 투쟁을 하고 있음에도 불구하고 간접고용 노동자의 사용자성을 부정하는 합의안은 전국의 수많은 비정규직 동지들을 배신하는 행위와 다르지 않습니다. (한국노동이론정책연구소)

4) 서울대병원지부의 보건의료노조 탈퇴

보건의료노조와 서울대병원지부의 논쟁은 조직분리라는 결과로 치달았다. 서울대병원지부는 산별협약 내용이 문제가 있음은 물론이고 소속 조직의 문제제기를 풀어가는 보건의료노조의 태도가 심각한 문제를 안고 있다고 반발하였다. 그동안 보건의료노조의 조직운영 방식이 비민주적이었다는 평가도 함께 제기한 것이다.

서울대병원지부는 10장 2조 폐기를 위해 보건의료노조 중앙 지도부와의 간담회, 토론회를 제안했고 중앙위원회, 대의원대회, 심지어는 민주노총 위원장과 사무총장까지 찾아다니며 10장 2조 문제를 해결해보고자 노력했다. 수개월이 지나도 문제는 해결되지 않았고 2005년 3월 31일 보건의료노조 대의원대회에서 10장 2조는 아무런 문제가 없고 2005년 산별교섭에서 10장 2조를 폐기하지 않고 오히려 산별협약 우선적용 기준을 강화하겠다고 결정하였다. 아래는 보건의료노조에서의 논의과정과 서울대병원지부장 징계까지 이어지는 조직의 파행을 정리한 것이다.

산별협약 10장 2조에 대한 보건의료노조 논의과정과 서울대병원지부장 징계과정

2004. 6. 22	전국 지부장회의에 서울대병원지부 조합원 20여 명이 산별 잠정합의안이 문제 있다고 제기하자 본조 사무처장과 서울본부 지부장들이 나가라고 하여 마찰
2004. 6. 26	시계탑 대기투쟁 중 공권력투입 우려 있어 본조, 본부에 연락했으나 지원투쟁 이루어지지 않음.
2004. 7. 1	노동부 과장 면담 '보건의료노조 윤영규 위원장이 산별 파업하고 나서 지부 파업 안 한다고 했다.' '산별합의 안에서 하던지 교섭으로 해라.'
2004. 7. 13	본조와 서울본부는 투쟁지원금과 생계비 대여 불가 방침 통보
2004. 7. 16	보건의료노조 중앙 및 서울본부와 지부 임원 간담회에서 위원장: "10장 2조에 대해서는 덮어두고 탄압에 대해서 어떻게 대응할지에 대해 논의하자. 마무리 집회 때, 조합원에게 인사하겠다." 위원장의 조합원 인사말 "10장 2조에 대해서는 입장의 차이가 있다. 탄압에 대해서는 대응하겠다." 조합원들이 질의하였으나 질의 받지 않음.
2004. 7. 17	보건의료노조-지부 간부 간담회(오후 8시~9시 20분): 제10장 2조에 대해 입장 변화 없음. 탄압에 대한 대응은 하겠다.
	서울 본부, 투쟁 지원금과 생계비 지원 요청 답변(공문): 10장 2조에 대해 투쟁하는 것은 조직적 결정을 위반한 투쟁이고 본조 명예를 훼손한 것으로 지원 불가능하고 서울대병원 지부는 사과하라는 입장 밝힘.
	보건의료노조 2004년 제6차 쟁대위 회의결과, 서울대병원지부에서 10장 2조와 관련하여 문제제기한 사항에 대해 재논의를 위한 번안 동의여부를 확인한 결과 전체 24명 중 찬성 3명으로 부결되어 '재논의하지 않는다.' 로 결정됨. (입장 표명을 하지 말자: 22명 중 4명 동의 / 10장 2조가 문제 있다: 22명 중 3명 동의 / 10장 2조가 문제 없다: 22명 중 13명 동의)
2004. 8. 4	보건의료노조 서울본부 집행위에서 서울대병원지부 징계 결의. (사유: 조직적 결정에 대해 문제제기의 방법과 명예훼손)
2004. 9. 3	보건의료노조 9월 2일 18차 중집회의: 서울본부와 부산본부가 결의하여 안건으로 올려 김애란 지부장의 징계결의(찬성 17, 반대 8, 기권 2)
2004. 9. 15	보건의료노조 중앙위원회: 10장 2조 관련한 조직의 명예훼손으로 김애란 지부장 징계 결정.

2004. 9. 22	보건의료노조 대의원대회 '산별합의안 10장 2조에 대한 문제제기'가 2004년 투쟁평가에 들어가야 한다고 요구했으나 다수결에 의해 부결. 10장 2조 폐기를 요구하는 지부들 퇴장함에 따라 대의원대회 성원미달로 유예
2004. 11. 9	보건의료노조 임시대의원대회에서 '산별합의안 10장 2조에 대한 문제제기가 투쟁평가에 들어가야 함'을 요구, 표결에 붙여 부결
2005. 3. 4	보건의료노조 중앙위원회: 김애란 전지부장 제명결정. (사유: 조직 명예훼손, 결의사항 위반)
2005. 3. 31	보건의료노조 대의원대회: 10장 2조는 아무 문제없고 2005년 산별교섭에서 10장 2조 폐기를 하지 않고 오히려 산별협약 우선적용 기준을 강화하겠다고 결정

산별노조의 문제해결 태도를 보면서 서울대병원지부 집행부는 통상적인 문제제기로는 보건의료노조의 변화가 불가능하다고 판단하였다. 그래서 보건의료노조가 산별협약 10장 2조에 대해 문제를 인정하고 차기년도 교섭에서 이를 해결하겠다는 공식 단위의 결정이 없는 한 보건의료노조를 탈퇴하자는 안을 지부 조합원 투표로 결정하기로 했다.

> 우리는 무작정 산별노조 탈퇴를 원치 않습니다. 서울대병원지부는 다른 어떤 지부보다도 산별 건설을 위해 노력해 왔기 때문입니다. 그러나 보건의료노조가 10장 2조와 관련한 문제를 솔직히 시인하고 이를 고치려는 노력을 보이지 않는 한, 보건의료노조의 미래는 없습니다. 거기에는 조합원의 민주주의 대신 노동조합의 권력을 쥔 상층 몇 간부들의 전횡만 있을 따름입니다.
> 만일 우리 지부를 비롯한 건강하고 양식 있는 지부들의 문제제기에도 불구하고 보건의료노조가 이를 받아들이지 않겠다면 우리는 더 이상 이 조직에 있을 이유가 없습니다. 어렵지만 우리는 새로운 길을 가야 합니다. 이것이 이번

조건부 탈퇴를 조합원 투표에 회부하는 이유입니다. 물론 서울대병원지부가 보건의료노조를 탈퇴하더라도 기업별노조로 회귀해서는 안 되고 민주노조로서 산별노조를 만들어 나가는데 앞장서야 할 것입니다. 본조의 비협조에도 불구하고 44일간의 투쟁에서 보여준 많은 단위의 지원과 연대가 있기에 그것은 가능합니다. 정당하고 올바른 노동조합운동의 원칙을 바로 세우는 올바른 길에 함께 하는 세력이 있음을 우리는 알고 있기 때문입니다. 시간이 걸리고 힘들어도 정의와 민주노조의 원칙을 선택하신 서울대병원지부 조합원 동지들의 투쟁은 승리했습니다.

전국보건의료산업노동조합 서울대병원지부는 2004년 7월 27일에 아래의 안건(제1항~제4항)에 대한 일괄 찬반 여부를 조합원 투표에 상정하였다.

1. 전국보건의료산업노동조합 서울대병원지부(이하 서울대병원지부)는 전국보건의료산업노동조합(이하 보건의료노조)이 2004년 6월 22일 잠정합의한 산별교섭 노사합의서 제10장 (협약의 효력) 2조와 관련하여, 보건의료노조가 이 조항의 문제점을 인정하고 공식 의결기관을 통해 차기년도 단체교섭에서 이를 삭제키로 결의하지 않는 한, 보건의료노조를 탈퇴하고 독립된 노동조합으로 조직형태를 변경한다.
2. 단 조직형태변경의 효력은 2조의 내용에 대한 보건의료노조의 삭제결의가 없고 서울대병원지부가 이를 최종적으로 확인한 후, 조직형태변경 신청서를 해당 기관에 제출하여 독립된 노동조합의 자격을 취득하는 시점에서 발생한다.
3. 조직형태변경과 동시에 전국보건의료산업노동조합 서울대병원지부 조합원은 독립된 노동조합의 조합원으로 일괄 승계되며, 보건의료노조 위원장 및 서울대병원지부장이 서울대병원 사용자를 상대로 체결한 단체협약 역시 독립된 노동조합이 일괄 승계한다.
4. 독립된 노동조합의 명칭은 산별노조로의 지향을 위해 서울대병원지부노동

조합으로 한다. 조직형태변경과 동시에 기존 서울대병원지부 규정은 규약으로 지부 대의원은 독립된 노동조합대의원으로 지부장과 임원은 독립된 노동조합의 위원장과 임원으로 각각 명칭 변경하여 승계된다. 기존 서울대병원지부의 각종 규정 및 규정의 각 조항 역시 이에 준하여 자동 변경된다.

핵심적인 내용은 보건의료노조를 조건부로 탈퇴하는 안건이었다. 서울대병원 조합원들은 이 안건에 대대적으로 찬성하였다. 10장 2조 폐기를 위해 조건부 산별노조 탈퇴를 조합원 89.9%가 결의하기에 이르렀다.

한편, 보건의료노조는 '산별노조 내부에서의 민주집중제와 지도부 중심의 단결' 이라는 입장을 가지고 서울대병원 김애란 지부장을 징계하기로 하였다. 서울대병원지부는 김애란 지부장의 징계를 막기 위해 투쟁하였다. 서울대병원지부는 다음과 같은 입장을 제시하였다.

보건의료노조 중앙집행위와 징계 요청한 3개 본부는 참된 사실을 징계사유로 들면서 억지주장을 펼치고 있다. 노동조합의 자유로운 활동인 공개적인 유인물 배포를 징계사유로 삼는 것은 보건의료노조가 얼마나 폐쇄적이고 억압적인가를 단적으로 보여주는 것에 지나지 않는다. 보건의료노조 서울본부는 규약 제8조를 임의 해석하여, 서울대병원지부 조합원이 찬성하여 가결된 '조건부 탈퇴' 찬반투표마저 김애란 지부장이 조합원들을 선동해 규약을 위반한 것으로 규정하고 이를 징계사유로 삼고 있다. 보건의료노조 부산본부가 주장하는 징계사유는 모든 지부와 조합원들에겐 나가서 입 조심하지 않으면 모두 징계 대상이 된다는 것과 다를 바 없다. 분명 10장 2조는 지부 투쟁을 무력화시키고 노동자의 분열을 조장한다. 44일 파업투쟁의 선봉에 섰던 서울대병원 지부장의 징계 결정은 부당하다.

서울대병원지부는 2004년 9월 21일의 민주노총 대의원대회와 9월

22일의 보건의료노조 대의원대회에 '서울대병원지부장에 대한 징계 철회 및 서울대병원지부 운영규정 승인 권고 건'을 안건으로 상정시켜 줄 것을 요청하기도 하였다. 서울대병원 지부는 민주노조운동의 기본과 원칙이 흔들리고 있고, 지부장 징계는 민주노조의 기본과 원칙을 부정하는 것이라고 주장하였다.

그러나 보건의료노조는 서울대병원 김애란 지부장에 대한 징계결의서를 채택하였다. "2004년 김애란 서울대병원지부장은 보건의료노조의 2004년 산별교섭 합의안에 대한 조직의 공식결정사항을 공식적으로 거부하고 이를 대내외적으로 공표하여 조직의 명예를 훼손하였고 잠정합의안이 조합원의 찬반투표를 통해 가결되었음에도 불구하고 일부 조항의 삭제를 요구하며 조건부 산별탈퇴를 결의하는 등 조직질서를 문란하게 하는 것은 규약 제62조 (징계) 1항 1호와 3호, 상벌규정 제7조 1항, 2항에 해당된다. 지난 중앙위(2004.9.15)에서 징계사안임을 인정하나 징계수위 결정을 유보하면서 조건부 탈퇴가 철회되고 일련의 과정에 대한 조직적인 사과를 권고하고 그에 따라 징계수위를 결정하기로 하였으나, 권고사항은 전혀 이루어지지 않았다. 이번 중앙위(2005.3.4)에서도 징계수위를 제명으로 확정하면서 재차 조건부 탈퇴 철회와 조직적 사과를 권고하고, 권고사항이 이루어질 경우, 경징계로 처리하기로 하였다."

보건의료노조의 '징계'에 맞서 투쟁하는 김애란 지부장

산별협약으로부터 시작된 갈등이 조직탈퇴로 이어

진 것은 보건의료노조의 비민주적 조직운영이 조합원들의 불신을 쌓아왔던 데서도 기인한다. 조직탈퇴에 대처했던 보건의료노조의 태도에서도 비민주성이 보였는데, 이에 대해 서울대병원지부의 간부는 "보건의료노조는 서울대병원지부 문제를 원만하게 해결하겠다는 의지가 없었다."고 이야기했다.

보건이 민주노총과 다른 조직, 단체, 전문가들한테 계속 흑색선전을 했어요. 서울대병원이 고임금인데 이번에 임금에 불만을 가지고 임금 인상을 더 하기 위해서 제10장 2조를 핑계로 헤시 탈퇴를 한 조직이라고 선전을 한 거죠. 그리고 산별에 대해서 반기를 든 거다 이렇게 얘기하면서 민주노총 안에 있게 하면 안 된다고 했고. 저한테도 그랬어요. 탈퇴하는 것도 좋다, 대신 한국노총으로 가면 더 이상 문제 삼지 않겠다고요. 그들의 그림에 맞추려면, 한국노총에 가거나 아니면 기업별노조로 남아 있어야 되는 거죠. 하지만 서울대병원뿐 아니라 탈퇴한 다른 사업장들이 같이 결의한 게 기업별로 돌아가지 않는다, 민주노조 활동을 지속 발전시킨다는 거였거든요. 그러면서 활동을 산별적으로 했고 재정도, 사업도, 조직구조도 병노협, 의료연대 이름으로 산별노조로 했어요. 흑색선전을 해 놓은 데를 다니면서 우리가 할 수 있는 만큼 최선을 다한 거죠. (구술자 R)

보건의료노조는 운영하는 방식도 문제였고 개인에 대한 인신공격을 심하게 했어요. 44일 파업을 하고 나서 제가 지부장이 됐어요. 마음 같아서는 당장 탈퇴하고 싶었지만, 어쨌든 보건의료노조 안에서 우리가 하고 싶은 말을 다 해보자, 그러고 나서 탈퇴를 하든지 아니면 그 안에서 조직운영방식, 사람들을 바꿔 가든지 하자고 해서, 밀실 합의했던 부분을 고쳐보겠다고, 1년 동안 토론회도 하고, 농성도 해보고, 울어보기도 하고, 보건의료노조 위원장도 찾아가고, 민주노총 위원장도 찾아가고,

우리가 할 수 있는 것을 다 했던 거 같아요. 그리고 탈퇴하고 나서도 그럼 어디로 들어 갈 것인가 논의했고 간부들이 다 동의해서 공공연맹에 가입하려 했었던 거고요. 탈퇴 전에 엄청난 노력을 했어요. 엄청난 싸움이 된 거죠. 우리가 공공연맹으로 가면 안 된다, 탈퇴는 무효다, 라고 보건의료노조가 얘기하고, 우리는 탈퇴는 정당하다고 주장하고. 탈퇴가 왜 정당한지를 민주노총 중앙집행위에서도 논쟁했는데 의견이 나뉘더라고요. 저는 이석행 위원장을 찾아갔는데, 처음엔 안 만나 주셨어요. 약속해놓고 파기하고, 안 만나 주고 없다 그러고. 민주노총 입장은 '니네들 하는 거는 탈퇴가 아니다. 그렇기 때문에 너희는 보건의료노조다' 라는 거였구요. 보건은 민주노총 입장도 그러니 징계를 내려야겠다라고 했고, 왜 안 되는지와 관련해서 간담회를 세 번이나 열었어요. (구술자 E)

보건의료노조는 서울대병원지부의 산별 탈퇴에 대해 다음과 같은 공식적 입장으로 압박하였다. "서울대병원지부는 보건의료노조를 탈퇴하고 상급단체를 공공연맹으로 하기로 대의원대회에서 결정하였다. 이것은 산별 탈퇴에 이어 또 한 번의 반(反) 산별적 결정으로서, 산별노조운동의 발전방향을 부정하고 민주노조운동을 교란시키는 중대한 도발 행위이다. 민주노총은 산업별 업종별 조직을 기본 가맹단위로 하고 있다. 병원 의원 보건소 등 보건의료부문에 종사하는 노동자들로 구성된 노동조합조직은 당연히 보건의료노조에 가입하는 것이 조직운동의 기본이며 상식이다. 더군다나 보건의료노조는 기업별노조가 아니라 산별노조로서 보건의료산업에 종사하는 모든 노동자, 이를테면 정규직 노동자들은 물론이고 병원에서 일하는 청소 식당 수위 등 용역업체에 소속된 간접고용 비정규직 노동자와 특수고용노동자 실업자 예비보건의료노동자까지도 조직대상으로 포괄하고 있다. 그럼에도 불구하고 서울대병원지부가 보건의료노조를 탈퇴하고 공공연맹에 가입하겠다는 것은 민주노조운동의 조직편재 방침에 맞지 않을 뿐만 아니라, 민주노총 가맹 조직 내부에 심각한 조직적 마찰과 갈등을 불러일으키게 될 것이다."(보건의료노조, 2005.4.6.)

보건의료노조가 서울대병원지부장을 징계하고 조직 분리 상황까지 치달았던 사건에 대해 선배들은 어떻게 생각했을까. 서울대병원노동조합을 만들고 상급조직 건설과 활동에 헌신을 다했던 선배들은 서울대병원노동조합이 병원노동자운동에서 차지하는 위치를 폄하하는 현실이 안타까웠다.

중앙에서 결정했는데 왜 이렇게 법석을 떠느냐. 이런 걸 사용자가 제기하는 건 이해할 수 있지만 산별중앙에서 얘기하는 건 이해할 수 없어요. 오히려 사용자보다 훨씬 더 강경하게. 서울대병원을 이기적인 집단으로 몰고. 제가 알고 있는 우리 조합이나 특히 우리 조합간부와 조합원들은 아직까지 순수한 명맥을 유지하고 있다고 보거든요. 그런 문제제기가 서울대병원의 이기적인 권리를 쟁취하기 위한 걸로 절대 보이지 않았고, 산별 초반이니 문제제기를 유연하게 받아들이면서 적응해야 한다고 보거든요. 병원들 내부 격차도 사실 있는 거니까 진지하게 고민하면서. 근데 서울대병원노동조합을 그렇게 매도하고 전체 다른 노동형제들한테도 안 좋은 이미지를 심어주니 너무 화가 나고 많이 속상했죠. 문구 핑계로 법이나 규칙을 핑계로 대면서 맘에 안 드는 것들을 잘라내기 위한, 이제 서울대병원노조 없어도 충분히 갈 수 있으니까 너희가 얼마나 버티나 보자, 그런 거 아닌가 싶더라고요. (구술자 D)

서울대병원지부는 2005년 4월 1일 보건의료노조를 탈퇴, 공공연맹에 가맹하였다.

노조가 보건의료노조를 탈퇴하면서 가장 고민했던 지점은 기업별 노조로 다시 돌아가서는 안 된다는 점이었다. 산별노조 지향성을 잃지 않기 위해 명칭을 '서울대병원지부노동조합' 으로 결정하면서 의지를 굳건히 했다. 그리고 공공연맹 가맹을 추진하였다. 하지만 그 과정도 순탄치 않았다. 보건의료노조는 서울대병원지부의 탈퇴는 불법이라며 인정하려 하지 않았고, 서울대병원노동조합의 가입을 승인한 공공연맹이 '정파적' 산별운동을 하고 있다며 문제제기를 했다.

보건의료노조의 주장은 이렇다. "복수노조 시대를 앞두고 조직관계를 둘러싼 갈등의 전주곡"이므로 "이번 사태를 계기로 민주노총 차원에서 조직 상호간의 분명한 조정과 조직운동원칙이 세워져야 한다."고 했다. 승인의 문제점에 대해 "첫째, 조직의 자주성을 완전 무시한 것으로 조직 상호간 신의에 대한 심각한 도전이자 훼손이다. 서울대병원지부의 문제는 전적으로 조직 내부의 문제다. 둘째, 우리 스스로가 만든 규약에 대한 위반이자 산별운동에 대한 원심력 확대다. 그동안 만들어온 모든 산별 규약은 개별탈퇴만 인정하지 집단조직탈퇴를 인정하지 않고 있다. 셋째, 공공연맹의 서울대병원지부 가입승인은 일회적 사건으로 그치지 않고 앞으로 많은 파장을 몰고 올 것이다. 산별운동의 기본 구획은 원칙없이 일부 지도부의 정파적 이해관계에 따라 널뛰기를 할 것이다."

이에 대해 공공연맹이 반론을 제기했다. 우선 "공공연맹은 서울대병원지부의 가맹 신청에 대해 일단 논란의 당사자인 보건의료노조 및 서울대병원지부노조가 자체적으로 이 문제를 해결할 수 있는지 확인 후 입장을 정하기로 하고 양자의 관계 복원을 위한 노력에 힘을 기울였다"며 '정파적', '조직나눠먹기' 식이라며 사실 자체를 왜곡하지 말라고 했다. 쟁점에 대한 공공연맹의 견해는 이렇다.

"산별노조에서 집단탈퇴가 인정되지 말아야 한다는 점은 원칙적으로 동의하나 이 주장은 산별노조 건설운동에 있어서 필요충분조건이 될 수는 없다. 또한 보건의료노조의 산별규약이 조직형태 변경에 대해서는 규정하고 있지도 않으며 다른 병원조직이 조직형태 변경을 통해 분리되었을 때와는 다른 태도를 취하고 있다는 점에서 납득하기 어렵다. 무엇보다 중요한 것은 이러한 원칙을 조합원들의 단결권, 상급단체 선택권을 부정하는 논거로 쓰면서 서울대병원지부 조합원들이 건강한 산별노조운동, 조직민주주의에 대한 고민 속에 한 결정을 '정파적 시각' 으로 바라보아서는 안 된다."

이러한 논란을 접은 것은 조합원들의 선택이었다. 조합원들은 공공연맹 가입을 결정했다. 서울대병원노동조합 조합원들은 자신들이 노조를 처음 만들었을 때처럼 노조는 노동자의 권리를 지켜낼 조직적 무기이자, 노동자의 의견이 토론되고 수렴되는 민주적 운영원리를 가져야 한다는 원칙을 선택한 것이다. 집단조직탈퇴가 법적으로 맞냐 아니냐, 병원 노동자들이 공공연맹에 가입하는 것이 민주노조운동의 조직재편 방침에 어긋나냐 아니냐를 떠나서 조합원들은 건강하고 연대와 투쟁을 담보할 수 있는 조직을 향해 나간 것이다. 그것이 바로 산별노조운동의 원칙임을 보여준 것이다.

04

비정규직 철폐와 노동자 단결을 위한 도약 (2005~2009)

1 산업노조 조직 체계와 운영

1) 서울지역지부 구성과 활동

서울대병원노동조합은 2005년 보건의료노조를 탈퇴하고 서울대병원지부노동조합으로 새로운 산업노조를 만들기 위한 활동을 하였다. 이 시기 지부노동조합 위원장으로 김진경, 부위원장으로 김애란·현정희·이용한·이향춘·윤태석·이승아, 사무국장 오은영이 활동하였다. 보건의료노조 탈퇴 과정 속에서 조직력이 다소 약해지기도 하였으나 건강하고 미래지향적인 산별노조 건설을 향한 토론과 실천으로 조직을 재정비하였다.

2006년 9월 의료연대노조가 출범하고 서울대병원지부는 2007년 서울지역지부로 재편되었다. 2007년부터 서울지역지부장을 김애란이 맡고 서울대병원분회장을 김진경이 맡았다. 2008년에는 오은영이 분회장을 담당했다. 부분회장 김혜정·라옥란·신은영·윤태석 · 이용한, 사무장 오은영이 활동하였고 이향춘 · 이미숙이 2007년 하반기부터 부분회장을 맡았다. 2009년에는 지부장 김애란, 분회장 오은영, 부분회장 김혜정 · 신은영 · 윤태석 · 이향춘 · 최은영 · 함석원, 사무장 이미숙이 선출되어 활동하였다. 2010년에 이승아가 분회장, 라옥란과 안세영이 부분회장 역할을 담당하였다.

의료연대노조 서울지역지부는 서울대병원분회, 간병분회, 식당분회, 민들레분회, 성원개발분회, 청구성심병원분회, 음주문화센터분회로 구성되었다. 지부가 일상활동을 기획하고 분회가 그 집행에 함께하면서 조직강화사업을 중점에 두고 활동하는 구조로 재편한 것이다.

간부와 조합원 교육, 조합원 행사 등 일상활동을 함께하였고 구체적인 투쟁 요구는 다르더라도 임단협 타결을 함께하려고 노력하는 등 원하청공동투쟁을 벌였다. 서울대병원분회의 인력과 재정을 지역사업에 투여하여 미가입, 미조직노동자 조직사업을 진행하였다. 전임인력이 지부로 집중되다 보니 서울대병원분회 운영에 어려움이 따르기도 하였고 지부와 분회 역할의 중복과 공동화 문제 등이 발생하기도 하였다.

2) 조직력

서울대병원 노동자들은 노동조합운동의 다양한 조직형태를 경험하였다. 역사적으로 노동조합의 조직체계가 기업별노조, 보건의료노조, 의료연대, 그리고 공공서비스노조로 재편되어 왔다. 이 과정에서 노동조합의 조직력이 강할 때도 있었고, 약할 때도 있었다. 조직력의 실질적인 기반이라고 할 수 있는 소모임, 현장조직 등의 관점에서 볼 때 노동조합 설립 초기인 1990년대 초반까지 조직력이 강했고, 그 이후부터는 점진적으로 약화되어 왔다. 특히 병원의 구조조정정책이 본격화되고 난 이후 외양적으로 보이는 것과 달리 서울대병원노동조합의 조직력은 상당히 약화되었다.

구조조정 시기는 바깥에서 볼 때는 제일 화려했지만 속으로는 망가진 시기였다고 생각해요. 노개투 총파업 때는 초기에는 집행부도 못 꾸리고 어려웠지만, 오히려 총파업에 들어가면서 조합원들이 대거 투쟁에 결합을 했고, 조합원들도 "야, 노

2009, 2010년 조합원 하루교육

동조합이 이제 힘이 있구나" 이렇게 느끼곤 했어요. 하지만 교육부에서 경영혁신, 2001년의 퇴직금 문제 등등의 구조조정 싸움이 전개되는 과정에서 노동현장이 상당히 약화되거나 망가졌다고 봅니다. (구술자 R)

조직력이 약화된 원인은 무엇일까. 간부들은 고용불안이 조합원들을 개별화하였고, 현장탄압에 대한 대응 부족과 산별노조 전환 과정에서 현장 체계 강화에 대한 고민을 실천하지 못한 데에 원인이 있다고 말한다.

지금은 현장조직이 거의 없다시피 한 상황인데, IMF 터지면서 결국은 문화 자체가 바뀌어 버린 거예요. 직장 잘리면 어쩌나 위기감이 들잖아요. 지금 이명박 정권도 마찬가지지만 무조건 해고 시켰잖아요. 그러면 노동자로서 살 길이 없다는 거예요. 그런 게 위기감으로 가장 크게 작용하고, 두 번째는 '아, 우리 병원도 망할 수 있다. 서울대병원도.' 물론, 거대 자본인 삼성이나 아산 병원이 10년을 넘어오면서 영향력이 세진 거죠. 초창기나 노개투 파업을 하던 때는, 사실 삼성이나 아산이 의료계에서는 사회적 영향력을 점점 얻고 있었지만 그래도 역시 서울대병원이다, 그런 게 지배적으로 있었거든요. IMF 끝나고 소위 중산층이 많이 파괴가 되면서 갈등이 점점 커졌고, 병원이라는 직종이 최고 지위를 가진 계층부터 최하층 일반 88만원 세대까지 공존하는 현실 속에서 선택을 어느 쪽에 하느냐죠. 아, 나도 이제 먹고 살아야지. 나 살기 바빠. 개별화되고 조직이 점점 무너졌다고 봐요. 병원 쪽에서는 끊임없이 주력 핵심 대오를 치고 들어온 거죠. 간호사 조직이 역시 제일 큰 타격을 받았어요. 그 조직이 병동 단위로 꾸려져 있고 각개 격파하기에 제일 좋거든요. 결국은 조합원이 가장 많았던 간호조직이 지금은 거의 없는 상태가 됐죠. (구술자 B)

서울대병원은 노동조합 활동이 활발하기는 했지만 서울대병원 자체가 갖고 있는 위상이 있어요. 공공병원이고, 국가중앙병원 같은 역할을 해왔는데 현장에 대한 탄압이 굉장히 심했고, 그거에 비해서 자체적으로 대응이 부족했던 측면도 있고요. 또 하나는, 개인적으로 산별노조가 되면서 그 영향도 있었다고 생각해요. 산별노조가 중앙 본조 기능이 강화되면서 현장에서의 집행력이나 활동력을 살아날 수 있는 체제가 같이 가지 못한 측면이 고민이 됐죠. 산별노조 폐해라고 단언할 수는 없지만, 본조 강화되는 것과 동시에 현장 체계 어떻게 하고, 현장 활동가, 현장위원 중요성을 이야기했지만 현실에서 준비하고 강화하는 노력은 일치되지 못했고, 현장에 대한 자본의 공세는 굉장히 심각해지는데 그것을 극복할만한 투쟁이 쉽지 않았던

거죠. 이는 본조의 어려움이자 한계였다고 개인적으로 고민하게 됐죠. (구술자 P)

특히 2004년 투쟁 이후 간호부 조직이 약화되기 시작하여 2006년 탈퇴 현상이 보이기 시작하더니 2007년 이후 조직적 탈퇴가 지속적으로 이뤄졌다. 연300~400명 정도의 신규입사자가 있지만 이들의 노조 가입이 원천적으로 차단되고 있으며 기존 가입자 탈퇴가 이어지고 있다.

2009년 8월 서울대병원분회 가입현황을 보면 총인원수 3,551명 중 가입대상자 수는 3,342명이고 이 중 가입자 수는 1,335명이다. 여성 조합원 수는 1,001명이다. 간호직 가입률이 낮은데 총인원 1,609명중 가입대상자 수는 1,511명이고 가입자는 295명이다. 그 중에 여성은 93명이다. 최고 2,200명이었던 조합원이 몇 년 사이에 1,300여명으로 줄었다.

간호부 조합원의 탈퇴 배경을 보면, 2004년에는 장기파업 후 현장 복귀에 따른 신변보호를 노동조합이 못 해준다는 실망감에서 일부 조합원이 탈퇴하였다. 자발적인 의사에 따른 것이다. 2006년 이후에는 병원의 계획적인 탈퇴공작이 진행되었고 이에 대해 노동조합이 적극적 대응을 하지 못하면서 조직률이 하락하였다. 병원에서 신규 간호사의 노동조합 입사를 저지한 것이 조직력 하락의 가장 큰 원인이었고 수간호사, 간호부관리자 등이 총동원되어 조합원에게 노동조합 탈퇴를 강요하는 데 무방비상태였다.

서울대병원분회는 현장조직 강화를 통한 조직력 복원을 과제로 안게 되었다.

2 비정규직 차별철폐투쟁과 조직화

1) 일상적 구조조정, 비정규직

비정규직으로 가득한 병원

노동시장 유연화 정책으로 추진되는 비정규직 노동은 노동자에게 임금삭감, 고용불안, 노동강도 강화, 조직력 약화, 숙련저해 등의 문제를 가져왔다. 그런데 의료산업에서의 비정규직 노동은 이보다 더욱 심각한 문제를 가져올 수 있다. 왜냐하면 생명을 다루는 진료를 지원하는 서비스의 성격상, 일반 비정규직 노동과는 또 다른 사회적 문제를 야기하게 된다. 예컨대 공장전기실의 전기사고는 생산의 정지로 그치지만, 병원의 전기사고는 수술중단으로 귀중한 생명을 잃을 수 있다. 거리의 청소부에 비해 병원의 청소부에게는 생명, 위생과 직결된 노동이 요구된다. 병원의 식당 노동자는 환자의 상태나 회복과 연계되어 음식을 만들어야 한다.

그렇지만 주요 국립대병원들은 높은 비율의 비정규직 노동자들을 고용하고 있다. 아래의 표에 해당하는 국립대병원들의 비정규직 노동자 비율은 평균 27.9%였다. 이 중에서 직접고용 비정규직 비율은 17.0%였고, 간접고용 비정규직 비율은 10.8%였다.

2004년, 서울대병원은 공공병원답게 제자리를 찾아라!

그러나 2003년 현재, 전북대병원, 충남대병원, 그리고 서울대병원이 정규직(현원) 대비 30% 이상의 비정규직 노동자들을 고용하고 있다. 공익근무요원이나 자원봉사자들까지 포함한다면, 그 비율은 더 높아질 것이다.

지부	병원별 정규직(현원)	직접고용비정규직	간접고용비정규직	전체 직원	전체직원 대비 비정규직 비율	공익근무요원	자원봉사자
강원대	202	15	17	234	13.7	1	80
경상대	706	150	84	940	24.9	39	월 134
경북대	972	195	144	1,311	25.8	0	1일 20
전남대	1,083	228	176	1,487	27.2	55	170
전북대	815	232	164	1,211	32.6	21	513
충남대	847	205	164	1,216	30.3	36	142
충북대	522	29	71	622	16.0	8	
서울대	3,126	915	450	4,491	30.4	94	400-450
제주대	282	48	11	330	17.9		
총계	8,555	2,017	1,281	11,842	27.9	254	

서울대병원은 2003년 현재 전체 직원 4,491명 중에서 직접고용 비정규직이 915명이고 간접고용 비정규직이 450명이었다. 자원봉사자가 1일 평균 400~450명에 이르고 공익근무요원이 94명이라는 점에 비추어 본다면, 서울대병원의 비정규직 비율은 약 42.5%에 달했다.

서울대병원의 경우, 월평균 외래환자수가 2004년 12만 명에서 2006년 9월 현재 14만 명으로 증가하였으나, 이에 대응한 인력충원을 대부분 비정규직으로 하고 있다. 비정규직은 2005년도에 25.2%, 2006년도에 25.7%로 0.5% 증가하여, 2006년 9월 현재 1,188명에 달했다. 정규직은 2003년도에 3,885명에서 2006년 9월 현재 3,798명으로 약 100여 명이 감소하였지만 그 규모는 적지 않다.

2007년 서울대병원 비정규 종합대책안을 요약하면, "현재 총 기간제 근로자는 본원 3개 직종(촉탁직, 연구직, 단시간제) 593명, 분당 4개 직종(계약직, 계약업무보조직, 일반직 인턴, 단시간제) 152명, 이 중 본원 206명, 분당 2개 직종 9명에 대해 상시 · 지속업무로 판단하여 무기계약 근로자로 전환하고, 그 외 본원의 기간제 근로자에 대해서는 직무분석 등을 통해 무기계약 근로자로의 전환 여부를 결정한다."는 것이었다. 2003년에 비해 직접고용 비정규직이 915명에서 745명으로 줄어든 것처럼 보이지만, 사실은 그렇지 않다. 서울대병원이 본원의 경우에는 3개의 직종으로 분당의 경우에는 4개의 직종으로 제한하여 통계를 낸 것이었다.

비정규직 문제를 둘러싼 일상적 대립

비정규직의 문제는 단지 '차별받고 못사는 노동자' 만의 문제가 아니라 자본의 신자유주의적 구조조정이 정리해고뿐만 아니라 다양한 방식으로 정규직을 비정규직화하는 '일상적 구조조정' 문제다. 공공부문의 경우, 외주화 및 용역화는 사유화의 전단계였다. 경영혁신의 명목으로 '사업본부제' 등이 도입되었고, 수익률이 떨어진다는 이유로 외주 · 분사화가 진행되었다. 또 정부가 예산배정권이나 각종 지침을 동원하여 외주 · 용역화를 강요하였다. 일례로 국공립대학에서 시설관리업무의 용역화가 교육부 지침으로 내려오고, 정부출연기관에서는 비정규직 도입 비용이 기관평가의 실체적 잣대로 이용되었다. 구조조정을 명분으로 하여 정규직을 비정규직으로 전환시키고,

기존의 정규직을 해고하고 그 사람을 다시 계약직으로 채용하거나 계약서만 비정규직으로 바꾸는 경우도 있었다. 또한 도급을 파견으로 전환하는 식으로 법망을 넘나드는 것이 문제로 드러났다.

이러한 현상은 최근의 문제만은 아니었다. 서울대병원은 노동조합이 결성되고 난 이후 예전처럼 노동자들에 대한 지배력을 행사하지 못하는 상황이 발생하자, 노동자들의 단결을 와해시키기 위한 방법을 모색하였다. 그것은 정규직과 비정규직, 여성과 남성, 각종 직무를 갈라놓고 그 사이에 위계를 만들고 차별하여 노동자들끼리 싸우게 하는 것이었다.

1990년대 이후 서울대병원 구조조정의 일환으로 양산된 비정규직이라는 고용형태는 노동자들을 서로 경쟁하게 만들었고, 재계약시기만 되면 불안에 떨게 만들었다. 2006년 11월 30일, 노무현 정부는 비정규직을 2년까지 고용할 수 있도록 하는 비정규악법을 통과시켜 비정규직 고용형태를 고착화시켰다.

서울대병원은 비정규 노동자들을 마음대로 해고하고 있었다. 약제부 비정규 노동자에 대해 고용기간이 2년이라는 이유로 해고를 한 후 그 자리에 아르바이트를 고용해서 업무를 하게 했다. 보라매 영양실에 근무하는 비정규직 노동자도 23개월째에 자질문제로 해고되었다. 두 명의 비정규 노동자들은 부당해고에 맞서 당당히 투쟁을 전개했다. 그 결과 각각 8일과 90여 일만에 원직복직했다. 특히 보라매 영양실 노동자 해고에 대해 현장 조합원들이 대체인력 투입을 저지하며 싸웠다. 조합원들은 여름휴가를 포기하면서 사용자에게 부당해고 철회와 재계약을 요구하는 투쟁을 벌였다. 석 달 동안 진행된 대체인력 투입 저지와 휴가 반납 투쟁은 결국 비정규 노동자의 재계약을 가능하게 했다. 이렇듯 보라매 영양실의 사례는 비정규 싸움에 있어서 정규직 조합원들의 의식과 참여가 얼마나 중요한 역할을 하는지를 일깨워 주었다.

이후 서울대병원에서 비정규직 해고 문제는 끊임없이 발생했고 노동조합은 비정규직의 정규직화를 위한 투쟁의 중심에 서 있었다. 서울대병원노동조합은 2006년 노사합의로 2년 이상 비정규직의 정규직화를 쟁취하였다. 하지만 서울대병원은 노무현 정부가 주도적으로 통과시킨 비정규직 노동자 관련법을 악용하였다. 2년 미만의 비정규직에 대해 2년이 되었다는 이유로 해고하지 않을 것이라고 교섭 자리에서 병원장의 입으로 말했음에도, 2006년 12월에 20여 명의 2년 된 비정규직을 집단적으로 해고하려 하였다. 서울대병원은 노동현장의 문제제기와 언론의 집중을 받으면서 계약해지 예정자 20여 명을 90일로 계약을 연장한 이후, 산발적으로 해고시키는 짓을 저질렀다.

2007년 7월 2일에는 2년을 일했다는 이유로 부서장도 요청한 재계약에 대해 계약연장을 거부하며 상시업무 비정규직 노동자 2명을 해고했고, 그 업무에 3주짜리 아르바이트로 운영하려 하였다. 이 부당해고에 맞서 당사자는 1인 시위를 했고, 대의원들이 함께 환자보호자 선전전 및 서명을 진행했다. 결국 정규직 비정규직 모두 함께한 현장 서명 투쟁 8일차에 이르러 재계약하였다. 2009년 5월 15일, 보라매 의무기록실 비정규직 노동자 해고를 시작으로, 또 다시 진단검사의학과 비정규직 노동자를 해고하였다. 두 달 동안 6명을 해고하였다. 그리고 병원은 7월 10일에 또 다시 비정규직을 선별 해고하는 인사위원회를 강행하였다.

이렇듯 서울대병원과 노동조합은 비정규직 문제를 둘러싸고 일상적인 대립을 지속하고 있다.

서울대병원 노동자들의 비정규직 차별철폐투쟁 역사

서울대병원노동조합의 비정규직 차별철폐 투쟁은 노조를 설립한 초기부터 진행되었다. 정규직 정원 확보를 통해 현장의 비정규직을 줄여나가고, 처우개선을 통해 정규직과의 차별을 해소하여 결국에는 정규직화를 쟁취하기 위한 싸움으로 진행했다.

비정규직 문제가 확산되자 노동조합은 1998년 고용대책위원회를 구성하여 비정규직 고용 실태조사 및 의식, 요구조사를 진행했다. IMF 시기에 노동자에게 가장 급박하고 절실한 문제가 '고용' 이었기에 고용불안 발생의 원인을 분석 및 공유하고 적극적이고 장기적인 대안을 마련하기 위해 만든 노동조합 내 특별위원회였던 것이다.

비정규 노동자들의 희망찾기야말로 노동조합운동의 희망

2002년에는 대의원대회에서 비정규직, 미조직 노동자의 조직화를 위한 사업을 제안하고 비정규직 대책회의를 결성하였다. 여기서는 정규직 노동자와 비정규직 노동자들을 대상으로 비정규 노동자들의 실태조사와 설문조사 등을 통해 구체적인 근무조건과 임금을 파악했다. 비정규직 정규직화와 차별철폐는 임단협 요구안, 투쟁의 핵심과제였다.

서울대병원노동조합을 중심으로 한 국립대병원 노조지부들은 비정규직 실태 및 투쟁사례 조사를 토대로 2004년 지부공동요구안과 교육부 요구안을 마련하였다. 지부공동요구안으로는 비정규직 정규직화, 비정규직 차별철폐, 하청노동자 근로기준법 준수, 노조가입보장, 4대보험과 진료비감면을 채택했다. 그리고 교육부에게 용역전환 중단, 비정규직 정규직화를 위한 정원확대, 자원봉사자와 공익요원의 병원 직원업무 배치금지 등을 요구했다.

서울대병원노동조합은 이러한 공동요구뿐만 아니라 지부의 특성에 맞는 요구, 즉 '1년 이상의 비정규직 정규직화, 정규직 임금의 80%를 보장하도록 시간급 인상, 주5일 실시로 용역 및 아웃소싱 중단, 서울대병원(보라매)에서 근무하는 간접고용 근로자 본인에 한하여 진료비 감면을 정규직과 동일하게 적용' 등을 요구하였다.

서울대병원노동조합은 2004년 산별총파업 및 지부 총파업으로 비정규직의 문제를 다음과 같이 합의한 바있다. "①병원은 본원에 단시간 근무자로 근무하는 자에 대하여는 정규직 채용 시 연령제한을 완화하고, 운영기능직을 채용할 경우에는 단시간 근무자로 근무한 경력을 우선적으로 감안한다. ②단시간 근무자의 임금은 월 계약시간 단축에 따른 임금보전을 위해 올해는 평균임금 5%를 인상한다. ③합의일 현재 재직 중인 여성 단시간근무자(월 150시간 이상 계약자)에 대해 생리휴가 보전수당 월 2만5천 원을 지급한다."

2006년에는 서울대병원 전체 직접고용 비정규 노동자의 약 30%에 해당하는 239명에 대해 단계적 정규직화를 쟁취하였다. 그 과정에서 서울대병원 내의 현장 조합원들이 주축이 되어 비정규 대책위를 만들고 비정규 노동자 조직화 사업을 시작하였다. 2007년 초부터 진행된 비정규 조직화는 비정규 노동자들이 노동조합과 함께할 수 있는 활동을 만들어 나갔다. 이전까지는 노동조합과 비정규 노동자와의 모임은 보안을 유지하며 비밀스럽게 진행된 것에 비해, 전체 비정규 노동자 모임을 통해 현장에서 일하는 비정규 노동자들이 한자리에 모여 서로의 얼굴을 확인하는 자리를 시작으로 진행되었다. 이후 모임은 점심시간을 이용해 직종별 · 부서별 과모임을 통해 비정규직 대표를 뽑고, 이후 3주간 퇴근 이후 진행했던 비정규 노동자 배움터를 통해 60여 명의 비정규직이 가입원서를 작성하고 비정규직의 권리에 대한 교육도 진행했다. 그리고 임단투가 다가오면서 2주에 한 번씩 정기적 모임을 통해 현안 공유와 투쟁결의로 모임을 이어갔다. 이러한 과정을 통해 비정규 노동자도 파업에 참가했다. 파업참가를 하지 못한 비정규 조합원도 파업기간동안 사용자들의 부당 대체인력 투입 요구에 대해 자기 목소리를 내며 대체업무를 거부했던 현장에서의 투쟁 또한 소중한 결과였다.

아래의 표는 서울대병원노동조합이 1988년부터 2007년까지 비정규직 차별철폐 투쟁의 일정과 내용을 정리한 것이다.

1988	12.1	간호부 기능 · 고용직 업무일지 안 쓰기 운동
1989	6.23/8.22	간호부 기능 · 고용직 모임, 원장실 항의방문
1994	1.10/1.19/ 1.25/1.28	남청부실 용역관련 실무교섭
1995	10.31	근로자파견법저지를 위한 민주노총 농성투쟁 참여
1998	2.10~12	정리해고제 근로자파견제 반대, 불법부당노동행위 근절을 위한 상집간부 철야농성
	5.6	근로자파견법 반대서명
2003	1.15	간호운영기능직 인력감원 반대 침묵피켓 선전전
	5.23~7.25	2003년 단체교섭투쟁의 슬로건으로 배치 : 필수인력확보, 공공의료 강화, 비정규직 차별철폐
	9.8~10.27	간병인 피켓 시위, 간병인 관련 원장 면담 및 실무 협의, 간병인 무료 소개소 폐지철회 투쟁
	10.28	간병인 문제해결과 공공병원으로서의 제자리 찾기를 위한 노동 · 보건의료 · 시민사회단체 공동대책위원회 발족
	11.14	간병인 문제 해결을 위한 공청회, 간병인 일일주점
	12.2	민주노총 장기투쟁 사업장의 서울대병원 간병인 집중투쟁
2004	1.7	간병인 수요선전전
	1.15	간병인 결의대회, 간병인 공대위 개최
	2.3	민주노총 비정규직 집회(간병인)
	2.25~27	간병인, 서울지방노동청 점거농성-공권력 투입으로 지부 간부 2인 연행
	3.8	간병인 집회(서울대)
	4.26	서울대병원 간병인노조 투쟁 승리- '약손엄마회' 소속으로 서울대병원에서 간병활동 시작
2005	11.29	민주노총 비정규법안 저지를 위한 무기한 철야농성 돌입
	12.1	비정규법안 저지를 위한 국회 앞 투쟁 전개
	12.2~3	비정규법안 저지를 위한 지역별 총파업
2006	2.7	비정규개악법안 강행처리 저지를 위한 국회 투쟁
	4.	국회의 비정규개악법안 강행처리 저지를 위한 총력투쟁
	10.26~28	서울지역 공공부문 비정규직 노동자 결의대회
	12.4~6	민주노총 총파업 집회/민중대회-날치기통과 비정규 악법 규탄투쟁

2006	12.12~15	공공연맹 단위노동조합대표자 단식 및 노숙 농성, 총파업을 포함한 총력투쟁
	12.15	총파업 투쟁 및 전국동시다발 집회투쟁
2007	1.10	비정규노동자의 날(일일호프)
	1.24	정부의 공공부문 비정규직 대책 관련 시민사회단체 간담회
	1.31	비정규소식지발행(1호) 시작 _ 더불어한길
	2.9	기만적인 공공부문 비정규직 관련 집회 및 면담
	2.14	(보라매) 비정규노동자 모임
	4.16~17	특수고용노동자 노동기본권 쟁취 기자회견 및 간부 결의대회/공공부문 비정규 종합대책 관련 기자회견 및 대국민 선전전
	6.5/6.13 /6.22	비정규배움터 1강/2강/3강
	6.27	(보라매) 비정규노동자 모임
	7.5~10	약제부 1인시위 진행
	8.6	영양실 1인시위 진행
	8.18	총투쟁으로 이랜드투쟁 승리하자! 전국노동자대회 참여

서울대병원노동조합이 비정규직 차별철폐를 위해 투쟁한 결과는 아래의 표에서 보이듯 '단시간 근무자에게 적용되는 단체협약' 으로 집약되어 있다.

연 월	별도합의 내용
2000.9	단시간 근로자 중 3개월 이상 계속 근로하고 있는 자의 본인 결혼시 6일, 부모(배우자) 사망시 3일의 유급휴가를 부여한다.
2001.7	단시간 근로자 정기휴가 부여 건: 단시간 근로자(150시간 이상 근로기준) 6개월 이상 근로자에 대하여는 연 3일의 정기휴가를 부여한다.
2002.8	(1) 병원에 근무하는 단시간 근로자(150시간 기준)에게 기 시행되고 있는 고용보험 · 산재보험 외에 국민건강보험 · 국민연금 등 2대 사회보험을 추가로 적용한다. (2) 단시간 근무자는 근무시간(연장근로 제외) 1시간당 250원의 위험수당을 지급한다.

2003.7	(1) 본원, 보라매병원에서 단시간 근무자(월 150시간 이상 계약자)로 6개월 이상 근무하던 자가 정규직으로 채용될 경우 근무기간의 50%를 경력으로 인정하고 1년 이상 근무하던 자가 정규직으로 임용될 경우 조건부 기간을 면제한다. ※시행시기: 2003년 8월 1일 이후 임용자부터 적용 (2) 3개월 이상 계속 근무한 단시간 근무자가 다음 각 호에 해당하는 경조사가 있을 경우에는 신청에 의하여 경조비를 지급한다. ①본인의 결혼: 100,000원 ②본인 또는 배우자 부모의 사망: 100,000원
2004.	(1) 병원은 본원에 단시간 근무자로 근무하는 자에 대하여는 정규직 채용시 연령제한을 완화하고, 운영기능직을 채용할 경우에는 단시간근무자로 근무한 경력을 우선적으로 감안한다. (2) 단시간 근무자의 임금은 월 계약시간 단축에 따른 임금보전을 위해 올해는 평균임금 5%를 인상한다. (3) 합의일 현재 재직 중인 여성 단시간근무자(월 150시간 이상 계약자)에 대해 생휴 보전수당 월 2만5천원을 지급한다.
2005.9	여성 단시간 근무자(월 150시간 이상 계약자)에 대해 보건수당을 월 25,000원 지급한다. 다만, 2004년도 별도 합의사항 중 단시간 근무자 생휴 보전수당 조항은 삭제한다.(시행일자: 2005.9)
2005.9	병원은 3개월 이상 재직하고 있는 단시간 근무자 본인에 한하여 진료비감면을 정규직과 동일하게 적용한다.(보라매병원 자체발령 단시간 근무자도 동일하게 적용한다.:보라매병원 단시간 근무자 시행일자 2005.10.1)
2006.11	①병원은 비정규직(단시간, 촉탁) 근무자로서 2006.8.31 현재 5년 이상 근무자는 2007년도에 3년 이상 근무자는 2008년도에 2년 이상 근무자는 2009년도에 이사회 및 보라매병원 운영위원회의 승인을 받은 후 일정한 절차를 거쳐 정규직으로 전환한다. ②단시간 근로자 본인과 배우자, 부모(배우자 부모 포함) 및 단시간 근무자의 건강보험증에 등재된 직계존비속의 진료비 감면을 정규직과 동일하게 적용한다.
2007년 임단협	비정규직 관련-2007년 5월 31일 기준 2년 이상 근무자는 정규직으로 전환, 비정규직 차별시정, 2년 미만 비정규직(단시간, 촉탁)에 대해 고용보장, 2008년 강남건강증진센터 연봉계약제 폐지 등

서울대병원노동조합이 조합원을 교육, 조직할 때 가졌던 비정규직 문제에 대한 관점은 첫째, 소외된 자들의 문제가 아니라 구조조정의

문제로 바라보아야 한다는 것이었다. 비정규직의 확대는 구조조정의 결과이자 일상적 구조조정을 가능하게 하는 바탕이다. 결국 대다수 노동자들을 비정규직으로 유연화하는 것이 자본의 목표이고, 이는 노동조합의 무력화, 노동강도 강화, 현장통제 강화로 귀결될 것이다. 둘째, 노동자 계급에 대한 전체적인 평등과 단결의 관점으로 바라보아야 한다고 강조했다. 자본은 항시 노동자들을 분할하려는 음모를 가지기 때문에, 노동자들은 계급적으로 단결하여 비정규직 확산 및 노동자 전체의 위계화를 막아야 한다. 왜냐하면 내부 경쟁의 강화는 결국 바닥을 향한 경쟁, 즉 저임금 장시간 노동의 확대를 강요하기 때문이다. 셋째, 노동운동의 혁신을 위한 과제로 바라보아야 한다는 것이다. 노동운동이 조직된 노동자만이 아닌 전체 노동자들의 이해를 생각해야 한다. 그래서 고용불안정이라는 자본의 무기 앞에 전체 노동자들의 목소리가 반영되는 구조를 만드는 것이어야 한다.

서울대병원노동조합은 이러한 관점을 가지고 비정규직 차별철폐 투쟁을 전개하는 과정에서, 비정규직 관련 법 개악을 저지하기 위해 전국 총파업 투쟁에 참여하였고, 노동현장에서 발생하는 비정규직 노동자들의 투쟁을 조직적으로 지원하여 비정규직 노동자들의 승리를 실질적으로 이끌어 내기도 하였다. 대표적인 투쟁은 간병인 노동자들의 투쟁 및 성원개발 노동자들의 투쟁이었다.

2) 간병인 노동자성 인정과 지부 설립 투쟁

간병노동자는 감정노동자(Emotional Worker)로서 환자를 상대로 육체적 노동뿐만 아니라 감정노동을 수행한다. 사회가 발전할수록

의료 및 복지서비스의 수요는 증가할 것이다. 핵가족 형태가 일반화되어 있고, 이미 고령화 사회에 접어든 우리사회에서는 간병서비스는 필수적이다. '간병인 문제해결과 서울대병원 공공성 강화를 위한 공동대책위원회' 의 제안서에 따르면, "간병인은 간호사 등의 병원인력 부족으로 인해 생겨난 것"이며 "간병업무는 현 의료현실에서 필수 불가결한 요소로 공공적인 성격을" 지닌다.

서울대병원(1,500병상) 기준으로 하루에 200명의 간병인이 필요하다. 이를 기준으로 볼 때, 전국적으로 20만 명이 넘는 간병인이 활동하는 것으로 볼 수 있다. 그만큼 간병에 대한 사회적 수요가 존재하고 있다. 따라서 이 문제는 반드시 국가가 사회적으로 해결해야 한다.

그러나 현실은 개인의 책임으로 돌리고 있다. 간병노동자는 임금을 목적으로 노동력을 판매하는 노동자임에 틀림없으나, 간병업무가 보건의료산업의 공식제도로 편입되지 않아 노동자로서 보호받지 못한다. 간병노동자는 고용기간을 기준으로 분류하면 기간제 노동자, 병원과 환자와의 관계를 기준으로 보면 간접고용 노동자였다. 간병노동자들은 대부분 주 6일, 하루 24시간씩 144시간 장시간 노동을 하고 직업병에 시달려도 사람취급을 받지 못하는 노동자였다. 서울대병원의 간병인들은 하루 12시간에 3만 5,000원 또는 24시간 꼬박 일하고 환자 보호자에게 일당으로 받는 돈은 5만 원에서 5만 5,000원으로 월 130만 원에서 150만 원을 벌었다. 주당 노동시간은 평균 144시간으로 시급 2,000원의 노동을 하였다.

언제부터 서울대병원에 간병인이 있었을까. 서울대병원 간병인의 역사는 30년이 넘지만 정식으로 등록된 것은 1988년 4월이다. 그 이전에는 환자 스스로 개별적으로 연락하여 간병인을 구하였고, 소개시에 친한 사람끼리 연락하면서 체계 없이 운영되었다. 그러다가 1988년 당시 서울대병원 원장이 간병인을 채용해 보고 간병인의 교육 및 책임, 관리의 필요성을 느껴서 병원에서 책임관리 및 교육하는 '서울대학교 간병인 무료소개소'를 운영하자는 데 의견을 모으고 1988년 4월에 설립하였다.

1988년 7월 첫 공개모집이 시작되었는데 모집 조건이 다른 유료소개소보다 복잡하였다. 중졸 이상의 학력, 신원보증서, 이력서, 적십자회 교육수료증, 재정보증서, 사진, 건강검진 증명 등 15가지의 서류(대부분의 유료소개소는 교육수료증, 신분증, 주민등록등본, 건강진단서)를 갖춰야 채용이 되었다. 그후 무료소개소는 15년 동안 운영되어 왔다. 서울대병원은 1988년 무료소개소를 설치한 후 5명의 사무실 관리자가 교체되면서 간병인의 관리역할을 하였는데, 주요한 내용은 교육과 관리 업무였다.

서울대병원은 2000년에 무료소개소를 폐쇄하려 시도했다가 간병인들의 강한 반발로 무산된 적이 있었다. 조옥분 씨는 당시의 상황을 이렇게 전하고 있다.

> 2000년 당시, 간호사 한 명이 조만간에 무료소개소가 폐쇄된다고 귀띔을 해주었습니다. 간병인 200여 명은 청천벽력 같은 소리를 듣고 병원 측에 대응하기로 하고, 노동조합 결성을 위해 민주노총, 보건의료노조, 변호사 사무실 등 여기저기 쫓아 다녔습니다. 그런데 저희는 법률상 특수고용직이라 노동조합 설립에 어려운 사항이 많다는 걸 알았습니다. 그래서 일단 급한 대로 상조회라는 친목단체를 만들었습니다. 상조회 활동이 본격화되고 노조설립이 가시화되자, 병원 측에서 연락이 왔습니다. 노조를 결성하지 말라는 압력과 함께 협상을 하자는 내용이었습니다. 그렇게 시작된 협상으로 병원 측은 무료소개소 폐쇄 방침을 철회하는 대신 저희들은 노조 설립계획을 취소하기로 했습니다.

2003년 9월 1일 서울대병원은 15년간 운영해 온 간병인 무료소개소를 일방적으로 폐쇄하고 간병인 사설유료소개소인 '아비스'와 '유니에스'를 들이고 서울대병원 간병인을 내쫓았다. 서울대병원 원장은 "환자보호자와 간병인 간에 발생하는 웃돈 요구와 불친절 등 민원 근절, 전문 간병인 업체를 통한 양질의 간병 서비스 제공"을 위해 사설기관에 유료화했다고 했다. 하지만 서울대병원장은 거짓말을 하였다. 아래 표의 사설기관과 서울대병원 무료소개소 비교 내용을 보면 알 수 있다.

2003년, 병원의 간병인 무료소개소 폐쇄 철회 투쟁

비교	사설간병인 유료소개소	서울대병원 간병인 무료소개소
간병인 자격	없음	없음
교육	소개소에서 간단히 설명한 후 교육 없이 당일 병원에 배치하는 경우가 많음	반드시 일주일 간 적십자사 교육과정 마쳐야 등록 가능, 신입교육 및 월례보수교육 실시.
입회비	–처음에 입회비 및 가운비 등 25~30만 원 정도를 소개소에 내야 함. - 월 회비 : 약 5만 원 정도 - 3개월분 회비를 사전납입하는 경우도 있음 - 회비로 운영되므로 회원수를 늘리는데 주력	- 입회비, 월회비 : 없음

간병료	- 소개소 마음대로 결정(24시간 5만~5만5천 원, 12시간 3만5천 원)	-심의위원회 등 회의를 거쳐서 결정(24시간 5만원, 12시간 3만원)
관리	없음	사무실 관리: 간호사(계약직) 1명 *중간 소개역할: 환자에게 적합한 간병인 연결, 민원처리
기타	회비 이외에 웃돈을 더 주어야 장기환자 등 원하는 곳을 소개해주는 비리 발생 소지	

자료: 간병제도의 사회적 책임확보를 위한 공청회(2003.11.14)에 제출된 자료집, "환자간병, 가족의 책임인가, 병원과 국가의 책임인가"

조합원들은 무료간병인 소개소 폐지에 항의하며 농성을 벌였다. 법원은 병원이 간병인들을 상대로 낸 병원출입금지가처분신청에 대해, 일부 기각하는 판결을 내렸다. "유료간병인 소개소가 오히려 소개 수수료 지급 등으로 간병인 환자 측에 웃돈을 요구하는 부작용이 발생할 가능성이 농후하고, 시위사건이 발생한 점은 병원의 책임이 적지 않고, 간병인 문제는 공공의 이해에 관한 사항이라고 볼 여지가 충분하다며 위법이라고 단정할 수 없다."고 했다. 또한 "병원 직원의 출입을 방해하거나 진료업무를 방해했다는 부분도 인정하기가 부족하고 반경 1Km접근 금지 요구는 이동자유까지 제한할 수 있다. 서울대병원이 공공병원이며 노동조합의 선전물이 명예훼손을 했더라도 그 내용이 공익성을 주장하고 있다는 점이 인정된다."고 하였다.

간병인 조합원들과 보건의료노조는 9월 17일 병원장과의 면담에서 "병원장이 A업체 선정 중단, A유료업체 선정은 하지 않음, 간병인조합원이 운영하는 무료소개소 인정 등을 긍정적으로 검토한다."고 약속하여 일단락되었다. 그러다 10월 1일 갑자기 병원장은 9월 17일 약속을 전면파기하고 마무리를 하기 위해 예정되었던 병원장과의 면담도 일방적으로 취소하였다. 심지어 면담을 간 간부들을 폭행하였다. 다음날 병원은 (주)아비스간병인협회와 유니에스 두 파견업체를 협력업체로 선정하였다.

병원은 수간호사와 교수들을 동원하여 10년 이상씩 일해 온 서울대병원 무료소개소 간병인 조합원들에게 유료업체로 소속을 바꿀 것을 강요하였다. 심지어 간병인 조합원을 고용하면 치료에 지장을 주겠다며 환자보호자를 협박하였다. 조합원들은 강제로 내쫓겼다. 수간호사들은 간병인 일일현황을 파악하여 조합원 여부를 확인하였고, 병원은 이를 바탕으로 조합원들만 집중적으로 탄압했다.

보건의료노조는 10월 7일 국가인권위원회에 서울대병원장을 공공기관장으로서 직권남용에 의한 인권침해(직업선택의 자유, 인격권, 행복추구권, 신체의 자유, 평등권 등)로 진정하여, 국가인권위원회는 직업 선택권 인권침해로 인정하여 서울대병원장에게 주의 촉구 시정조치를 내렸다.

2003년 10월 28일 보건의료노조, 민주노총을 비롯한 노동단체, 여성 · 보건의료 · 인권단체들이 '서울대병원 간병인문제 해결 및 공공병원으로 제자리 찾기를 위한 공동대책위원회' 를 구성하였다. 서울대병원 제자리찾기 공대위는 간병인과 환자를 살리기 위한 간병제도의 정책방향을 다음과 같이 제시하였다. "①병원에서 간병업무를 담당하는 인력은 병원 소속의 정규직으로 채용되어야 한다. ②환자와 보호자들이 개인적으로 지불하고 있는 간병료는 원칙적으로 정부가 지불해야 한다. ③각 시도의 국공립병원은 간병인 관리와 교육의 거점으로서 역할을 수행하도록 해야 한다. ④간병인에게는 노동기본권을 환자에겐 신뢰를 주기 위한 제도가 마련되어야 한다."는 것이다.

서울대병원 제자리찾기 공대위는 이후 병원을 대상으로 하는 철야농성, 공대위 선전전과 서명운동, 언론홍보, 피켓시위, 1인 시위, 간병인 제도의 개선을 위한 공청회, 그리고 대정부 면담을 전개하였다. 2004년 1월 29일에는 광화문 교육부 앞에서 교육부 규탄집회가 열렸다. 교육부산하 기관인 서울대병원에서 불법적인 근로자 공급사업을 비롯해 부당해고 및 임금착취가 벌어지고 있지만 문제를 은폐하고 책임회피만 하는 서울대병원 관계자를 문책하고 문제해결에 교육부가 적극 나설 것을 촉구했다.

대부분 50, 60대인 여성노동자가 단식투쟁을 하고 차가운 병원현관 앞과 로비에서 철야농성을 진행하였다. 병원이 출입금지가처분신청을 낸 11월 26일 이후에는 강남검진센터 앞 선전전 및 민주노총 장기투쟁사업장 중앙농성단 투쟁에 결합하였다. 결국 12월 2일 국가인권위원회는 조사에 착수하였고 서울대병원 간병인 노동자들은 인권위원회에서 18일간 농성을 하며 간병인문제를 사회에 알렸다. 서울지방노동청 점거농성을 할 때는 농성 3일만에 공권력 투입으로 전원 연행되었다가 불구속으로 풀려나오기도 했다. 이후에도 노동부 앞 집회와 선전전을 이어갔다.

투쟁의 결과 2004년 2월 18일 서울지방노동청장은 서울대병원의 불법 근로공급사업을 중단하고 무료간병인소개사업을 노조가 하도록 하겠다고 밝혔다. 또한 불법 근로자공급사업 혐의로 유료간병인 업체들이 경찰에 고소당한 뒤에도 병원이 계약을 유지하는데 노동부가 아무런 조처를 취하지 않은 것에 대해서 사과했다.

이어 3월 19일에서 22일, 간병인 유료소개 업체를 과다소개료 및 직업안정법 위반으로 강남구청에 진정하였고, 유료업체 유니에스는

5월 1일부터 한 달간 영업정지 처분을 받게 되자 4월 중순에 서울대병원에서 나갔다. 서울대병원 간병인 조합원들은 노동청 앞 농성 및 노동부 앞 선전전 등 끈질긴 투쟁으로 유료업체들이 불법(형식상 유료 소개소일 뿐 간병인을 실질적으로 지휘감독, 관리하는 불법적으로 간병인 공급) 공급을 행한 것과 직업안정법을 위반한 사실을 고발하여, 이 업체들이 영업정지를 받도록 만들었던 것이다. 사설유료업체 철수 후 서울대병원 간병인 조합원은 자율적인 운영과 노동조합 활동을 보장하는 '약손 엄마회'(한국자활후견기관)를 통해 4월 26일부터 간병업무를 시작하게 되었다.

서울대병원 간병인문제는 연간 2,400만 원이면 운영되는 무료소개소를 폐지하고 영리업체로 넘긴 공공의료기관으로서 역할을 포기한 대표적인 사례이다. 또한 공공기관의 장이 헌법을 위반하면서까지 사회적 약자인 간병인을 극심하게 인권탄압과 노동탄압한 사례이다. 그리고 서울대병원간병인투쟁은 50~60대 취약계층의 여성가장들로서 생계의 위협을 무릅쓰고 8개월 동안 가열차게 투쟁하여 승리한 특수고용 비정규 여성노동자투쟁의 대표적인 사례이다.

우선 간병인 문제를 사회 의제화하고 대안을 모색해 나가는 계기가 되었고, 전체 병원에 많은 영향을 미칠 것으로 판단하였다. 그러나 투쟁 중에 가장 힘든 투쟁이 비정규직이다. 그 중에서도 더 힘든 부분이 특수고용비정규직 투쟁에 함께 한다는 것이 말처럼 쉽지 않다는 것을 느끼게 되었다. 성과로는 간병인 조합원이 쉽지 않은 싸움을 잘했다는 것, 간부 대의원이 함께 공감하는 이유이다. …… 공대위 역할, 사회적으로 간병인 문제를 지하에서 지상으로 끌어 올렸다는 점이 큰 성과이다. 우리는 확실히 승리했다. 그 중에서도 간병인 조합원들이 일터로 돌아가게 된 점과 사회적으로 간병문제가 부각된 점이다. 한계로는 노조에서 직접 운영하는 무료소개소가 안된 점, 노조가 공

급사업을 했으면 아주 좋은 모델이 되었을 것임 등. (2004.5.4. 공대위 집행위의 투쟁평가)

안 해본 것 없는 투쟁이었고, 값진 투쟁이었다. 투쟁을 승리로 이끈 요인들로는 간병조합원의 치열한 투쟁과 서울대병원노조 간부들의 헌신적인 노력, 공대위의 전폭적인 연대투쟁의 결합, 노동부의 불법공급판정과 국가인권위 결정 공식기관의 결정 등이었다. 그러나 법제도적 한계를 뼈저리게 느낀 특수고용노동자의 투쟁이었다. 병원은 간병인은 직원이 아니므로 교섭을 할 수 없다는 태도로 일관. 비정규투쟁은 생계비 및 투쟁기금 지원없이 불가능하다. 서울대병원 간병인 투쟁은 투쟁의 시작일 뿐, 간병제도개선과 조직화로 귀결될 것이다. (희망터 비정규 기획토론 – 서울대병원간병인투쟁 평가 내용 중)

서울대병원지부 활동가들은 간병인 조합원 투쟁에 헌신적으로 결합하였다. 병원은 서울대병원지부에서 임단협 실무교섭 내용에 간병인 문제를 넣자 약 3개월간 실무교섭을 중단하면서 탄압을 하였다. 병원 내 정규직 조합원들 중에서 간병인 문제 때문에 현안문제 처리가 안 된다는 불만이 나오기도 했다. 그러나 서울대병원지부 집행부가 간병인투쟁의 의의를 적극적으로 알려내고 연대하면서 조합원 여론을 바꿔나갈 수 있었다.

간병인 싸움은 서울대병원지부가 함께했기 때문에 가능했어요. 본조도 그만두고 포기하려는 싸움을 서울대병원 간부들과 대의원까지 같이 싸웠죠. 농성도 같이 했고, 면담도 같이 갔고. 병원 측에서 물건 집어던지고 난리였지만 서울대병원 간부들이 진짜 온몸으로 싸웠어요. 몇 개월 동안 다른 것 다 미루고라도 그 투쟁을 지원했던 거죠. 간병조합원들도 얘기해요. 서울대병원노조가 아니었으면 그렇게 하기 어려웠을 것이라고. (구술자 P)

서울대병원 간병인 조합원이 병원에 복귀한 후에도 병원의 탄압이 사라지지 않고, 중간착취 인권침해를 당하는 전국 20만 간병노동자의 간병제도개선은 제대로 진행되지 못하였다. 이에 공대위는 서울대병원간병인조합원들에 대한 지원과 간병인 유료소개소 실태조사 및 제도개선 투쟁 등을 지속적으로 벌여 나가기로 하였다. 주요한 주체는 바로 간병인 노동자들의 노동조합이었다.

서울대병원 간병인 노동자들은 2003년 9월 1일 이후 무료소개소 폐지 저지투쟁 과정에서 체계적인 활동과 간병인 조직화의 필요성을 느껴 보건의료노조 임원회의의 논의를 거쳐 2003년 12월 3일 서울대병원 간병인지부를 결성하였다. 하지만 지부 인정이 장벽에 부딪쳤다. 보건의료노조 서울지역본부 집행위원회에서 지부 승인 보류를 중집회의에 요청하였고 논란이 시작되었다. '간병인을 노동자로 볼 수 있느냐?', '보건의료노조의 조직대상에 해당하는가.' 라는 논란이었다. 구조조정 결과 간호인력이 부족해지면서 간병인이 간호사 업무까지 맡아하는 것이 병원사업장의 현실이므로 보건의료노조는 간병인 조직화가 아닌 의료인력 확충을 요구해야 한다는 의견도 있었다.

2005년 1월, 서울대병원 간병인지부 창립

이에 서울대병원 간병인지부는 2004년 1월 6일 민주노총 법률원에 '간병인을 노동조합의 조직대상인 노동자로 볼 수 있는지 여부,

전국보건의료산업노동조합의 조직대상인지 여부, 그리고 서울대간병인지부 설치가 규약 상 가능한 것인가의 여부' 에 대해 질의하였다. 민주노총 법률원은 2004년 1월 7일 다음과 같이 답변하였다. "서울대 간병인의 경우에는 무료직업소개 형태에서는 그나마 서울대병원이 직접 관리하는 특수고용 노동자라고 할 수 있고, 간병인도 노동자인 이상, 보건의료노조 규약 제7조(1. 보건의료산업의 모든 노동자)에 해당하므로 조직대상이 된다. 그리고 규약 제10조(지부의 설치)는 사업장 단위 또는 기초 자치단체 행정구역별로 설치하는 것을 원칙으로 한다고 규정하고 있지만, 예외적으로 합리적인 이유가 있는 경우에는 다른 단위별 지부, 다른 고용형태별 지부의 설치가 가능하다는 것이 규약 제10조의 문리적, 문헌적 해석상 결론"이라고 했다.

지부 설립이 가능함에도 보건의료노조에서 지부로 인정하지 않아 간병인 노동자들은 노동자성 인정을 위해 노동조합을 상대로 투쟁해야만 했다. 의사만의 것이었던 병원을 간호사, 간호조무사, 식당노동자도 인정하는 병원으로 만든 역사를 갖고 있는 노조들에서 간병인을 배제하고자 하니 더 쓰린 투쟁이었다. 결국엔 지부승인을 받았지만 간병인이 보건의료노동자로 인정받기까지 불필요하게 오랜 시간이 걸렸고 너무 많은 상처를 받았다.

간병인은 고용된 사람이 아닌데 노동자라 할 수 있냐면서 노동자성 논란이 붙었어요. 정말 말하기도 창피한데, 위원장이 비정규직 싸움 아니냐, 이렇게 얘길 하기 시작하니까. 특히 서울본부가 그런 분위기였어요. 대놓고 몸싸움까지 하면서 욕하거나 간병인은 노동자가 아니라고 주장했어요. 노동자성 자체를 부정하다보니까 조합원으로 못 받는 거죠. 그 논란이 2~3개월 갔어요. 간병 조합원들은 지부로 인정받기 위해 치열하게 싸웠어요. 이 과정에서 상처도 많이 받았어요. 보건의료노조 산하 다른 지부의 지부장과 간부들이 설득이 안 된거예요. 그들은 현장 정규직 간부들이 잖아요. 그때랑 지금이랑 얼마나 달라졌는지 모르지만, 가장 어려운거는 본조 간부들과 지부장들이거든요. 오히려 조합원들은 그렇지 않았는데. (구술자 P)

서울대병원지부를 비롯하여 보건의료노조를 탈퇴한 노조들은 공공연맹 가입 후 의료연대를 결성하여 활동하였고 간병인 노동자들은 희망터를 통해 조직활동을 시작하였다. 의료연대는 2008년 공동요구안에 간병노동자 노동권 보장과 근로조건 개선에 대한 요구를 포함하였다. 이는 간병 노동자들에게 휴식공간 · 식사공간 · 탈의공간 보장, 산재 직업병 예방과 대책을 수립하는 것으로 제기되었다.

3) 정규직화 및 차별시정 쟁취투쟁

2006년 비정규직 문제가 사회적으로 이슈화되고, 국회에서는 여당과 야당 모두 비정규법을 개악하려 하였다. 이 상황에서 서울대병원노동조합과 서울대병원은 비정규직 문제를 해결하기 위한 해법을 서로 달리 내놓았다.

서울대병원노동조합은 2006년에 비정규직의 실태 및 의식을 다른 국립대병원 노동조합들과 함께 조사하였다. 서울대병원의 경우, 충원되지 않은 인력이 127명이었고, 1년 이상의 비정규직 정규직화의 대상이 233명, 간호등급을 상향해서 조정해야 할 대상자가 227명이었다. 부족한 인력은 당연히 정규직으로 충원되어야 하고, 비정규직의 정규직화 및 간호등급의 상향조정이 이루어져야 한다고 주장하였다.

하지만 서울대병원은 오히려 보라매 콜센터와 병원 전산업무의 외주용역화(2006.8.9)를 추진하였다. 이는 단체협약을 위반한 것이며, 환자정보 유출 등 심각한 사회적 문제를 야기할 위험이 있는 것이었다. 더욱 큰 문제점은 서울대병원이 비정규직을 정규직화하는 것이 아니라 새로운 형태의 비정규직인 무기계약직으로 전환시키려 하는 점이었다. 아래의 표에서 확인할 수 있다.

구분	내 용
대상범위	이 표준안은 아래의 공공기관에 적용–대학병원: 「국립대학병원설치법」및 「서울대학교병원설치법」에 따른 대학병원, 「서울대학교치과병원설치법」에 따른 서울대학교 치과병원
3-1. 근로계약체결	각급 공공기관의 장과 무기계약 및 기간제 근로자 등 간에는 반드시 서면으로 근로계약을 체결해야 한다.
10. 해고사유에 관한 사항	*업무수행능력 부족, 업무태만, 신체 · 정신상의 장애로 직무수행 불가, 고의 · 중과실로 손해 초래, 업무량 변화 · 예산감축 등으로 고용조정이 필요한 때에는 재계약을 하지 않거나 근로계약기간 중에도 갑의 일방적인 의사결정으로 근로계약을 해지할 수 있다. *근무실적 평가 결과 계속해서 2회 이상 최하위 평점을 받은 경우 재계약을 하지 않거나 근로계약기간 중이라도 해고할 수 있다.

위 '무기계약 및 기간제 근로자 등에 대한 공공기관의 인사관리규정' 내용을 보면, 무기계약직을 포함한 비정규 노동자들을 계약기간 중에도 업무량 변화, 예산감축, 직제 정원 개폐 등의 이유로 해고를 가능하게 하였다. 계약의 기한이 설정되어 있지 않는 계약직 비정규직, 즉 기한이 설정되어 있지 않은 만큼 언제든지 해고할 수 있는 제도이자 필요할 때까지 비정규직으로 고용할 수 있는 무기계약직이라는 것으로 비정규직의 비율을 낮추겠다는 것이었다.

서울대병원노동조합은 병원의 이러한 대책안에 대해 다음과 같이 비판하면서 노조의 요구안을 강조하였다. "239명의 합의인력에 대해서는 정부와 병원의 성과로 남기면서도 정규직이 아닌 별도직군으로 가기 위한 수순 정도에 불과하고, 나머지 비정규직에 대해서는 지금과 같이 시간급을 주면서 약간의 시간만 줄여도 법안을 최대한 피해갈 수 있기 때문에 더욱 확대시킬 수 있는 대책인 것이다." 그래서 노조 "①2006년 노사합의 사안인 239명을 정규직(TO확대)으로 발령을 내라. ②나머지 비정규직에 대한 상시업무 인정과 정규직화하라. ③비정규직의 확대를 중단하라. ④직무분석을 전면적으로 반대한다."고 요구했다.

노조는 비정규 관련법 개정 문제에도 적극 참여했다. 민주노총은 노무현 정권의 비정규법 개악의도와 관련하여 △정부의 기간제법안 폐기 및 기간제 엄격 사유제한 △동일노동 · 동일임금 △파견법 철폐 및 불법파견 정규직화 △특수고용 노동자성 인정, 노동3권 보장 △간접고용에서 원청의 사용자 책임인정 입법원칙 등 비정규권리보장 입법을 쟁취하기 위해 2006년 12월 1일부터 총파업에 돌입하였다. 서울대병원노동조합도 민주노총의 지침을 수행하기 위해 총파업 지침을 조합원들에게 내리고 11월 29일부터 철야농성, 12월 1일부터 매일 국회 앞 총파업 집회에 참여했다.

당시 조합원들은 비정규법 개악 의도와 관련 자신들의 의견을 쏟아냈다. 양극화 해소를 비정규 법안 통과로 해결하겠다는 노무현 정책에 대해 조합원의 한마디를 적어달라고 하니 "못된 것만 배워오는구나. 노무현 물러나야 우리가 살 길이다. 자식에게 이어지는 비정규직 확대 법안을 투쟁으로 분쇄혀유. 우리도 인간이다, 우리도 정규직으로 발령받고 싶다. 비정규직 법안 개악 이란, 노동자의 완전한 무장해제. 비정규직 문제 해결없인, 사회양극화 해결은 없다. 없는 사람도 웃으며 사는 세상을!!! 노무현도 비정규직으로 만들어 언제든 국민이 해고할 수 있어야 한다. 국회에도 비정규직화, 느그들도 함 해봐, 얼마나 서러운지. 비정규직 차별마라! 보호법안이 왠 말이지? 해고가능법안이 보호법안이라니. 똑같은 병원 직원이라구요? 됐거든! 우린 반도 못 받거든! 똑 같은 병원 밥은 먹는데. 이게 뭐냐구요!" 라고 비판했다.

2006년 내내 비정규 권리보장 입법을 위해 투쟁하였지만 정부와 자본은 전체 노동자의 60%에 육박하는 비정규직에 대해 합법적으로 영원히 비정규직을 고용하고 그것을 통해 정규직에 대한 구조조정과 비정규직화를 가능케 하기 위한 비정규직법을 2006년 국회에서 강행처리 하였다. 또한 비정규직 양산이 정규직의 책임인 양 매도하였다. 노동조합의 2007년 임단협 핵심 요구안인 비정규직 정규직화와 차별시정에 대해 '정규직 임금 양보를 통한 비정규직의 처우개선' 과 '별도직군을 통한 정규직화' 등 정부, 사용자들의 이데올로기 공세가 퍼부어졌다. 몇몇 병원 사업장에서 이러한 합의가 이어지는 상황이 벌어져 2007년 서울대병원 비정규직 투쟁의 큰 어려움으로 다가왔다.

개악된 비정규법은 곧바로 현장을 향해 칼을 들이댔다. 서울대병원은 2006년, 2년 이상 일한 비정규직 239명에 대해 단계적 정규직화를 합의했고 2년 미만의 비정규직이라 해도 "2년이 되었다는 이유로 해고하지 않겠다."고 병원장이 단체교섭에서 약속까지 했다. 그러나 불과 2개월도 지나지 않은 2006년 12월, 병원은 2년 미만 비정규직을 대량 해고하였다. 노동조합의 문제제기와 언론의 집중을 받자 계약해지자들을 3개월, 1개월, 18일 심지어 10일로 계약을 연장한 후 산발적으로 해고시켰다. 또한 병원은 노사 합의한 비정규직 정규직화에 대해서는 공공부문 비정규 대책안이 논의 중이라며, 교육부에서 "비정규직에 대해 논의 중이니 2007년 5월까지 기다려 달라."는 부탁이 왔다고 했다.

2007년 단체교섭에서 병원은 비정규직을 더욱 확산시키려는 취지를 강하게 내비치고 있었다. 2007년 제4차 단체교섭에서 병원은 "이제부터는 비정규직을 2년만 고용하겠다.", "2년동안은 비정규직을 마음대로 사용하겠다."라고 했다. 그리고 노사합의한 정규직화에 대해서는 "정규직이 무기계약직이다. 노사합의한 비정규직에 대해서는 무기계약 정규직으로 하겠다."라며 별도직군 신설을 통한 분리직군제의 의도를 보였다. 더욱이 2001년 13일간의 파업을 통해 폐지시킨 6급 직급을 부활시켜 비정규직 정규직화와 차별시정을 얘기하면서 또 다른 형태의 비정규직을 양산, 확대하려 하였으며 이러한 노동자 분리로 정규직의 구조조정 속내까지 보였다.

노동조합은 정부와 서울대병원이 비정규직을 오히려 확대하고 정규직마저 구조조정하려는 의도에 맞서 '공공의료 강화, 비정규직 정규직화, 구조조정 저지, CCTV설치중단'을 요구로 걸고 2007년 10월 10일부터 6일간 파업을 진행하였다. 결국 파업투쟁을 통해 정규직 구조조정의 신호탄이 될 분리직군을 막아내고, 비정규직의 온전한 정규직화와 차별시정, 그리고 2년 미만 비정규직의 고용보장을 이끌어냈다. 또한 정규직만이 아닌 정규직과 비정규직이 모두 함께하는 투쟁을 만들어 나간 파업이었다. 파업 참가자수는 전체 비정규 숫자에 비해서는 미비했지만 서울대병원노동조합 역사상 직접고용 비정규직이 파업에 참가한 첫 번째 사례로 매우 큰 의미가 있었다.

그동안 정규직 노동자들이 비정규직 정규직화 및 차별시정을 요구하며 파업을 하게 되면 대체업무를 했던 비정규직 노동자들이 자신의 고용을 스스로 지켜내고자 함께 파업 투쟁을 한 것이다.

비정규 노동자가 직접 파업에 참가하고 온전한 정규직화와 차별시정의 성과를 낼 수 있었던 것은 여러 가지 이유가 있었다. 서울대병원노동조합은 지속적으로 조합원들에게 비정규직의 열악한 근무조건과 임금 등 실태를 알려내며 적극적으로 함께 할 수 있는 토대를 마련했고, 병원 측에는 정규직화 및 차별철폐를 매년 요구하면서 투쟁했다. 또한 당시 비정규직법의 부당성을 알리는 투쟁을 장기간 진행하고 있는 이랜드 · 뉴코아 조합원들이 커다란 힘을 주었다. 이랜드 · 뉴코아 노동자들의 목숨 건 매장봉쇄투쟁이 언론을 타면서 비정규직법이 비정규직을 보호하는 것이 아닌 오히려 해고와 외주화를 가속화시킨다는 사실이 세상에 알려졌다. 이러한 분위기 속에서 서울대병원노동조합은 비정규직을 해결하는 방법은 무기계약직도, 새로운 직군도 아닌 온전한 정규직화라는 것을 병원 측과 조합원들에게 알려냈고, 마침내 교섭과 파업투쟁을 통해 온전한 정규직화를 이루어냈다.

> 2007년 비정규 관련 노사합의 사항
> 1. 정규직 전환 : 2007. 5. 31. 기준 2년이상 근무자
> 2. 비정규직 차별 시정
> ※ 1, 2항에 대해 촉탁(연구)직은 현 직급 또는 신규 공개채용 직급으로 , 단시간근로자의 경우 사무기술직 업무인 경우 사무기술직 신규 공개채용 직급으로 처우, 운영기능직 업무인 경우 운영기능직 5등급으로 처우, 비교대상이 없는 경우 현재 처우수준을 유지

3. 비정규직 고용 시 근로계약서 교부
4. 2년 미만 비정규직(단시간, 촉탁)에 대해 고용보장
5. 2008년 강남센터 연봉계약제 폐지
※ 급식영양과 비정규직 복직 (2007년 10월 29일)

4) 희망터 설립

1998년 보건의료노조가 산별노조로 전환하였지만 여전히 비정규 노동자 조직화, 중소병원 노동자 조직화를 위한 사업은 진척되지 않고 있었다. 비정규 중소병원 노동지 조직을 위해서는 지역중심의 노조 체계와 전략적인 조직화에 대한 노력이 필요했다.

중소병의원 노동자들의 조건부터 사전에 조사하기 시작했어요. 노동조합운동의 초심으로 돌아가 고민하기 시작했어요. 희망터도 마찬가지입니다. 그런데 한 3년 동안 지역 조합원이 가입을 안 하는 거예요 우린 더 열심히 했는데. 그래서 되게 가슴도 아프고 이게 맞는 거냐는 문제제기도 있었죠. 지금은 조합원들도 가입하고 함께 야유회도 가고 중소병의원 거점을 잡은 데는 조금씩 성과가 보이기 시작하고 있어요. 아직도 아주 미흡하지만 앞으로 5년, 10년 보고 활동을 시작하는 단계입니다. (구술자 K)

2005년, 서울대병원지부의 중소병의원 조직화 및 비정규노동자 조직화 활동을 위한 공동사업이 제안되었다. 이 문제의식은 이후 희망터 활동으로 연결되었다.

보건의료노조를 만들 때에 산별노조를 만든 문제의식이 있는 거잖아요. 그런데 그 문제의식이 산별노조 수많은 경험에서 하나도 해소가 안 된 상태고, 그걸 어떻게 만들어 나갈거냐 어떤 노력을 할거냐 해서 시작한 게 희망터였습니다. 희망터가 3년쯤 지났는데, 희망터를 통해서 뭐가 바뀌었다 이렇게 얘기하긴 어렵지만, 그래도 병원노동자들의 희망을 만들어가는 특히 노조활동가들에게 어떤 새로운 전망이나 희망을 고민하고 만들어갈 수 있는 조직적 공간인 겁니다. 지역단체도 이제 지역의 사람, 오다가다 통장인 사람도 들어와서 요양보호사 신청도 하고, 그렇게 해서 영세노동자 조직화 모델을 만든 게 희망터에 주어진, 의료연대로서 이어가는 가운데 진행과정이 있구요. 또 하나는 의료연대분과에서 가장 열악한 것이 특수고용 간병노동자예요. 간병노동자와 요양보호사는 노동시장으로 들어오는 길목을 조직하는 방식을 택할 수밖에 없어요. 직업소개로 이뤄지기 때문에. 희망간병 무료진료소를 만들었구요. 그리고 요양보호사 교육원에서 한 1,500명 정도 요양보호사를 배출하면서 그 중에 요양보호사 협회로 조직하기도 했습니다. (구술자 P)

희망터는 2006년 4월에 활동하기 시작하면서 희망터운영위원회를 구성하여 비정규 미조직 노동자들을 조직화하기 위한 다양한 활동을 전개하였다. 주요 사업으로는 성원 등 비정규 조직화 및 투쟁 지원, 간병노동자 실태조사 및 조직화, 노인요양보장제도 대응 및 요양연대회의, 특수고용 관련 대응, 의료기관평가단 참가, 활동가 교육 기획을 진행하였다.

2006년, 병노협과 의료연대노조는 미조직 비정규 노동자 조직화 사업과 산별노조의 지역토대 건설을 위해 '미조직 비정규 노동자 조직을 위한 센터'를 서울에 설치하기로 하였다. 2007년에는 전략조직화 사업계획안을 제출하여 의료연대 운영위 및 대의원대회에서 확정 · 추진하였다. 전략조직화 사업으로 △서울지역 중소병의원 노동자 조직화 △특수고용 비정규직인 간병노동자 조직화를 확정하였다. 2007년 4월, 서울지역지부가 건설되면서 지역선전전을 시작하여 1년 반 이상을 매주 진행하였고, 서울대병원 비정규대책회의를 지원하였다. 핵심적인 활동은 △의료연대 지역지부 건설 및 활동가 교육지원 △병원 직간접고용 비정규직 조직화 및 투쟁 지원, △서울지역 중소병의원 노동자 조직화 사업 △간병-요양 노동자 조직화 사업 △미조직 비정규 노동자 법률상담 및 기획토론 등이었다.

2008년 3월 24일, 사단법인 보건복지자원연구원이 설립되어 무료간병소개사업인 '희망간병'이 노조 부설기관에서 보건복지자원연구원으로 이전되었다. 동일법인 산하로 전국요양보호사교육원을 2008년 3월 5일에 설립하여, 2008년 10월 현재 400여 명의 요양보호사를 배출하였다. 한편 2008년 7월 5일, 전국요양보호사협회가 발족되어 활동을 지원하고 있다.

2007년 2월, 희망터에서 희망을 찾는 병원 노동자

희망터 사업은 기존 사업에 추가하여 공공노조의 전략조직화 사업을 지원하는 활동을 진행하면서 지역조직화 사업의 성과들이 나타나기 시작하였다. 의료연대 서울지역지부 서울대병원분회와 비정규직의 조직화에서 희망을 찾는 보건의료 노동자들은 희망터 사업을 지속하기 위해서 다음과 같은 과제를 제기하고 있다. "비정규 미조직

병원노동자 조직화의 중요성을 조직적 · 계급적으로 인식하고, 그것을 실천하는 투쟁의 주체를 형성하는 것"이었다.

5) 시설관리 노동자들과 공동투쟁

2007년에는 의료연대 서울지역지부 서울대병원분회와 성원개발분회의 원 · 하청 공동투쟁 전선이 형성되었다.

서울대병원 시설관리 간접고용 노동자들은 열악한 근무조건과 저임금에 허덕이고 있었다. 그런데 어용 집행부가 근무시간을 개악하는 노사합의를 함으로써 노동자들은 더욱 살인적인 노동에 시달리게 되었다.

10년 근속을 해도 월 120만 원, 28년 일한 노동자가 124만 원을 받아왔다. 그런데 사측은 너무 낮은 임금으로 신규인원이 확보되지 않자 신규인원에 대해서는 더 많은 임금을 주고 있는 상황이었다. 하지만 오랜 기간 일한 노동자의 임금은 인상되지 않았다. 제대로 된 안전화, 작업복을 지급받지 못하고 있으며, 작업환경 측정도 되지 않아 난청환자가 생겼다. 오폐수를 관리하는 환경에서는 작업복 세탁을 위한 세탁기조차 제공되지 않고 있었다. 정기휴가도 없앴다.

조합원들은 더 이상 참을 수 없다고 분노하였고, 서울대병원분회를 찾아와 연대를 요청했다. 같은 사업장에서 노동을 하고 있지만 서로의 처지와 상황에 대해 잘 몰랐던 원 · 하청이 어용 집행부가 맺은 노사합의사항 폐기와 민주노조 건설을 투쟁의 과제로 삼으면서 함께 투쟁했다. 6월 22일부터 3개월간 교섭을 진행하였으나 사측이 성실하게 교섭에 임하지 않아 합의점을 찾지 못해 10월 4일 파업에 돌입하였다.

2007년 임단협 교섭시기에 서울대병원분회와 성원개발분회의 공동투쟁을 통해 원 · 하청 사용자들을 압박하여 하청 사용자 측의 추석명절 수당 미지급건과 파행으로 치닫는 교섭을 제자리로 돌려냈다.

10월 4일부터 이틀간의 파업기간에는 조합원 연대와 지지가 더욱더 구체화 되었다. 성원개발분회가 파업투쟁을 진행하자 사측은 대체인력 투입을 통해 파업을 무력화하려고 했는데, 이를 원청 조합원들이 강력히 저항하면서 대체인력 투입을 막아냈고 마침내 파업투쟁을 승리로 이끌어 내는데 큰 역할을 했다.

이후에도 서울대병원분회와 성원개발분회는 하청 노동조합의 교섭이 타결되지 않을 때는 원청 노동조합도 합의를 하지 않는다거나 지지연대투쟁을 전개하는 등 원·하청 노동조합 연대의 모범을 보였다.

6) 민들레분회 청소노동자들의 파업투쟁

매일 새벽 4시에 일어나 첫차 타고 출근하여 하루 10시간 이상씩 노동하면서 한 달 임금은 116만 원. 한 달에 쉬는 날은 고작 2~3일, 몸이 아프거나 집안에 경조사가 있어서 쉴라치면 본인 일당보다 많은 돈을 물어내야만 쉴 수 있었던 현실, 청소한다고 쓰레기 취급당하면서 온갖 인간적인 멸시와 천대를 받아왔던 서러움. 청소 노동자들은 이러한 노동현실을 바꿔보자고 노동조합에 가입하고 민들레분회를 만들어 2009년 25일간의 파업투쟁을 전개하였다. 이들은 원청인 서울대병원과 세상을 향해 "우리도 인간답게 살고 싶다."고 소리치

2009년 10월, 인간답게 살고 싶어하는 비정규 청소노동자

고, "저임금을 개선하고 쉬면서 일하고 싶다."고 목이 터져라 외쳐댔다.

그러나 하청회사인 대덕프라임은 6개월이 넘도록 교섭에 한 번도 나오지 않았다. 법원의 "노조와 성실히 교섭하라."는 결정도 무시하고 "교섭에 나가면 서울대병원에게 계약해지 당한다."며 부당노동행위를 저지른 것이다.

원청인 서울대병원은 한 발 더 나아가 노골적으로 탄압하기 시작했다. 파업과정에서 서울대병원이 나서서 대체인력을 투입하고 대부분이 여성인 조합원들에게 경비들을 동원하여 멱살을 잡고 쥐어 패고, 머리채를 잡아 내동댕이치면서 폭력을 휘둘렀다. 여기에 그치지 않고 7명을 폭력 등으로 고소고발까지 하면서 투쟁을 포기하라고 압박하였다.

시간이 지나면서 경찰까지 가세하여 탄압하기 시작하였다. 경찰은 무작위로 50여 명의 조합원들에게 가정으로 출두요구서를 날리면서 투쟁을 위축시키기 위해 혈안이 되었다.

2009년 6월, 대덕프라임에서 나오지 않아 벽과 협의하고 있다.

노동부는 초기에 '교섭 안 해도 된다.'고 유권해

석을 내려 사용자 편을 들어주더니 급기야 너무도 명백한 체불임금까지 '체불이 없다.' 고 조합원들에게 찬물을 쏟아 부었다. 여기에는 원청인 서울대병원의 몫도 컸다. 노동부가 현장실사를 나온다고 하니 오전 8~9시, 낮 12~13시까지는 휴게시간이니 절대로 call을 해서 일을 시키지 말라고 지침을 내렸고 현장실사 나온 노동부는 휴게시간에 전혀 일을 시키지 않는다며, 체불임금 0원이라고 결론을 내린 것이다. 그러나 이러한 입체적인 탄압도 민들레 조합원들의 열악한 노동현실을 개선하고자 하는 절절한 투쟁 의지를 꺾지는 못하였다. 오히려 더욱 분노하며 파업투쟁 결의를 다져나갔다. 서울대병원 청소 노동자들은 원청, 하청, 그리고 경찰과 노동부의 총체적인 탄압에도 투쟁의 열기와 힘을 꺾지 않았고, 그것을 바탕으로 투쟁을 전개하여 다양한 성과를 얻을 수 있었다.

2009년 5월, 노동조합에 가입하고 12월 파업투쟁까지 민들레 조합원들이 얻은 성과는 적지 않다. 집단적으로 공공노조에 가입하자 하청사용자는 알아서 임금을 8만여 원씩(약 8%) 올려 주었다. 이전에는 법에 보장된 연차휴가도 마음대로 사용하지 못하다가 자유롭게 사용할 수 있게 되었다. 인간적인 멸시와 강압적인 노동을 강요해왔던 감독에게 당당

2009년 11월, 민들레는 꽃이 아니라 사람이었다.

하게 항의할 수 있는 자신감도 가지게 되었다.

파업투쟁 과정에서 열악한 노동조건을 강제해온 당사자가 원청인 서울대병원임을 확연히 알게 되었고, 서울대병원을 향해 “우리 노동조건 개선 책임져라.”고 외치면서 세상을 보는 눈이 열리게 되었다. 그리하여 원청인 서울대병원이 하청노동자의 노동조건 개선 책임자임을 분명하게 확인하게 되었다.

무엇보다 소중한 성과는 시키면 시키는 대로 일하던 노예가 아니라 인간다운 생활을 찾아가는 노동자로 우뚝 서게 된 것이고, 혼자가 아니라 수많은 동지가 함께하고 있다는 사실을 알게 된 것이다.

7) 식당분회 노동자들의 고용승계투쟁

2008년 10월 1일 서울대병원은 감사원 감사에서 “시설관리, 청소 등 용역, 직원식당에 대해 공개입찰하라.”는 시정 명령을 받았다. 직원식당 공개입찰 결과 CJ프레시웨이로 낙찰 되었다. 기존 S.H food 업체는 식당 노동자들에게 고용문제를 해결해 주겠다고 약속했으나

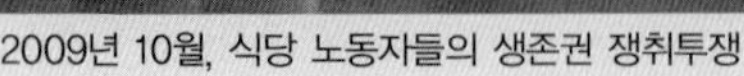
2009년 10월, 식당 노동자들의 생존권 쟁취투쟁

노동자들은 시간이 지나감에 따라 고용승계가 안될 수도 있다는 불안감에 시달렸다. 직원 중 일부는 "노동조합에 가서 상의해보는 것이 어떠냐?"고 했지만 회사 눈치가 보여 전전긍긍하였다. 그러다가 식당 직원 중 한 명이 "친구 중에 노동조합에 관계된 사람이 있다."는 말을 듣고 한번 만나보기로 하였다. 민주노총 간부와 두 차례 만난 후, 의료연대 서울지역지부를 소개 받아 직원식당 20여 명과 지부 간부들이 면담하고서 노동조합에 가입을 하게 되었다. 이후 지하 1층과 13층 전 직원이 노동조합에 가입하였다.

그런데 10월 말경에 CJ프레시웨이가 직원식당을 재하청 주고, 2차 하청업체가 인터넷 벼룩시장에 채용 모집 광고를 내고 전봇대에 모집 광고를 부착하였다. CJ프레시웨이는 전원 고용승계를 거부하였다. 노조는 10월 30일 병원장 면담을 통해 CJ프레시웨이의 행위에 대해 항의하였고, 직원식당 전 조합원은 10월 31일부터 철야농성에 돌입하기로 하였다. 이에 병원에서는 CJ프레시웨이와의 계약을 무효로 하고 기존 S.H food와 고용보장을 조건으로 1년간 계약을 연장하기로 하였다. 결국 완전고용승계와 노동자들의 단결된 투쟁에 밀린 삼성계열인 CJ프레시웨이는 직원식당 운영을 포기하였다.

8) 중소병의원 노동자 조직화 사업

서울대병원노동조합은 새로운 산업조직을 구상하면서 지역의 미조직 비정규노동자 조직화를 중심에 두었다. 이는 그동안의 노동조합운동에 대한 반성에서 출발하였다. 병원노조운동 20여 년의 역사 속에서 중소병의원 노동자 조직화가 절실함에도 실제 조직화는 실패

은평지역 병 · 의원 노동자들과 함께한 선전활동

하였다. 보건의료노조 건설 당시 중소영세노동자를 조직하고 규모, 직종을 넘어 단결하고 노동자 연대를 실천하자고 했던 염원은 제대로 실천되지 않고 산별노조는 대병원 정규직 중심의 조직에 머물고 말았던 것이다.

2006년부터 병원노동조합협의회(병노협) 산하 미조직비정규조직화센터로 설립한 '희망터'와 병노협 산하 노조들이 미조직 비정규노동자 조직화를 위한 전략조직화사업을 시작하였다. 이어 2007년 4월 의료연대 서울지역지부 건설로 지역조직화 사업은 더욱 힘을 받게 되었다.

서울대병원노동조합을 비롯한 병노협의 지역조직화 사업은 중소병의원을 사업장별로 조직하는 것을 지양하고, 지역 내 다양한 활동을 통해 활동인자를 발굴하여 의식을 변화시키고 역량을 강화하는 것을 가장 중요한 목표로 삼았다. 지역자원과의 긴밀한 결합과 지원 속에서 활동하여 궁극적으로는 지역협약 체결하여 노동조합으로서의 역할을 수행하는 것이다.

이를 위한 실천을 보면, 2007년 4월부터 2008년 9월까지 은평구 내 6개 지역의 200여 개 의원에 대한 선전전 및 실태조사를 진행하였고, 주 1회 테디베어 소모임, 등산모임 및 영화보기, 요양보호사교육수료생모임, 식사모임, 개별만남 등을 진행하였다. 이러한 사업을 통해 많은 수는 아니지만 의원 노동자들이 노조에 가입하고 지속적인 관계를 형성할 수 있었다. 뿐만 아니라 은평구 지역 의원 노동자들에게 의원 노동자들의 문제에 관심을 가지고 있고, 문제가 생겼을 때 상담할 수 있는 '희망터'가 있다는 인식도 확산되었다. 3회에 걸쳐 진행된 서울지역지부 대의원 선전전은 평균 80%정도의 대의원이 적극적으로 참석하는 가운데 진행되었으며, 이러한 실천을 통해 지부 전임자를 넘어서 지부 대의원들이 산별노조 지역지부의 활동방향을 인식하게 된 것은 중요한 의미를 갖는다. 이러한 기초 조직화사업을 바탕으로 2008년 하반기에는 지역 대중강연회 사업을 기획, 집행하였다.

소모임을 통해 모인 조합원들을 중심으로 2009년에도 매월 1회 이상 모임을 가졌고 '꼬리에 꼬리를 무는 교육'으로 다큐멘터리 영화를 보고 그 주제와 관련된 토론을 하는 모임을 진행하였다. 노동절의 유래와 역사에 대해 알아보고 노동법 공부를 하였다. 서울지역지부 전임자들이 은평구를 몇 개 구역으로 나눠 선전전, 구역별 식사모임을 진행하면서 의원 노동자들을 만나기도 하였고 '병원노동자 속닥속닥'(cafe.daum.net/h-sokdak)이라는 카페를 만들어 온라인 소통을 확대하고 있다.

3 의료상업화 정책에 맞선 투쟁

1) 의료 상업화 정책의 개요와 그 문제점

전통적으로 공공부문은 공익성과 효율성의 균형을 존립지점으로 인식하여 왔다. 그런데 민영화론은 이 균형을 무너뜨린다. 효율성을 추구하는 민간자본에 맡기면 결과적으로(또는 사후적으로) 공익성(서비스 질의 개선)이 담보된다는 것이다. 정부는 '민영화는 서비스 개선으로 이어질 것' 이라고 거듭 강조했다.

김대중 정부는 공공부문 경영혁신이라는 이름 아래 1998년 7월 3일 1차 공기업 민영화 추진 계획, 8월 4일 2차 공기업 민영화 · 경영혁신 추진 계획, 8월 17일 정부출연 · 위탁기관 경영혁신 추진 계획, 10월 2일 지방 공사 · 공단 민영화, 경영혁신 추진 계획 등을 통해 강력한 민영화 정책 및 잔여 공공부문에 대한 구조조정 방침을 발표하고 이후 이를 관철하였다.

김대중 정부는 대통령소속하에 정부혁신추진위원회(대통령령 제16911호, 2000.7.22. 제정)를 구성하였는데, 정부가 이와 같이 공공부문에 대한 경영혁신을 추진하는 논거는 다음과 같았다. "①공공부문이 오랜 권위주의 통치 과정에서 방만하고 비효율적으로 운영되어 왔다. ②자원 및 인력의 집적으로 시장경제의 질곡으로 작용하고 있다. ③공기업 매각 등을 통해서 구조조정에 소요되는 재정의 확보가 필요함은 물론 공공부문의 혁신이 외환위기 상황에서 외국자본에 대한 한국경제의 신인도 제고와 직결된다. 그동안 공공부문이 담당해 왔던 공공서비스 기능을 시장경제의 기능으로 대체함과 동시에 해외 초국적 독점자본들이 한국의 공공부문에 자본을 보다 쉽게 진출할 수 있는 토대를 강화시켜 주는 과정이었다."

김대중 정부 이후 의료상업화의 구체적인 사례를 살펴보면 다음과 같다.

김대중 정부	2002.1	동북아 비즈니스 중심국가 실현 구상 발표
	2002.2	경제자유구역의 지정 및 운영에 관한 법률 : 경제자유구역 내 외국인 전용 의료기관 설립 허용
노무현 정부	2004.10	경제자유구역법 개정 : 외국의료기관의 내국인 진료 허용
	2005.10	의료산업선진화위원회 발족
	2006.7	의료산업선진화 전략 발표
	2006.12	1단계 서비스산업 경쟁력 강화 종합대책 발표: 병원경영지원회사(MSO), 인수합병, 유인알선행위, 실손형 민간의료보험 활성화 제안
	2007.2	의료법 개정안 입법예고
이명박 정부	2008.3	영리의료법인 도입 검토 : 민간의료보험 활성화, 해외환자 유치 활성화 안 발표
	2008.6	의료개방선진화 테스트베드(제주특별자치도 지원위원회) : 외국영리법원 설립 운영 규제완화, 방송매체를 통한 의료광고 허용, 국내 영리병원 허용 검토
	2008.6	의료법 개정안 발표 : 외국인 환자유치를 위한 유인알선행위 허용, 의료법인 간 합병 허용, 부대사업 범위 확장
	2009.1	신성장동력에 글로벌 헬스케어 포함
	2009.4	의료채권 발행에 관한 법률안 국회 상정
	2009.5	서비스산업 선진화 방안 : MSO, 의료채권, 영리병원, 의료기관 간 인수합병
	2009.7	의료법 일부 개정안 입법예고 : MSO, 인수합병

2001년 카타르 수도 도하에서 열린 WTO 제4차 각료회의에서 서비스 등 새로운 의제를 다루기 위한 WTO도하개발아젠다의 출범을 계기로 영리병원 도입논의가 본격화되었다. 외국인의 국내 의료시장

침투는 양적 증가뿐 아니라 질적 측면에서도 우리나라 의료서비스 각 분야에 영향을 끼쳤다. 특히 외국자본의 유입으로 인해 의료의 상업화와 고급화를 더욱 촉진시킴으로써 의료비의 급격한 상승과 함께 의료보험 재정의 악화를 초래할 위험을 안고 있는 것이다. 왜냐하면 민간자본이 추구하는 효율성은 공공서비스 개선을 향하는 것이 아니라 '보다 많은 이윤' 을 지향하기 때문이다. 민간자본의 공공서비스사업 지배가 '서비스 질의 개선' 으로 이어질 것이라는 주장은 가설일 뿐이며, 자본 본래의 속성과도 일치하지 않는다. 더구나 실제의 공공서비스 민영화가 초래한 다양한 실패의 경험은 파괴적인 것이었다.

한편, 공공부문의 존립근거이기도 한 공공성은 보편적 서비스 제공이라는 사회통합적 기능을 추구하는 것이다. 사회구성원 모두에게 열려진 서비스를 공급하는 것이고, 사회적 재분배기능을 담당하고 있기도 하다. 민간자본이 지배하는 공공서비스사업은 이런 역할을 방기하게 된다. 서비스 이용자가 보다 높은 요금을 지불하게 되면 서비스 공급은 유지될 뿐만 아니라 개선될 수 있지만, 이윤이 보장되지 않는 서비스 공급은 중단될 것이다. 바로 사회통합적 기능이 파괴되는 것이다.

그런데도 2006년 12월 14일, 정부는 의료, 교육 등의 공공적 기능을 완전히 무력화시키는 '서비스산업 경쟁력 강화 대책' 을 발표했다. 의료, 교육, 문화 관광 등 서비스 분야에 대한 규제완화 및 금융 세제지원을 뼈대로 하는 내용이다. 이 대책은 그동안 공공서비스로 간주하던 의료, 교육부분의 경쟁력 강화, 수익성 제고, 외국인수요 유도, 보험사의 특정병원 소개 가능, 보험사기방지라는 명목으로 공단의 건강정보가 민간보험회사로 이전이 가능, 보험회사와 병원체

간의 복합화 가능 등의 본격적인 시장화 전략을 강조하였다.

의료기관 규제완화

영리병원 형태의 병원경영지원회사(MSO) 설립 허용 및 의료기관 수익사업으로 MSO허용	-병원경영지원회사 : 의료행위와 관계없는 병원경영전반(구매, 인력관리, 진료비 청구, 마케팅 등)에 대한 서비스를 제공하는 회사
의료기관의 채권 발행 허용	
영리형 수익사업의 허용 (의학 · 약학BT-생명공학- 등 연구개발사업, 영리형 복지사업, 병원경영지원, 해외환자유치, 유료 사회복지관련 서비스업 등)	-현행 의료법은 의료법인에 대해 제한된 범위의 부대사업만 허용(교육, 조사연구, 장례식사업, 주차장, 노인복지시설, 음식점) -사회복지법인, 학교법인의 경우 고유 목적사업을 수행하는데 지장이 없는 범위 내에서 수익사업을 포괄적으로 허용
비영리 의료기관의 매매 및 합병 허용	-의료법에 비영리 의료기관의 인수 · 합병 근거 및 절차의 마련(현행은 의료기관 청산관련 시도지사 허가사항으로 규정할 뿐 인수합병 구체적 요건 및 절차 관련 규정 미비) -소규모병상(30병상 이하)에 대한 시설 인력 등의 관리기준 강화해 서비스 질 개선 및 자율적인 구조조정 유도 -영세 급성기 병상의 요양병상 전화 유도(요양수가개발)

민간의료보험회사에 대한 규제완화

보험회사에 환자알선행위 허용	-현행 의료법 제25조 3항은 유인, 알선을 금지하고 있는데 개정을 통해 외국인 환자와 보험회사에 유인, 알선을 허용하여 해외환자 유치 및 민간보험회사 활성화를 추진
건보공단 질병정보 제공 허용	-진료비심사 강화하여 비급여 분야에 대한 보험사의 위험 부담을 완화하고 상품개발을 위한 건보공단 기초통계 제공

의료기관과의 직접적 계약 허용	-비급여 가격계약에 대한 보험사와 의료기관간 사율직 협상이 가능하도록 가이드라인 마련
실손형 보험상품 출시 지원	-07년 중 실손형 상품 출시가 가능하도록 보험사를 지원

더 나아가 정부는 2007년 의료기관 평가 지침서의 지침항목으로 환자의 권리와 편의(직원의 신분 정보제공, 불만 및 고충처리 체계, 환자만족도 조사, 진료비 내역 제고), 인력관리(인사관리기획, 인사정보관리, 직원교육체계, 신규직원교육, 재직직원교육, 의사인력 충족성, 간호인력 충족성), 진료체계(예약제도의 운영, 진료관련 서비스 제공, 입퇴원 환자관리 체계, 선택진료제 준수 및 환자 이해, 의료기관 회계준칙 준수), 감염관리(수술장 감염 관리), 시설환경 관리(시설 안전관리체계, 설비시스템 관리, 소방안전, 환자안전 보안체계, 위험물질 관리, 위생시설 관리, 장애인 편의시설, 입원 편의시설) 등을 제시했다.

정부는 의료자본의 세계화 추세를 따라잡을 수 없을 것이므로 의료기관에 대한 서비스 평가를 서둘러 시행한다고 했지만 의료기관의 경쟁만 부추기는 것이었다. 그런데 정부가 정해진 기준과 평가결과에 따라 등급을 매기고 이를 공표할 경우 최고의 서비스를 제공받기를 원하는 환자들은 높은 등급의 병원만 선호하게 될 것이다. 또한 높은 등급의 병원에 대해서만 의료보험수가를 올려 받을 수 있는 인센티브를 줌으로써 결국 병원의 부익부 빈익빈 현상을 초래하여 대자본에 의한 대형병원만 존재하게 될 것이다.

보건복지부는 병원의 주식회사화의 실질적 토대인 영리법인을 추진하려 하였다. 2005년 5월 13일, 보건복지부는 병원의 영리법인화를 허용하고 비영리법인에게도 채권으로 외부자금을 조달할 수 있도록 하는 '의료서비스 육성방안'을 적극 추진하겠다고 발표하였다. 국민건강을 위협하는 의료민영화 전략은 제주에서 전국으로 국내영리병원허용, 의료법 개악 · 의료채권법 제정(환자 유인 · 알선 허용, 돈벌이에 치중할 병원부대사업 범위 확대, 주식시장화로 이어질 의료채권 발행 허용), 건강보험 무력화 및 민간의료보험 활성화로 구체화되었고, 이명박 정권의 행정안전부와 교육과학기술부는 2008년 6월 중으로 국립대 법인화를 18대 국회에 상정하겠다고 밝히고, 2008년 5월 28일 교육과학기술부가 대통령 업무보고에서 국립대학 재정회계법안을 올리자, 서울대 총장은 임기(2010.7) 내에 법인화하겠다(8.6)는 입장을 표명하였다. 국립대 재정회계법의 문제점은 간단하다. 국립대학에 대한 국가의 재정지원 축소, 학생들의 등록금 인상, 대학발전기금을 중심으로 한 수익사업 등 개별 국립대학에게 재정책임 전가, 병원회계도 국립대 재정에 포함될 수밖에 없는 것들이다.

2008년 9월, 병원 민영화는 의료공공성의 독이다.

의료부분에 있어서는 국가가 다 손을 터는 식으로 가고 있기 때문에, 그러니까 요즘에는 주로 다 민영화 반대입니다. 최근에는 이명박 정권이 그나마 했던 국가가 책임져 줘야 될 의료의 문제라든가 뭐 이런 것을 포기하고 있습니다. 서울대병원

도 관련된 게 국립대병원 재정회계법입니다. (구술자 Q)

의료시장화와 상품화는 노동자들에게도 영향을 미쳐, 의료서비스 노동과정을 컨베이어벨트에 의해 움직이는 공장화하고 말았다.

지금은 진짜 공장 같아요. 환자를 찍어내지는 않지만, 환자를 만들어 내지는 않지만, 병원에 온 환자들을 절대 놓치지 않고, 그 환자로부터 돈을 뽑아내는 공장 같아요. 그래서 병원 안에 있는 사람들은 모든 걸 다 해줘야 되거든요. 또 빨리빨리 해야 되고. 또 하나는 병원의 평가시스템이 있어요. 평가시스템을 통해서 거기에 맞게끔 다 맞추어 주어야 되는 거죠. 병원은 필요한 경우에 평가시스템을 또 바꾸고 그걸 밑으로 전달하면 그 시스템에 따라 우리는 업무를 바꾸고. 상황에 맞게 구조가 또 바뀝니다. 꼭 컨베이어벨트를 높였다 낮추었다 하는 공장 같아요. (구술자 F)

의료상품화의 위험성을 알면서도 '민영화' 논리가 병원에 퍼져가고 있는 이유는 무엇일까. 의료서비스에 대한 인식 변화와 병원 운영의 효율성이 요구된다는 점이 공감대를 얻고 있다는 것이다.

대기업을 운영하는 자본가들이 병원을 운영하면서 의료는 권위가 아니라 서비스라는 인식이 높아졌다. 이는 그동안 서울대병원을 비롯한 거대 공공병원들의 문턱이 권위주의적으로 높았다는 점을 보여주는 것이기도 하다. 이처럼 의료시장 개방을 막아야 하는 당위성과 함께 의료의 문턱을 낮추는 일은 상호 충돌할 수밖에 없다.

대기업에서 병원을 운영하면서 병원의 구조들이 많이 바뀌었거든요. 그리고 큰 병원들이 생기면서 제일 많이 바뀐 것은, 의료는 권위가 아니라 서비스다, 라는 것을 받아들이는 계기가 된 거 같아요. 그리고 병원은 제대로 된 의료서비스를 제공하고 그거를 통해서 수입을 올려야 된다, 그런 부분들에 대한 생각들이 생기는 거거든요. 사립 병원들과 대기업 병원들이 생기면서 의료는 서비스다, 라는 개념이 서기 시작했고, 서울대 아니어도 된다, 이러면서 의사들의 권위가 많이 내려갔고, 병원의 권위도 많이 내려갔고, 의료가 보편화 됐고요. 이러면서 의료에 대한 문턱이 많이 낮아졌어요. 그러면서 의료시장 개방 얘기들은 더 많이 나왔고. 그런 것을 표방하게 되기도 하고. 그런데 정말 중요한 건 의료가 민영화된다면, 그리고 보험이 민영화된다면 정말 서민들이 큰 타격을 받고 의료보험 체계가 흔들리는 거기 때문에, 그 부분은 의료공공성 측면에서 꼭 막아야 하는 겁니다. (구술자 N)

또 하나는 병원노동자 내부적으로 병원의 운영, 관리의 효율성 논리가 먹힌다는 점이다. 병원노동자들은 스스로 의료공공성 문제를 사회적 담론으로 제기하고 투쟁하면서도 내적 딜레마에 부딪치고 있는 것이다.

딜레마이긴 해요, 특히 입장이 변했고요. 우리가 기본적으로 가졌던 노동조합 정신이랄까 그런 생각들과 신자유주의의 정책이 부딪치고 있는데, 그 상황에서 내가 어떤 힘을 발휘해서 뭔가를 할 수 있을까? 쉽지 않습니다. 의료공공성 얘기를 하려면, 내가 병원을 개혁해서 환자가 원하는 병원, 서비스를 잘 받는 병원으로 바꿔야 되는데, 실제 병원에서의 내 역할은 어떻게 하면 수익을 많이 올리게끔 하고, 적은 비용을 들여서 많은 아웃풋을 내느냐 하는 것이니까. 사실 의료공공성에 대해 머릿속엔 갖고 있지만 확실한 게 없다, 라는 게 문제죠. 또 하나 딜레마는 나도 관리자 입장에서는, 어떻게 효율적으로 관리할까, 다양한 방안들을 갖고 얘기를 해야 되는 거고, 직원들은 그게 아니고. 이런 형태의 딜레마죠. (구술자 A)

2) 의료공공성 투쟁의 진행

선택진료제를 폐지, 개선하기 위한 투쟁도 공공성 투쟁의 대표 사례라 할 수 있다. 선택진료제는 의료법이 개정(2000.1.12, 법률 제6157호)되어 신설되었고, 그 핵심 내용은 "환자 또는 그 보호자는 병원급 이상 의료기관에서 의사 등을 선택하여 진료를 받거나 이를 변경 또는 해지하고자 하는 경우에는 신청서를 해당 의료기관의 장에게 제출하거나 전화 등 통신매체를 이용하여 그 신청을 할 수 있도록" 한다는 것이었다.

선택진료제의 가장 큰 문제는 과잉진료를 부추기는 것이었다. 선택진료제가 실시된 이후 2001년 1월과 2월에 전년대비 환자수가 감소하였음에도 수익금이 증가하였다. 선택진료제 문제가 제기되었을 당시 성상철 병원장은 '선택진료제가 문제 있는 것을 안다.' 라고 하면서도 환자에게 막대한 의료비를 가중시키는 선택진료비에 대한 미련을 버리지 못하였다.

서울대병원은 선택진료규정 제6조에 의하여 선택진료위원회를 운영하고 있고, 선택진료수익으로 2004년 314억, 2005년 329억, 그리고 2006년 9월 현재 213억 원을 벌었다. 서울대병원의 선택진료수당은 (2006년 9월 현재) 교수의 경우 한 달에 60만~150만 원, 부교수의 경우 55만~130만 원, 조교수의 경우 50만~110만

2004년 보라매 선택진료제 폐지 투쟁

원, 전임강사 45만~90만 원, 레지던트는 8만 원, 그리고 인턴은 7만 원이었다.

노동조합이 제시했던 선택진료제의 문제점으로는 "첫째, 종별가산제를 통하여 2006년 9월 현재 종합전문요양기관은 30%, 종합병원 25%, 병원 20%, 의원 15% 등 의료기관별로 건강보험수가가 차등 가산되고 있어, 3차 의료기관의 경우에는 병 · 의원에 비하여 5~10%의 가산이 인정되고 있어, 선택진료에 대하여 추가로 부담금을 지불하는 것은 2중 부담이다. 둘째, 3차 의료기관의 경우, 그에 따른 시설과 양질의 의료인력을 갖추도록 하는 것은 당연하므로 양질의 의료인력 확보에 따른 비용을 결과적으로 환자에게 부담하는 것은 타당하지 않다. 셋째, 공적보험을 시행하고 있는 외국 중에서 우리의 선택진료와 같이 의사를 선택하였다는 이유만으로 그에 소요되는 추가비용을 환자가 부담하는 사례는 없다. 넷째, 과도한 선택진료비 부담으로 인하여 3차 의료기관에 대한 저소득층의 접근성을 저해하고 있는 등 선택진료가 환자의 의사선택권 보장보다는 해당 의료기관의 수입보전으로 전락하였다는 비판을 받지 않을 수 없다."는 것이었다.

선택진료비 문제는 국립대병원과 사립대병원 노조의 이해관계가 달라 의료민주화 요구로 공통화하는 데 어려움을 겪기도 했다. 그 이유를 들어보자.

선택진료 문제만 봐도요 사립대하고 국립대, 그게 달라요. 저희 같은 경우는 선택진료비를 받아서 직원들이 이만 오천 원을 받아요. 한 달에 한 번 특진비 명목으로 해서. 그래서 "이만 오천 원 그거 안 받아도 그만이야" 이런 사람들이 많은 거예요. 예전엔 더 심했다고 하더라구요. 선택진료비 반납운동까지 했었으니깐. 근데 사립대는 또 운영이 달라요. 거기는 특진비를 받아서 직원들한테 월급 형식으로 일정부분을 꽤 많이 줘요. 몇 십만 원. 그니까 우리는 선택진료비 필요없어, 그런 거 안 받아도 된다, 선택진료비 환자들한테 돌려라, 병원은 그거 받지 말아라 등의 요구가 안 되는 거예요. 그러면 직원들의 임금 삭감이 되는 거니깐. 그러니까 지금은 거기서부터 이해관계가 상당히 벌어지는 거예요. 의료민주화 부분에 대해서 형식적으로는 얘기를 하지만 이 문제로는 함께 싸울 수가 없는 거예요. 조합원들이 동의를 안 한다, 이렇게 되거든요. (구술자 K)

살펴본 대로 서울대병원노동조합은 환자 · 보호자의 권리를 위해 투쟁해왔다. 그러나 파업투쟁을 전개할 때마다, 보수언론의 영향을 받거나 위기의식을 느낀 일부 환자 · 보호자들은 투쟁하는 조합원들을 비판하기도 했다. 하지만 대부분의 환자 · 보호자들은 필수인력을 배치하여 환자들의 불편을 최소화하면서 전개했던 노동조합의 투쟁에 공감하면서 지지 · 격려하곤 했다. 서울대병원노동조합은 환자 · 보호자들에게 병원의 문제점을 제기하면서 투쟁의 정당성을 선전하였고, 투쟁의 승리가 곧 환자 · 보호자의 권리를 쟁취하는 과정으로 인식시켰다. 대표적인 예이지만, 환자 · 보호자들에게 편의시설과 휴식공간을 제시하는 문제나 2006년 6월부터 시행된 TV시청 무료화 투쟁도 노동조합이 전개했던 것이다.

투쟁을 하다보면 노사간의 문제보다도 환자와 환자보호자와의 문제도 큰 문제였습니다. 이를 해결하는 핵심기조는 의료민주화였습니다. 우리 노조는 의료민주화는 초창기부터 노동조합이 만들어지면서 같이 해왔다고 알고 있어요. 조합원들이 의료민주화라는 요구안에 대해서는 기본적으로 다 의식은 갖고 있는 것 같아요. 파업 때도 매번 빼먹지 않고 하는 게 의료의 민주화와 공공성이고. 환자들 입장에서는 공공성, 공공의료가 돈 문제로 연결이 되잖아요. (구술자 K)

이처럼 꾸준하게 의료민주화와 공공성강화 투쟁을 전개하여, 2009년 의료연대 서울지부 서울대병원분회는 병원과 국가중앙병원으로서의 공공적 역할을 강화하고 교육 · 연구 · 진료를 통하여 의학발전과 국민건강 향상에 적극 기여하기 위해 서로 합의하였다. 그 내용은 "첫째, 병원은 국공립병원의 공공의료 발전 및 의료서비스 향상을 위하여 국공립병원 네트워크 구축에 노력한다. 둘째, 병원은 국가중앙병원으로서의 공익적 역할을 강화하기 위하여 보건복지가족부와 교육과학기술부에 예산확보를 위해 노력하고 의료낙후 및 소외지역에 대한 공공의료사업을 지속적으로 확대하여 추진한다. 셋째, 병원은 정부지원을 확보하여 병원계 의료서비스 향상과 발전을 위하여 의료교육센터 등 교육인프라 구축사업을 추진한다. 넷째, 병원은 정부지원을 확보하여 국민보건사업의 공공적 역할을 수행하기 위한 국가격리병동 및 외상전문치료센터 설치에 적극 노력한다. 다섯째, 병원은 의료전달 및 협진체계 구축을 통하여 관련 협력병원의 의료의 질 향상에 적극 지원한다. 여섯째, 병원은 현 병원장 임기 중에 영리법인 도입을 위한 채권발행을 하지 않는다. 일곱째, 병원은 보건복지가족부와 협력하여 국립대병원의 공공의료에서의 역할에 관한 연구(공공보건의 교육훈련 지원, 저소득층 진료지원체계 구축 등)사업을 적극 추진한다. 여덟째, 보라매병원은 리모델링 완료 시 다인용 병상이 70% 수준을 유지하도록 한다."는 것이었다.

의료민주화 및 공공성 투쟁은 단위사업장, 병원 노동조합 차원을 넘어선 문제가 되었다. 의약분업, 의료복지, 건강보험제도 개혁, 의료 시장 개방 등 보건의료 부문의 개혁이 핵심적인 사회정치적 과제로 부각되는 속에서 이 의제는 이미 노사관계에서의 이데올로기적 공방의 차원을 넘어서서 실질적인 사회적 교섭의제로 변화해가고 있다.

의료민주화, 의료공공성에 대한 현장 간부들의 생각을 들어보자.

하나는 노동조합이 생기면서 경험을 통해 얻은 것들인데, 사회적으로 존재하는 민주주의를 우리 내부로 투영시켜서 실질적인 민주화를 얻어낼 수 있다는 구조, 그것이 곧 의료민주화의 한 축이고, 다른 축은 환자 중심으로 사고가 전환되는 것, 이것은 의료민주화의 다른 축이다. 예를 들면, 성분명으로 처방하자는 노조의 의견에 대해, 의사의 고유권한이라고 하면서 병원에서 굉장히 놀란 거죠. 특히 의사들이. 사회적으로 그런 문제제기를 했다는 거, 성분표시가 왜 중요한지, 그것이 갖고 있는 의미가 무엇인지를 알려갔다는 것. 당시에는 그 자체만으로도 의료민주화의 대표성을 갖는 투쟁이었죠. (구술자 A, 구술자 N)

국민 건강권 확보를 위한 의료공공성 쟁취투쟁은 의료 체계의 구조적 모순에 의해 파생된 문제점들을 해결하기 위해서는, 어느 한 노동조합의 문제 제기로는 불가능하였다. 따라서 전체 병원 노동조합과 의료관계 종사자 또는 여러 단체의 연대투쟁이 필수적이었다. 또한 의료정책 및 의료시장의 개방 문제는 전문적인 내용이 기반이 되어야 하므로 의료민주화 투쟁을 연구하고 준비해 나가는 전담 부서도 필요하다.

병원내의 의료 문제를 눈으로 확인하면서 일하고 있는 병원노동자는 병원의 기득권자가 아니라 의료의 공공성 및 민주화의 주체이자 대상이었기 때문이다. 국민적 공감을 얻어냄과 동시에 사회 민주화의 일익을 담당하는 의료민주화 투쟁은 병원 노동조합이 장기적으로 바람직하고 발전적인 역할을 해내는 원동력인 것이다.

4 현장을 살리려 했던 투쟁

1) 근골격계 투쟁[7)]

골병든 병원노동자들

근골격계질환은 노동과정에서 스트레스, 과도한 힘, 반복 동작, 불안정한 자세 등으로 근육, 뼈, 인대, 신경, 혈관, 관절, 혈액낭 등에 문제가 생긴 것이 누적되어 따갑거나 쑤시고 저리며 아픈 상태를 말한다. 초기에는 쉬면 나아지지만, 이것이 누적되어 심해지면 쉬면서 치료를 해도 완전히 회복되지 않는 경우가 있다. 이른바 '골병' 이다. 이러한 질환은 검사해도 잘 나타나지 않는 근막통증증후군, 지나치게 많이 써서 걸리는 수근관증후군, 근육이 뼈에 붙는 부분에 무리가 가서 건에 염증이 생기는 건염, 추간판탈출증 등이다. 어느 노동자든 이러한 질환으로부터 자유롭지 않다. 노동강도에 따라 다양하게 나타나는 직업병인 것이다. 그런데 근골격계질환은 당장 쓰러지거나 죽는 병이 아니다 보니, 가볍게 여기는 경우가 많다. 제대로 치료받

---

7) 근골격계 투쟁 서술은 대부분 김애란의 서면답변으로 이루어졌다.

지 않으면 치료기간이 길고, 한 번 앓게 되면 질환 전과 동일하게 개선되기 어려운데도 말이다.

근골격계질환 문제가 꾸준히 제기되었으나 투쟁으로 조직되지는 못했다. 그동안 근골격계질환 투쟁이 병원 사업장에서 잘 안 된 이유를 들어보았다.

병원에서는 수많은 종류의 질병을 하도 많이 보니까 오히려 거기에 무감각해지는 것 같아요. 둔해진다고 해야 할까. 대부분 극단적인 상황들까지 보니까. 질병하고 다르게 산업의학 교육이 잘 안 돼요. 의사들도 잘 모르고. 그리고 우리 자신들도 그런 부분에 대해서 관심을 기울이지 못했다라고 할까요? 눈에 보이는 임금이나 직제 부분과는 달리, 건강 문제에 대해서는 크게 제기하지 못했던 것 같아요. (구술자 D)

2003년 근골격계부담 작업으로 인한 건강장애의 예방 조항이 법제화되면서, 서울대병원은 2004년에 근골격계질환 유해요인조사를 일방적으로 추진하였다. 이에 노동조합은 산재신청조차 못하게 탄압하는 병원 측이 일방적으로 근골격계 유해요인 조사를 진행하는 것은 맞지 않으므로, 노사공동으로 실시할 것을 제기하였다. 노동조합은 이러한 투쟁을 계기로 조직력을 강화하려 하였다. 노동조합은 건강한 일터, 건강한 노동자를 복원하기 위해 2005년 임단협의 주요 요구로 제기하였다. 투쟁의 결과 노동부는 2005년 9월 12

2005년 9월, 수술장 간호사 산재승인을 위한 결의대회

일에 서울대병원을 근골격계질환 예방관리프로그램의 대상으로 지정하였고, 서울지방노동청도 2006년에 노사가 공동으로 근골격계 유해요인을 조사하라고 지시하였다.

이는 노조가 주장한 2004년 최초 유해요인조사 기간을 넘긴 문제, 부담 작업이 있음에도 전수조사를 하지 않은 문제, 특히 노동조합을 배제하고 일방적으로 기관을 선정, 진행한 문제 등을 인정한 것이다. 이로 인해 노사 이견이 있는 사업장으로서 노사공동을 유해요인 재조사 및 교육, 훈련, 개선계획의 수립과 시행 등 예방관리프로그램의 전체 계획서를 2006년 3월 13일까지 제출하라는 명령이 내려졌다. 그러나 병원은 2004년 유해요인조사가 적법하다며 그 결과를 갖고 개선 계획서를 만들고 일방적인 교육 등을 통해 보고서를 만들어 근골예방관리프로그램 종료일인 3월 13일 노동청에 제출했다. 노동조합은 서울대병원과 서울지방노동청의 위법 및 직무유기에 대해 제대로 그 역할을 할 수 있도록 하고 건강한 일터, 병원을 만들기 위한 투쟁을 적극적으로 진행하였다.

병원은 근골격계질환 양성소

2005년부터 노사공동대책위원회를 구성, 조합원 설문조사 및 작업환경을 평가하여 사무환경의 개선, 환자 이송카 개선 등의 10대 요구를 단체협약에서 합의하는 성과를 낳기도 하였다. 2005년부터 3년간 노사공동으로 유해요인 조사를 실시한 결과, 비록 6명이지만 근골격계 질환자가 산업재해로 인정되는 성과를 낳았다. 노동조합의 이러한 투쟁으로, 서울대병원은 2006년에 근골격계 예방 프로그램 노동청 지정사업장이 되었고, 2007년에 노사합의하에 한림대 산업의학과로 근골격계질환 예방관리 프로그램을 의뢰하여 조사사업을 진행하였다.

2007년 서울대병원은 근골격계질환 설문조사(주관 : 한림대 성심병원 산업의학과 주영수 과장)를 실시하였다. 설문결과, 응답자 3,005명 중에서 87.65%인 2,634명이 아팠던 적이 있었고, 78%가 근골격계질환의 증상을 호소하였다. 299명은 일정기간 동안 물리치료 및 운동치료 후에 경과를 살피면서 재평가를 받아야 한다고 판정받았다. 서울대병원 노동자들의 근골격계질환 유해요인을 조사한 결과, 불편한 자세, 중량물, 높은 반복성 등이 질환의 주요 원인이었다. NIOSH 기준에 따라 분류하면, 서울대병원 노동자들의 근골격계질환 정도를 보다 구체적으로 파악할 수 있다.

기준	분류 근거	해당 인원
NIOSH 기준 1	1. 근골격계 증상이 한 달에 한 번 이상 발생하거나 2. 발생된 증상이 일주일 이상 지속되는 경우	2,286(76%)
NIOSH 기준 2	1. 근골격계 증상이 한 달에 한 번 이상 발생하거나 2. 발생된 증상이 일주일 이상 지속되는 경우로 3. 증상의 정도가 중간정도 이상인 경우	2,286(76%) 1,911(64%)
NIOSH 기준 3	1. 근골격계 증상이 한 달에 한 번 이상 발생하거나 2. 발생된 증상이 일주일 이상 지속되는 경우로 3. 증상의 정도가 심한정도 이상인 경우	859(29%)
기타기준	1. 근골격계 증상이 한 달에 한 번 이상 발생하고 2. 발생된 증상이 일주일 이상 지속되는 경우로 3. 증상의 정도가 중간정도 이상인 경우	777(26%)

NIOSH (National Institute for Occupational Safty and Health)는 미국의 국립직업안정건강연구소

서울대병원 노동자들은 교대노동으로 유발되는 수면장애로 고통을 받았고 이는 만성피로의 주요 원인으로 작용하였다. 또 다른 고통

은 만병의 근원이라고 하는 스트레스였다. 직무스트레스에 대해서는 한국형 직무스트레스 측정도구를 이용하여 평가하였는데, 서울대병원 노동자들은 물리환경, 직무요구, 직무자율, 직무불안정, 관계갈등, 조직체계, 보상부적절, 직장문화 등을 평가하는 과정에서 물리환경, 직무요구, 관계갈등, 그리고 조직체계에서 우리나라 전체 노동자의 평균보다 월등하게 높은 스트레스에 시달리고 있었다. 특히 직무스트레스는 아주 높게 나타났다.

직무스트레스가 서울대병원 평균보다 높은 부서

	부문	주요 평가 내용
1	물리환경	병동, 중환자실, 응급의학과, 의공학과, 환자운반원, 보험심사팀, 중앙공급과, 정맥주사팀
2	직무요구	병동, 중환자실, 수술장, 응급의학과, 약제부, 보험심사팀, 정맥주사팀
3	직무자율	외래, 중환자실, 수술장, 신생아실, 분만실, 응급의학과, 특수검사부, 병리과, 중앙관리보조원, 환자운반원, 급식영양과, 가정의학과, 약제부, 원무과, 중앙공급과, 기타
4	직무불안정	병동, 외래, 신생아실, 분만실, 영상의학과, 진단검사의학과, 방사선종양학과, 재활의학과, 의공학과, 병리과, 중앙관리보조원, 환자운반원, 급식영양과, 가정의학과, 원무과, 중앙공급과, 소아행정과, 기타
5	관계갈등	병동, 외래, 응급의학과, 영상의학과, 진단검사의학과, 특수검사부, 병리과, 중앙관리보조원, 환자운반원, 급식영양과, 약제부, 원무과, 보험심사팀, 중앙공급과, 정맥주사팀, 소아행정과, 임상의학연구소, 기타
6	조직체계	병동, 수술장, 분만실, 응급의학과, 병리과, 중앙관리보조원, 환자운반원, 약제부, 원무과, 보험심사팀, 중앙공급과, 정맥주사팀, 소아행정과
7	직장문화	병동, 중환자실, 수술장, 응급의학과, 진단검사의학과, 방사선종양학과, 특수검사부, 병리과, 중앙관리보조원, 환자운반원, 청소, 원무과, 보험심사팀, 의료정보센터, 중앙공급과, 건축과, 설비과

건강한 일터를 위한 투쟁

서울대병원지부는 근골격계 투쟁의 목표를 노동자의 일터와 그 일터에서 노동하는 노동자의 건강을 되찾는 것으로 세웠다. 투쟁의 목표를 다섯 가지로 정리하면 다음과 같다. "첫째, 은폐 · 잠재되어 있는 질환자를 조기에 발견하고 치료받게 하는 것. 둘째, 제대로 치료받고 제대로 복귀할 수 있는 체계를 구축하는 것. 셋째, 환자가 발생한, 발생할 수밖에 없는 노동현장을 바꾸는 것. 넷째, 이 모든 것을 노동자의 손으로 현실화시키는 것. 다섯째, 이를 통해 건강의 소중함을 알고, 건강한 현장으로 복원하는 것."

서울대병원지부는 이러한 목표를 위해 2005년 2월 대의원대회에서 근골격계질환 교육을 하고 '근골격계질환대책위원회' 를 구성하였다.

노동조합은 이후 수련회, 정기적인 대책위원회 모임, 산업재해와 관련된 조합원 하루교육 등을 거쳐, 2005년 5월 16일부터 25일까지 조합원들을 상대로 근골격계 질환과 관련된 설문조사를 하였다. 노동조합은 그 결과를 바탕으로 2005년 6월 2일 대의원대회에서 근골격계질환과 관련된 세부 요구안을 결정하였다.

2005년, 근골격계 질환을 노동현장에서 추방하기 위하여

2005년 근골격계 공동 요구

1. 아픈 노동자에게 치료받을 권리를 보장하라! 병원은 산재로 인정하라!
2. 환자도 늘었고, 병원 이익도 늘었는데, 인력은 줄었다. 부족인력 확충하라!
   - 침상교환시 2인 1조로 시행하라.
   - 간호운영기능직의 담당 병동수를 줄여라.
   - 선택식단 등으로 늘어난 급식과의 업무를 나눌 인원을 확충하라.
   - 방사선과 1인, 1일 촬영건수를 제한하고 필요한 인원을 확충하라.
   - 간호사 1인당 환자수를 줄이고 인원을 확충하라.
3. 내 다리는 피곤하다. 각 부서에 맞는 기능성 신발과 정맥예방류 고탄력스타킹을 지급하라!
4. 병원에서 다루는 모든 중량물 무게를 10kg이하로 제한하라.
   - 병원에서 다루는 모든 중량물 무게를 10kg이하로 줄여라.
   - 중환자실 체위 변경시 반드시 4인 작업을 확보하라.
   - 환자를 침대에서 이송침대로 이동시키는 작업은 2인 1조로 시행해라.
   - 높낮이가 조절되는 환자이송카와 침대 및 검사대를 지급하라
5. 난 종일 앉아서 일하는 좌식노동자. 사무환경을 개선하라!
   - 등받이, 목받침, 팔걸이 갖추어져 제 역할을 하고 높낮이가 조절되는 의자를 지급하라.
   - 책상아래 공간이 확보되고 다리가 편안히 들어가는 책상으로 교체하라.
   - 컴퓨터 작업 관련하여 편하게 할 수 있는 환경으로 개선하라.
     ☞부서: 컴퓨터를 다루는 모든 부서
6. 브랜드파워 1위 서울대병원, 업계 최초로 도입한 EMR카는 수준미달이다. EMR카 개선하라 !
   - 가벼운 재질의, 높낮이가 조절되는 EMR카를 지급하라.
   - EMR카에 내부에 접이식 의자를 장착하라.
7. 한 시간에 10분! 휴식시간 보장하라!
   - 책상에 앉아서 단말기 작업하는 업무는 한 시간에 10분씩 쉬자.

노동조합은 2005년에 노조 자체 조사와 근골격계질환 예방관리 활동으로 부서 간담회를 4차례 하였고, 기자회견, 임단협 요구로 10

대 요구를 제출하는 등 근골격계 투쟁을 전개하였다. 개선안을 마련하기 위해 일본 견학도 하였다. 7월부터는 노조로 접수된 소아수술장 간호사 근골질환 산재인정 투쟁을 벌였고, 근로복지공단 앞 집회 및 선전전 CCTV 몰래카메라 고발도 하였다.

꾸준히 전개한 근골격계 투쟁의 성과로 2007년에는 예방관리 프로그램을 구축하기로 하고, 한림대병원 산업의학과에 근골격계질환 예방관리프로그램 구축을 의뢰하였다. 병원장을 포함한 전 직원을 상대로 예방관리 프로그램을 진행하였다. 하지만 예방관리 실무위원을 관리자를 제외하고 구성하였는데 병원이 추진팀과 실무위원에 대한 공가를 유해요인 조사 기간에만 인정하여 추진팀 교섭이 안 되었고 실무위원 활동도 중단되었다. 노조는 이에 대해 항의하고 교섭을 요구하여 근골격계추진팀 교섭을 2007년부터 2008년 12월까지 50여 차례 진행하였다. 투쟁의 성과로 실무위원은 월 1일 공가(노사 각각 10명, 총 20명), 재활센터 설치합의, 산재 불이익 방지 및 원직 복직, 업무 복귀(현장적응) 프로그램을 마련하기로 노사합의하였다.

2009년에는 실무위원들이 본격적인 활동을 하였고 노사 추진팀이 대우조선소 서문센터(재활센터)를 견학하였다. 실무위원 구성을 할 때는 간호사, 사무직, 원무과, 환자이송, 방사선사, 병리사, 중앙공급과, 급식영양과, 간호운영기능직(간호조무사), 경비와 약사(현재까지는 대표적인 비조합원) 등 다양한 직종 참여로 폭넓은 의견을 수렴하였다.

서울대병원노동조합은 병원 측으로부터 2005년과 2010년에 아래의 내용과 같은 합의를 이끌어 냈다.

2005년 합의	1. 탄력 스타킹 : 정맥류 예방을 위해 탄력 스타킹을 2006년 1/4분기에 지급하되, 지급대상 및 제품 등은 산안위에서 논의한다. 2. 환자 이송카 개선 : 환자 이송카를 높낮이가 조절되는 제품으로 단계적으로 교체토록 한다. 3. 납가운 교체 : 2007년 상반기까지 가벼운 제품으로 단계적으로 교체토록 한다. 4. 자동 혈압계 : 2006년도에도 자동혈압계를 추가로 구매토록 한다. 5. 근무화 및 근무복의 질 개선 : 직원들의 불편사항 및 의견을 수시로 파악 및 반영하여 지속적으로 개선하도록 하되, 세부사항은 산안위를 통해 논의한다. 6. 보라매병원 사무환경 개선 : 컴퓨터를 다루거나 계속 앉아서 근무하는 부서의 경우, 인체공학적인 집기가 제공되도록 하되, 세부사항은 산안위를 통해 논의한다. 7. EMR car 개선 : 직원들의 불편사항을 최대한 수용하여 사용에 불편함이 없도록 계속적인 점검 및 보완작업을 진행토록 하며, 향후 재구매시에는 높낮이 등의 편의성이 개선된 제품을 구매토록 한다. 8. 산업안전보건위원회 논의 : UDS카, 중앙공급실 물품 운반카, 안전화(급식영양과)에 대해서는 개선하되, 산안위를 통해 세부사항을 논의한다.
2010년 합의	1. 작업시 신체적 부담을 최소화하기 위한 의료기기 모니터암(Arm) 설치 2. 작업시 높낮이가 조절되는 검사대 및 의자 설치(응급실 내 영상의학 촬영실 작업대 우선 개선) 3. 높은 곳의 물품 작업시 발판 역할을 할 수 있는 받침대 제공 4. 사무환경 및 스테이션 개선 5. 각종 이동카트의 바퀴를 소음이 적고 이동이 편리한 것으로 개선 6. 납가운은 부서의견 반영하여 수량을 최대한 확보하고 용도에 맞도록 제공 7. 의료진이 사용하는 싱크대를 편리하게 사용할 수 있도록 개선(수술장, 공급실, 병동싱크대 – 본원, 어린이병원) 8. 서8병동 무균실 입구 공간을 출입이 용이하도록 개선하고 무균실 공간 확보 9. 치과병원 환자이송 시 평상시에도 앰뷸런스로 이동 10. 39병동 입구를 출입이 편하도록 경사도 및 문턱 개선 11. 소아공급실에 세척작업이 용이한 자동세척기 도입 12. 소아 보호자 장의자를 본원과 같이 가볍고 이동이 편리한 의자로 교체

2010년 합의	13. 본원 일반촬영실 및 공급실 출입문을 출입이 편리하도록 자동문으로 개선 14. EMR카트에 노트북 조명장치, 수액걸이 등 설치 15. 작업시 편안하고 기능성이 있도록 작업복 및 작업화 개선 16. 급식영양과 후드 청소 작업시 위험을 최소화할 수 있도록 개선
근골격계 질환 예방관리 프로그램으로 바뀐 현장	① 급식과 안전화 ② 급식과 소음대책 ③ 납가운교체 ④ EMR카개선 ⑤ 자동체중계 / 자동혈압계 ⑥ 노동안전보건교육 실시(전직원 년 4시간) ⑦ 핵의학과 접수 의무전사실 개선 ⑧ 보라매병원 사무환경개선 ⑨ 중앙공급실 물품운반카. UDS카. 환자이송카 개선 ⑩ 탄력스타킹 지급 ⑪ 근무화 및 근무복 개선 ⑫ 간호부 근무복 세탁

이러한 합의가 이루어졌다 하더라도, 근골격계질환을 예방하기 위해서는 노동현장의 투쟁이 필수적이다. 작업환경이나 충분한 휴식을 확보해 나가면서 건강한 일터와 노동자의 건강이 복구될 수 있는 것이다. 그래서 서울대병원노동조합은 노동현장을 변화시켜 나가는 투쟁을 지속하고 있다. 그 방향성은 "첫째, 단기적으로 병실구조, 부적절한 작업대 및 장비 등의 개선을 통하여 작업 중에 강요되는 불편한 작업자세를 점차 감소시켜 나간다. 둘째, 환자 취급 및 다양한 중량물 취급에 따른 신체적 부담의 감소를 위한 기계적 보조장비의 도입과 작업방법을 개선한다. 셋째, 중장기적으로 협소한 작업공간의 확장, 그리고 근본적으로 높아지는 노동강도에 대한 정확한 평가를 통

해 노동강도의 조절 및 적정인원의 충원이 이루어지도록 한다. 넷째, 사무작업에 대한 개선사항은 공통적으로 조절형 작업대의 도입과 스트레칭을 포함하는 적정 작업/휴식 비율을 확보한다. 다섯째, 일부 작업환경이 개선되더라도 기본적인 노동강도가 높은데 따른 피로의 누적을 예방하는 데는 한계가 있다. 병원 측이 진행하고 있는 경영합리화 등을 저지하는 투쟁을 강화하여, 노동강도를 완화하고 충분한 인력을 확보하는데 노력한다."는 것이다.

근골격계투쟁의 성과를 낼 수 있었던 요소에 대해 노조는 "우선 근골격계질환 예방사업 기획단, 자문단을 잘 꾸린 것, 둘째, 예방관리 추진팀을 노사 각각 4명(병원: 행정처장, 총무부장, 안전/보건관리자)으로 구성한 것, 셋째, 예방관리 현장 실무위원은 노조 대의원이 아닌 사람이 대부분"이었던 점을 꼽았다. 다양한 의견 수렴이 가능했고 예방프로그램을 실현할 구조를 갖췄다는 것이다. 무엇보다 추진팀 및 실무위원들의 노력이 큰 역할을 했다. 이들은 교과서적인 활동을 끊임없이 고민하고 토론하면서 현장의 문제를 파악하고 다양한 의견을 들었다. 노동조합은 실무위원 교육과 활동을 주관하면서 근골격계질환 퇴치를 위한 조직적 노력을 기울였다.

2) 병원 합리화에 맞선 투쟁

성과 중심의 노동강도 강화, 통제 중심의 노동과정

신자유주의 구조조정의 대표적인 것이 연봉제와 다면평가제의 도입이었다. 병원에서의 연봉제도입은 의사로서의 자부심과 사명감 그리고 양심적인 진료를 허용하지 않고 그저 의술만을 강요하여 인술을 베푸는 진정한 의사로 남아있지 못하게 한다. 또한 사명감과 자부심을 가지고 일하는 직원 모두를 '돈 버는 기계'로 전락시킴과 동시에 병원을 찾는 환자를 애정을 바탕으로 하는 치료의 대상이 아닌 '돈벌이대상'으로 전락시키는 지름길이었다.

돈벌이의 핵심 수단 중에 하나는 공개(겹치기)진료였다. 2006년, 서울대병원은 외래환자 수가 전년 대비 일평균 2천여 명이 늘어났다. 한 진료실에서 다양한 환자가 동시에 진료를 받는다. 많게는 한 진료실에서 5명의 환자를 동시에 보기도 한다. 2~3시간 기다려 1분도 채 안 되는 진료를 받고 있다. 문제의 해결을 위해서는 적절한 진료시간이 확보되어야 한다.

연봉제 역시 그 문제점이 드러나고 있다. 연봉제와 긴밀하게 연관된 능력주의 인사제도는 평가기준의 공정성, 객관성이 떨어져 실제로는 능력보다는 충성도로 평가되는 경우가 많고, 조직보다는 개인을 우선하는 풍토로 일시적 경쟁효과를 가져오나 중장기적으로 조직적 응집력을 약화시키는 것이었다. 서울대병원은 2005년 10월, 팀제와 연봉제의 발판이 될 다면평가를 시도하였다. 병원이 제시했던 평가지표는 기본역량 · 리더십역량 · 직무역량이었고, 상향평가(40%), 동료평가(29%), 자기평가(19%), 고객평가(12%)의 방식이었다.

노동조합은 다면평가에 대해 2004년 하반기부터 시작한 대구 파티마병원의 사례를 제시하면서, "병원이 말하는 제도개선의 목적은 다면평가제 실시를 통해 내부 고객만족을 증대하고 업무 효율화를 하겠다는 것인데, 결국 최종 목표는 성과급제 및 연봉제, 팀제 실시를 위한 사전작업"이라고 판단하였다. 즉 다면평가 결과가 보수에 반영되어 동료 간 경쟁체제를 도입하여 서로를 감시하고 노동강도를 자발적으로 높여나가는 수단인 것이다. 게다가 "정작 경영에 대한 평가를 받아야 할 병원장과 임직원 및 1급 부장들은 아래 직원들로부터 평가받는 것을 아예 언급조차 하지 않고 있다. 상급자에 의한 일방적 평가에 대한 그동안의 불만을 자기평가와 동료평가로 방향을 돌려서 서로 경쟁시키고 통제하려는 비열하고 천박한 술수를 부리고 있다."고 했다.

서울대병원은 2006년에, 이지하스피탈(현재 이지메디컴)의 실패를 경험한지 얼마 지나지 않아 통합물류팀이라는 이름으로 노동통제를 다시 추진하였다. 이것은 '조기퇴직양상프로그램' 이라고 평가되는 ERP를 시행한다는 것이다. 현장에서도 이지메디컴에 대한 의문과 불만이 쏟아졌다. 그뿐 아니라 이지메디컴에 대한 정확한 평가와 검증없이 구매를 맡기는 것도 문제이다. 더 심각한 것은 ERP를 바탕으로 하는 통합물류팀 도입은 전 직원을 실시간 감시하는 것이고, 시간당 얼마짜리 직원이라는 결과를 드러내어 구조조정의 근거로 삼겠다는 것이다.

또한 서울대병원에서는 응급실 체류시간 단축, 외래진료 대기시간 단축, 외과 재원일수 단축, 의료장비구매 프로세스 개선 등 4개 프로젝트를 2006년 하반기부터 도입·운영

다면평가는 노동자 간 경쟁도입을 목적으로 하고 있었다.

하였는데, 이는 양질의 의료서비스와 진료전문화, 첨단진료, 그리고 효율적 자원관리가 고객을 만족시키는 가치를 창조하고 경쟁적 우위를 확보할 수 있다고 제시되었던 경영혁신전략이었다. 즉 이러한 차원의 경영혁신과정이 곧 6-시그마였다.

6-시그마 경영은 전체 기업조직의 각 부문에서 발생하고 있는 업무의 실수와 제품의 불량을 통계적으로 관리하여 6-시그마 수준에 도달하도록 하며, 6-시그마 교육과 훈련을 통하여 지속적인 개혁과 개선을 하는 것이다. 이렇게 함으로써 내·외 고객에게 더 좋게, 더 빠르게 서비스를 제공하여 병원의 수익성과 경쟁성을 강화시키려는 것이었다. 반면 병원은 응급실에 들어오는 환자의 보호자에게 72시간 안에 병실이 없으면 나가겠다는 각서를 받으며 보호자를 괴롭히고 있고, 기계도입 및 새 모델로 교체 시 검사대기시간이 20분 이상이면 직원에게 사유서를 쓰게 한다. 또한 외래환자를 많게는 7,200명까지 (2005년 평균 5,000명)보면서, 진료실에는 여러 환자가 한꺼번에 밀려들어가 환자가 개인적인 얘기를 할 수 없게 만드는 등 환자의 인권침해도 일어났다. 그리고 주치의까지 동원하여 30일 이상 입원하고 있는 장기 환자에 대해 사유서를 쓰게 하고, 코디네이터를 붙여 조기퇴원을 종용하였다.

6-시그마는 생산성을 높이기 위한 거잖아요. 몇 분 안에 얼마의 환자를 보고, 좀더 빨리빨리 가동시키기 위해서 하는 건데. 이 과정에서 직원들은 빡세게 돌았고, 환자들은 자신의 권리를 침해당한 것이죠. 개인 사생활비밀 보장이라는 게 있잖아요. 의료법에도 비밀보장이라는 게 아예 명시되어있거든요. 그런데 진료실 안에서 의사와 환자인 내가 얘기를 하고 있는데 옆에 다른 환자가 앉아서 다 듣고 있는 거

예요. 다음 순번 환자들이 같이 들어와서 대기하면서. 특히 저희가 문제 삼았던 건 산부인과 진료인데 한 의사가 하루에 몇 백 명을 보는 거였죠. 그때 300명까지였나? 산부인과가 6-시그마를 도입하려고 했던 시범 부서였긴 했는데, 심지어는 "일분 진료해라" 이런 얘기가 나올 정도였으니까. 3분까지는 바라지도 않고 1분 진료. 의사를 마주보고 내가 1분 동안 내 문제를 얘기했으니깐 1분은커녕 10초도 안 돼서 "어, 됐어 다음 환자" 이렇게 되는 거죠. "끝났어. 약 줄게." 이런 식으로. (구술자 K)

외주화 저지투쟁

서울대병원의 외주화 시도는 끊이지 않았다. 2006년 병원은 보라매 콜센터 외주용역을 노동조합과 협의 과정 없이 일방적으로 추진하려고 했다. 병원은 고객 서비스와 병원 이미지 향상을 위해 외주화한다고 했다. 그 주요업무는 진료안내 및 예약, 일자변경 및 취소, 일정안내와 예약 변경 등이었다. 위치도 인근 오피스텔이며 주식회사 KT에 위탁한다는 것이다.

노조는 병원이 '용역 도입 시 노사 충분히 협의한다.'는 단체협약 25조를 위반한 것이라고 반발했다. 또한 병원이 중요한 정보와 업무를 무책임하게 외부 민간 기업에 넘기려는 것에 반대하였다. 더욱이 비정규직은 가장 심각하게 대두되고 있는 사회적 문제임에도 공공병원인 서울대병원이 이런 상황을 더 악화시켰다고 비판했다. 이미 분당서울대병원은 간호조무사를 간병인이라는 이름으로 외주용역 인력회사가 불법파견을 하고 있으며 청소, 경비, 시설, 급식업무에도 고용불안, 저임금의 비정규직 노동자들이 일을 했다. 본원과 강남건강증진센터, 보라매병원 역시 단시간노동자는 물론 외주용역 노동자들이 점차 늘고 있었다.

이처럼 노동조합은 외주용역 및 위탁관리의 확대가 곧 인력감축이자 비정규직의 확대라는 점에서 문제가 있다고 지적했다. 외주화 및 위탁관리는 노동자의 고용불안과 의료사고를 불러올 수 있기 때문에, 의료서비스의 개선을 위한 인력은 감축해야 하는 것이 아니라 오히려 적정한 수준으로 즉각 확충되어야 한다고 주장했다.

서울대병원은 또 다른 방식으로 업무 외주화를 추구하였다. 직원이 아닌 누군가가 병원의 업무를 대신하였다. 병원은 자원봉사자와 공익근무요원을 적극적으로 활용하였다. 아래의 표는 2005년 4월과 5월을 기준으로, 본원과 보라매의 자원봉사자 및 공익근무요원 현황이다. 이들은 다양한 영역에서 업무를 담당하고 있었다.

자원봉사자 현황

활동 부서명	총 인원 수	일평균 인원 수	비고
본원 자원봉사자 현황(2005년 5월 말 기준)			
외래안내	70	15	채혈실 포함
도서실	12	4	
약제부	31	10	
중앙공급실	105	20	
소아중앙공급실	103	18	
수술장	103	30	
총 인원수	424	97	
보라매병원 자원봉사자 현황(2005년 4월 30일 현재)			
일반 및 전인간호병동	103	37	
응급실	20	9	
안내	33	6	
린넨실	43	9	
도서실	34	7	
합계	233	68	

공익근무요원 현황

업무	인원
본원 공익근무요원 현황(2005년 5월 말 현재)	
시설경비	9
환자안내	24
기타	6
계	39
보라매병원 공익근무요원 현황(2005년 4월 30일 현재)	
시설경비	32
환자안내	10
기타	5
계	47

2006년 2/4분기 2차 노사협의회의 보고에 따르면, 병원은 전년 대비 194억 원 규모의 흑자를 냈다. 그러면서 한편으로는 구조조정을 가속화하고 있다. 본원은 간호사 1명당 환자 17~18명, 보라매는 간호사 1명당 환자수가 20명이다. 종합병원의 중증도가 1.1이라면, 서울대병원의 환자 중증도는 2.2로 상당히 높은 수준이었다. 병원의 6-시그마 도입으로 2005년 대비 일평균 환자수가 5,000명에서 7,000명 이상으로 증가하였다. 그러나 간호사들은 개원 이래 지금까지 한 병동당 두 팀으로 운영되고 있다.

노동강도가 이런 상황인데도 서울대병원은 2007년 임단협을 하는 과정에서 연봉제, 팀제, 성과급제, ERP도입 등의 구조조정을 추진하려 하고 인력에 대해서는 쥐어짜기의 의도만을 드러냈다. 인력구조조정에 대해 조합원들은 한마디씩 의견을 제시했다.

"매일 OVER TIME 하기 힘들어요!", "2팀을 3팀으로 해주세요!",

"함께 웃고 일하는 일터로 만들어 주세요.", "병원은 주식회사가 아니에요!", "생명을 담보로 돈을 벌려 한다면…", "가식적 친절 요구하지 말고 환자 수 줄여라."

이러한 요구를 모아 2007년 파업투쟁은 병원의 구조조정정책을 저지하는 성과를 냈다. "병원은 현재 연봉제, 성과급제, 임금피크제, 팀제에 대한 계획이 없으며, 향후 계획수립과 관련하여 최소 2개월 전까지 조합에 통보하여 충분히 협의한다. 통합물류시스템을 구축해도, 현 정원을 유지하고 업무의 변화 및 부서배치가 발생할 경우에 최소 30일전까지 당사자와 조합에 통보"하기로 하였다.

그러나 2009년 2월, 병원은 200억 적자다, 병원이 어렵다(달러인상으로 인한 환차손실이 158억)라는 말을 하면서, 또 다시 외래통폐합(팀제)을 추진하려 하였다. 진료협력팀, 고객만족팀, 원무과 외래계인 수납과, 콜센터, 외래 간호과를 진료지원실로 통폐합하려는 안이였다. 서울대병원노동조합은 이에 대해 팀제로 인한 구조조정이자, 직종별 업무의 파괴, 인력의 자연 감소, 근로조건의 저하, 실적중심의 임금 및 인사, 이후 비핵심 업무의 외주화 과정이라고 비판하였다.

무조건적인 친절을 강요하지 말라

서울대병원은 친절경영의 일환으로 추진된 I-First와 고객만족 교육을 실시하였고 친절마일리지를 쌓아 상품권을 주는 방식으로 '친절' 분위기를 조장했다. 이런 방침은 환자들과 간호사의 관계를 왜곡시켰다. 친절 강화 후 환자의 요구가 증가하였고, 수시로 콜벨을 눌렀다. 문제는 통상의 간호 업무를 벗어나 "이불 덮어 달라, TV채널

돌려라, 냉장고 물 꺼내 달라, 바닥에 떨어진 빨대 주워 달라."는 것이었다. 성희롱도 늘었지만 민원이 무서워 침묵하는 현상이 나타났다. 이 지경에도 병원은 간호사들에게 민원이 들어오면, 이유 불문하고 사과를 먼저 하라고 강요하였다. 이러한 구조는 의사와 교수들에 대한 불만을 간호사들이 다 듣는 구조를 만들었고, 퇴근 후에도 환자에게 전화해서 사과하게 만들었다. 병원은 민원에 대한 시말서를 강요하고 남발하고 있었다. 하지만 정작 간호사들은 과중한 업무에 시달려 환자에게 친절하기가 어려웠다.

2009년 5월, 서울대병원노동조합은 병원의 친절교육과 관련하여 다음과 같은 투쟁지침을 내렸다. "첫째, 병원에서 시행하는 친절교육은 구조조정 교육이니 하지 마십시오. 둘째, 최근 병원이 실시한 내부고객만족도조사와 외부고객만족도조사, 전화응대 모니터링 등은 또 다른 성과지표이자, 그러한 평가지표는 우리의 고용을 불안하게 하는 구조조정수단이다. 셋째, 보라매병원이 EMR로 포장한 통합의료정보시스템(조기퇴직 시스템) 안의 CRM(친절)은 직원들의 순수한 마음까지 표준화/전산화하여 실시간으로 평가하는 시스템이며 동시에 환자를 상대로 돈벌이 한 것을 포장하기 위한 수단이므로 반대합시다. 넷째, 보라매병원의 돈벌이 정책에 휘둘리지 말고 의료공공성 강화와 고용안정을 위해 투쟁"하자는 것이었다.

병원노동자들은 노동조합을 중심으로 환자는 '고객'이 아니라 '환자'라는 생각에서 병원의 친절교육에 대해 다음과 같이 항변하였다. "구조적인 문제가 있는데 간호사만 친절하라고, 웃으라고 강요하는 것은 속은 곪아 터지는데 겉만 번지르르하게 포장하여 멀쩡하게 보이게 만드는 위장술에 불과하다. 현재로서도 간호사들은 충분히 친절하다. 병원의 수칙 및 친절 관리에 대해 모두 잘 지키고 싶지만 현실은 그렇지 않다. 인력이나 더 주면서 교육해라. 우리부터 만족시켜 달라. 국가중앙병원이 서비스 기업체와 똑같다. 좋은 간호사가 되려면 연예인이 되어야 할 것 같다. 병원장과 간호부장 등의 병원 임원들이 열악한 근무환경을 피부로 느끼게 해야 한다. 일하는 직원들의 만족감이 향상되면 자연히 환자들에게 친절할 것 같다. 인력충원이 먼저 해결되어야 한다." 노조는 "웃음을 강요하는 것이 아니라 스스로 웃으며 즐겁게 일할 수 있는 환경을 만들어야"한다고 강조하였다.

3) 임단협투쟁

2005년 이후 임단협투쟁은 공공성확보, 인력충원, 근골격계 요구를 바탕으로 병원의 일상적인 구조조정에 대항한 투쟁으로 전개하였다. 비정규직 문제를 제기하였고 서울지역지부 건립 이후에는 지부차원의 공동투쟁, 원하청공동투쟁을 전개하였다.

2005년 서울대병원지부노동조합은 임단협 요구안으로 통상적인 공공의료 역할 강화와 환자 편의 확보, 인력충원, 근골격계 요구 등에 더해 2004년 파업투쟁으로 인한 무노동무임금 보상, 부당해고 간호사 원직복직을 특별요구안으로 제출하였다. 5월 17일 1차 단체교섭이 시작되었는데 병원은 교섭을 시작하기도 전에 '탄력근무제 전면도입, 청원휴가 폐지' 등을 앞세운 개악안을 통보하였다. 노조는 투쟁 분위기를 높이기 위해 5월 31일부터 6월 2일까지 철야농성을 진행하였고 조합원들이 스스로 요구를 적어 붙이는 소자보 투쟁을 벌였다. 이어 6월 2일 전조합원 결의대회를 열어 열기를 끌어올렸다.

8월 10일 대의원대회에서 9월 7일 파업을 결의하자 병원측이 진전된 안을 내놓아 9월 8일 임단협 합의를 하였다.

2006년에는 1월 24일 임시대의원대회에서 요구안과 임단투 계획을 확정하였으나 실제 투쟁은 하반기에 시작되었다. 9월 19~21일까지 철야농성을 하고 10월 24~26일 조합원 결의대회를 진행하였다. 11월 2일에는 전 조합원 리본달기를 시작하여 분위기를 띄워 11월 12~15일 쟁의행위 찬반투표를 실시하였다. 1,658명이 투표(78.9%)하여 찬성 1,260명(76%)로 쟁의행위가 가결되었고 그 분위기로 16일 결의대회를 열었다. 11월 21일 임시총회 전야제를 거쳐 합의하였다.

2007년 임단투는 7월 18~20일 철야농성을 시작으로 7월 26일 전 조합원 결의대회로 분위기가 고조되었다. 주요 요구는 ERP · 구조조정저지! 선택진료제 폐지 및 2인실 병실료 인하! 비정규직 정규직화!였다. 8월 30일 임단투 투쟁승리를 위한 대의원대회를 거쳐 9월 21일 조정신청을 하고 10월 2~5일 파업찬반투표를 진행하였다. 1,671명(80.8%)이 투표에 참여하여 1,389명(83.2%) 찬성으로 쟁의행위가 가결되고 10월 9일 파업 전야제, 10월 10일부터 16일까지 전 조합원 총회 파업을 하였다. 10월 23~25일 잠정합의안 찬반투표로 기본급 3% + 1만5천 원, 교통보조비 월 2만원 인상, 가계보조비 인상 등이 가결되었다. 구조조정은 사실상 사용자들에 의해 일방적이며 은밀하게 진행되었지만 2007년 6일간의 파업투쟁은 이러한 병원의 인력 감축을 통한 구조조정 계획들을 어쩔 수 없이 공개하게 만든 의미 있는 투쟁이었다.

2008년에는 서울대병원 공공성 강화, 국립대 재정회계법 폐지, 구조조정저지가 핵심 쟁점이었다. 5월 중순 보라매병원 일방적 업무외주 철회, 사무직 구조조정 저지를 요구하며 철야농성을 전개하고 29일에 임단협 투쟁승리를 위한 전 조합원 전진대회가 열렸다. 매년 200~300명의 간호사가 병원을 그만두는 사태, 보라매병원 신축건물에 CCTV를 설치해 24시간 감시체제를 만들려는 의도 등 더 악랄하게 통제하는 병원을 규탄하였다. 이 해는 광우병 쇠고기 협상 무효화! 공공부문 사유화 폐기! 대운하 반대! 등이 사회적 이슈였고, 민주노총도 6월 26일 총파업을 시작으로 여름 내내 투쟁을 진행하였다. 서울대병원분회도 임단협과 함께 투쟁에 결합하였다. 서울대병원분회는 인력과 간호부 근로조건 개선요구안, 보라매병원의 공공성 요구를 제기하고 24차가 넘는 교섭을 진행하였으나 병원은 진전된 안을 내놓지 않았다. 8월 8일 조합원 결의대회로 병원을 압박하였고 19일 임시대의원대회 중 최종안을 제시하였다. 쟁점사안이었던 보라매병원 4인 병실료 인하, 강남기간제 폐지, 비정규직 정규직화, 정년연장 등이 제시된 안이었다. 이 잠정합의안은 26~28일 찬반투표를 거쳐 가결되었다.

2009년 4월 29일 공공의료 강화! 고용안정 쟁취! 실질임금 확보! 노동기본권 사수! 09년 투쟁승리를 위한 결의대회가 열렸다. 300여명의 조합원들이 참여해 앉을 공간도 부족할 정도였다. 단체교섭과 실무교섭을 진행하였지만 병원은 노동조합의 핵심적인 요구인 비정규직 해고자 복직 및 정규직화, 고용안정 · 구조조정 철회 등에 대한 안을 제시하지 않았다. 이에 8월 13일 제8차 임시대의원대회, 조정신청 결의 및 쟁의기금 사용과 투쟁기금 결의를 하고 8월 20일 임단협 투쟁승리를 위한 조합원 결의대회로 병원을 압박하였다. 이어 26일 투쟁조직화 및 구체적 투쟁일정을 위한 긴급 대의원대회를 열고 9

월 3일 조정신청 결의대회, 9월 6~9일 쟁의행위 찬반투표(9월 15일 전야제, 9월 16일 파업)를 진행하였다. 1,277명(74.6%)이 투표하여 1,054명(82.5%)이 찬성하였다. 9월 15일 병원은 요구안을 일정 수용하여 안을 제시하였고, 노조는 임단협, 공공의료에 대해 잠정합의하였다.

4) 간호부 조직문화 개선을 위한 투쟁

부당해고투쟁

2005년 3월 입사 2년차인 구○○ 간호사가 인사규정 제4호 '근무수행 능력이 현저하게 부족하거나 근무성적이 극히 불량한 경우', 제6호 '고의 또는 과실로 중대한 사고를 발생시킨 경우' 에 해당한다며 인사위원회를 거쳐 직권면직이 되었다. 노동조합은 이 사건은 서울대병원의 수직적 조직문화에서 비롯된 것이며, 건강한 조직문화를 세워야 이후 재발되지 않을 것이라고 보고 투쟁을 전개하였다.

노동조합이 간호사 개인의 문제가 아닌 구조적 문제로 본 가장 큰 이유는 수간호사의 개인적 판단이 인사에 작용한다는 점이다. 구○○ 간호사 사례를 보면, 2003년 10월 서울대병원에 입사한 간호사에 대해 수간호사가 "짜증나서 차를 마실 수가 없다, 철딱서니가 없다", "밥 먹기도 싫은데 어떻게 같이 일을 하냐?" 등 다른 동료들 앞에서 막말하고 회의나 모임에 의도적으로 왕따를 시키거나, "얼굴만 보면 짜증난다. 사투리 좀 고쳐라." "화장이 우리 가운이랑 어울린다고 생각하나요. 화장 진짜 못마땅해."라며 인권침해 발언을 하였다. 개인적 감정을 표현하는 것을 넘어서 환자 보호자에게 해당 간호사 해고를 위한 '경위서'를 작성해 달라고 요구하기도 하였다. 구○○ 간호사가 해고 위협과 부당함을 호소하기 위해 간호과장 면담을 요청하였으나 수간호사가 직권으로 그 기회를 박탈하였다. 끊임없이 사직종용과 수치감을 주며 의도적으로 사직을 종용하여 사직서를 쓰게 하였는데, 날짜를 명시하지 않은 점과 바로 상급 관리자에게 보고하지 않은 점을 볼 때, 교육하려는 의도보다는 사직서를 이용해 피해자를 통제 · 관리하려는 의도라고 밖에 볼 수 없다.

서울대병원은 의료 사고나 부서 내 문제에 대해 사건 경과서를 쓰기도 한다. 이것은 사건 원인을 밝히고, 이후 반복하지 않도록 하기 위한 조치이다. 하지만 간호사의 문제가 아님에도 수간호사의 개인적인 감정을 이용해 반성문을 반복해서 20일간 쓰도록 한 것은 비상식적이다.

서울대병원은 구○○ 간호사가 직접 작성한 10여개의 시말서와 수간호사가 매긴 낮은 근무평가 점수를 근거로 의료사고라고 볼 수는 없지만 자꾸 실수가 반복, 누적됨에 개선의 여지가 없어 환자의 간호를 하기에 위험한 사람이라고 주장하였다. 하지만 병원이 제시한 구○○ 간호사의 시말서를 보면, 시말서를 쓸 실수가 아님에도 시말서를 강요한 것, 의료사고는 커녕 사소한 실수를 가지고 과장해서 부당하게 시말서를 강요한 것, 다른 사람의 실수를 구○○ 간호사에게 뒤집어씌운 것 등 문제가 있는 것이었다.

간호사 교육과 지도를 해야 할 수간호사와 병원은 신규간호사의 업무능력을 탓하기 전에 서울대병원 간호부가 안고 있는 고질적 문제를 먼저 고민해야 했다. 병원 현실이 이를 말해준다. 2005년 3월 서울대병원지부 간호사를 대상으로 한 설문조사 결과에서 최근 1년간의 투약 사고 경험에 대해 응답자 313명 중 약 60.4%가 <있다>라고 대답하였다. 이 조사결과는 서울대병원에서의 직무상 실수나 투약사고가 일반적으로 일어나고 있으며 항상 불안감속에서 간호사들이 환자를 돌보고 있다는 것이 잘 드러난다. 즉, 병원의 구조적인 문제라는 점이다. 구○○ 간호사의 경우도 간호사의 개인적인 부주의만이 아닌 '신규간호사 교육 부족', '턱없이 부족한 인력', '교육없이 타 병동 파견근무보내기', '수간호사의 직권남용' 등 구조적인 원인에 대한 접근이 필요한 사안임에 분명했다.

서울대병원 간호부는 교육담당 간호사 제도를 운영하고 있다. 각 병동마다 1~2명씩 3~5년 정도의 경력 간호사를 중심으로 신규 간호사의 교육을 담당하고 있다. 하지만 신규직원이 발령을 받고 15일간 교육담당 간호사와 한 팀을 이뤄 환자를 돌보게 되더라도 17~20명의 환자를 돌보며 교육하기란 쉽지 않다. 환자를 돌보는 것도 벅찬, 즉 오리엔테이션을 할 수 있는 여건이 조성되어 있지 않은 것이다. 이렇게 곁눈질로 15일의 교육이 끝나고 나면 신규 간호사는 혼자서 17~20명의 환자를 돌봐야하는 상황에 직면한다. 또한 인력부족과 연동하여 보충 인력이 없으므로 다른 병동에 파견근무를 보내야하는 경우도 많다. 서울대병원 병동 단위는 입원하는 환자의 특성을 나타낸다. 각 진료과별로 입원병동이 달라지고 그 병동의 간호 특성과 주요 업무가 다른 것이다. 그런데도 사전에 어떠한 교육없이 불시에 타 병동 파견근무가 이루어지고 있는 것이다.

각각 병동은 상호 연관되어 있지만 독립성과 자율성을 가지고 운영되며 그 중심은 한 명의 수간호사다. 인력부족이 심각한 가운데 간호사 근무에 대한 수간호사의 지원과 협조는 필수적이며 책무이다. 그러나 일부 수간호사는 이런 병동의 특성을 이용하여 본연의 책무보다는 직원들의 통제에 더 주력하는 부정적인 측면도 있다. 특히 의료사고나 실수에 대한 원칙이 없어 일정 정도의 실수는 개인이 책임지거나 수간호사의 재량에 의해 처리된다. 이렇게 간호사의 근무평가는 객관적인 근거 없이, 확인도 되지 않은 채, 배치전환을 비롯한 각종 근무여건이 수간호사의 주관에 의해 결정되어지는 것이다.

결국 이 상황이 굳이 구○○ 간호사만이 아니라 서울대병원에서 근무하는 간호사 모두가 노출되어 있고 수간호사를 비롯한 중간 관리자의 눈에 어긋나는 경우 일어날 수 있는 객관적인 조건이라는 것이다.

노동조합의 문제제기에 대해 성상철 병원장은 "중간관리자들이 사직서를 받을 수 없는 것이며, 인사위원회 등의 절차가 있으니 절차 지키겠다"는 약속을 한 바 있다. 또한 무분별한 시말서, 반성문, 경위서등은 자제 시킬 것이며, 가해자 처벌을 요구하는 노동조합에게 인권보호와 관련하여 침해사례가 없도록 하며, 발생시 대책을 논의할 것을 합의하였다.

그런데 2008년 6월, 또다시 신규간호사에게 수간호사가 강제 사직을 종용하는 사건이 발생했다. 더욱 놀라운 것은 그 수간호사가 2005년 당시 간호사 강제사직으로 문제가 되어 재교육까지 받았던 동일인이라는 것이다. 그 행위 또한 동일했다.

아직 미숙할 수밖에 없는 신규간호사의 실수에 매번 시말서를 받았으며. "정신과 다니냐?"는 폭언을 일삼았다. 결국 강제사직을 강요하였으며, 앞으로 인사위원회에 올릴것이고, 그렇게 되면 서무과에서 쭈그리고 있어야 한다."는 등의 협박을 하였다. 더욱 기가막힌 것은 "4년 전에도 강제사직건과 관련돼 노동청에 고발한 간호사가 있었으나 내가 이겼다. 그렇게 하길 바라는 거냐?"며, 한 간호사의 인생을 망친 것을 마치 훈장처럼 자랑했다.

문제가 불거지자 병원은 "강제사직이 아니다"라며, 문제를 덮으려 하였다. 이에 노동조합은 ①강○○ 수간호사가 업무가 미숙하다는 이유로 수차례에 걸쳐 신규 간호사에게 보고서를 받으며 사직을 종용하고 인격 모독한 점, ②보라매병원 신관 이전으로 발생한 병동파괴로 신규간호사에게 내과, 소아과, 치과, 흉부외과, 정형외과 등 10개 진료과를 보도록 한 점, ③OT가 더 필요한 것을 알면서도 방기한 점을 지적하였다. 또한 신규간호사의 OT기간 부족으로 인해 충분히 숙지하지 못한 상태에서 10년된 간호사와 똑같이 환자를 봐야하는 구조적인 문제를 지적하며, 신규간호사 OT기간 확대, 간호사 1인당 환자수 축소, 병동파괴 중단을 요구하였다.

이에 병원장은 "중간관리자가 사직서 받는 것은 잘못이다.", "추후에 일을 하게 될 신규들의 이런 문제가 재발하지 않도록 OT기간 확대 포함하여 검토하겠다."고 하였다. 또한 피해자인 신규간호사 휴식, 같은 병동이 아닌 다른 병동으로의 배치전환, 강제사직을 또다시 종용한 강○○ 수간호사의 처벌을 포함한 노동조합의 요구에 병원은 차후 중간관리자를 어떻게 관리할지에 대해서도 검토하겠다며 문제 해결의지를 밝혔다. 특히 노조는 간호부의 고질적 문제를 함께 해결해 나가기 위해 간호부 대책위를 구성하여 2008년 10월 1일까지 11차 회의를 진행하면서 이 문제에 대응하였다.

또한 2007년 단체교섭에서 간호부의 구조적 문제(신규직원 오리엔테이션 기간 확대, 교육간호사의 고정적 배치, 간호사 1인당 환자수

축소, 교대근무자 근로조건 개선, 부당노동행위 및 인권침해 근절 등 간호부의 비민주적인 조직문화 개선)해결을 요구하였다.

그 결과 신규간호사 오리엔테이션 기간을 5주에서 8주로 확대, 그에 따른 인력충원(30명)을 합의하였다. 그러나 해당 수간호사 처벌을 포함한 재발방지책 마련과 기타 구조적 문제는 해결이 안 되어 노동조합의 지속적인 요구로 노사합의하여 진상조사위원회(감사팀 2명, 간호사 평조합원 1명)가 구성되었으나 피해자인 신규간호사가 진상조사를 거부하여 이후 진행이 되지 않았고 힘들게 노사합의한 진상조사위원회가 흐지부지 되고 말았다.

교대근무자 근로조건 개선 투쟁

서울대병원은 team간호 방식(근무시간 동안 한 간호사가 할당된 환자의 모든 것을 책임지고 실제적 업무를 수행하는)으로 간호사 1인당 환자 17~20명을 돌본다. 게다가 3차 병원인 서울대병원 환자의 중증도는 노동강도를 높이는 원인 중 하나이다. 보건복지부에서 실시하는 case mixed index에 의하면 타 병원 환자의 질환 중증도를 1로 기준으로 삼을 경우 서울대병원의 같은 질환자의 중증도는 1.17이라고 한다. 이렇게 중증도가 높지만 그 환자들을 돌보는 간호사의 수는 20년 전이나 현재나 거의 변함이 없다. 성인 병동은 물론 손이 많이 가야하는 소아 병동의 경우도 예외는 아니다.

또한 재원기간 단축의 한 방법으로 도입된 단기병상제는 잦은 입퇴원과 수술로 인해 간호사들의 노동강도를 심각하게 증가시키고 있다. 병동파괴도 노동강도 증가에 큰 영향을 미치는데 심지어 보라매병원의 경우는 한 병동에 10개의 진료과 환자가 입원하기도 한다.

서울대병원노동조합에서 실시하고 2005년 4월 설문 조사에 의하면 인력이 부족한 병동의 100%가 이직을 고민하며 실제로 한 해에 많은 수의 간호사(한 해에 평균 150~200여 명의 신규 간호사 입사)가 이직하고 있다. 한편, 이런 간호사들의 높은 노동 강도는 직원들의 고충만이 아닌 환자 간호의 질과도 직결된다.

이에 노동조합은 간호부 인력 문제를 끊임없이 제기하였고 2004년 143명, 2005년 33명, 2006년 31명의 간호사 정원확대를 했다. 더불어 간호사 1인당 환자수를 줄이는 요구도 동시에 진행하였다.

2006년 서울대병원과 노동조합은 간호부 합의인력 배치와 관련하여 '노조의 의견을 존중하여 배치 시 우선 고려한다.'라고 합의하였다. 그리고 간호부는 그 합의정신을 따른다며 2007년 4월부터 본원 54병동(일반외과)을 시범적으로 3팀으로 운영하기로 하였다. 그러나 해당 수간호사가 3팀을 운영하게 되면 발생되는 단점에 대해 얘기하면서 취지를 흐렸고, 병동 간호사들도 내부적으로 공유가 안 되어 시범운영을 하지 못했다. 이후 지속적으로 1인당 담당 환자수에 대한 간호의 질에 대한 문제제기를 하여 2008년 "병원은 본원의 간호사 1인당 환자수(각 근무수당)를 줄이기 위해 연구 프로젝트를 시행하여 이사회 승인을 받아 인력충원을 통하여 2010년부터 단계적으로 개선한다."고 합의했다.

간호사들은 업무시간을 스스로 체크해 시간외근무 수당을 요구할 근거를 마련하기도 하였다. 간호사들은 근무시간 전후로 준비시간과 마무리 하는 시간이 필요하다. 이유는 근무하는 8시간내에 업무를 다 할 수 없기 때문이다. 투약준비, 환자 차트 기록정리, 환자상태 기록 미리 숙지 하기 등 근무시간 전후로 업무를 하게 되는데 적게는 1

시간, 많게는 3시간 정도 오버 타임을 하게 된다. 그런데 병원에서는 근무전과 후에 일하는 것은 근무시간외로 인정하지 않았다. 개인의 업무 미숙으로 치부하는가 하면, 근무시간이 종료되면 다음 근무자에게 인계하고 바로 퇴근하라는 황당한 얘기만 했다. 환자의 중증도가 높고 1인당 담당 환자가 많기 때문에 인력투입을 해야 한다는 요구를 번번이 묵살했다. 또한 간혹 시간외 근무수당을 청구하면 사유서를 구체적으로 적게 하거나 청구한 시간외수당을 전부 인정해주지 않고 일부만 인정하여 차라리 구차하게 시간외수당 청구하지 않겠다고 하여 아예 포기하기도 했다. 이에 노동조합은 간호사들이 근무시간전후로 업무를 어느 정도 하는지 직접 근무시간을 기록해서 그 내용을 토대로 인력의 필요성과 담당 환자수가 많은 것에 대해 해결하기 위해 투쟁방안을 제시했고 몇 개 병동의 간호사 조합원들과 논의하여 기록한 것이다. 결국 이러한 투쟁을 통해 병원은 시간외 근무를 한 사유에 대해 간단하게 체크할 수 있는 체크리스트를 EMR화면에 만들어 구구절절하게 시간외 근무를 할 수 밖에 없었는지에 대해 내용을 적지 않아도 시간외 근무를 인정받을 수 있는 시스템을 만들게 된 것이다.

5 공공 대산별의 토대를 향하여

1) 전국병원노동조합협의회 결성

2004년 산별교섭을 둘러싸고 전개된 보건의료노조의 내부 갈등은 결국 서울대병원뿐 아니라 다수의 지부들이 탈퇴하여 새로운 산별노조를 결성하는 조직분리로 이어졌다. 2004년 산별협약 특히 그 중에서도 10장 2조가 잘못된 것임을 인정하고 차기 교섭에서 이 조항의 폐기를 추진할 것을 요구하는 조직들에 대하여 보건의료노조 지도부는 이를 거부했고 나아가 '통일협약'의 논리를 내세워 2005년 교섭에서도 동일한 기조를 유지할 것을 분명히 했고, 결국 약 20%에 달하는 조직이 탈퇴한 것이다. 2004~05년에 걸쳐 13개 지부 1개 노조 6,674명이 탈퇴했다.

역사적으로 볼 때 보건의료노조 건설 과정에서 산별노조 건설 방향과 조직운영에 대한 이견이 내재해 있다가 표출된 것이기도 하다. 보건의료노조 건설 당시 국립대, 사립대, 중소병원을 아우르는 산별노조 건설을 추진하고 있었는데 중소병원을 배제하고 사립대병원 중심으로 따로 조직하자는 세력들이 있었다. 이들이 보건의료노조 내부에서 조직 간의 통합을 저해하고 비민주적, 패권적 운영을 해왔고, 그 결과가 산별협약 문제로 곪아터졌다.

서울대병원지부를 중심으로 한 국립대병원 노동조합들은 보건의료노조를 탈퇴한 이유에 대해 '절차주의, 조직의 관료화에 대한 폐해, 형식주의'로 규정하고, 새로운 조직을 결성하고 운영하는 과정에서는 그러한 점들을 탈피하고자 하였다.

그러한 의지는 보건의료노조 탈퇴 조직들이 만든 병원노동조합협의회(준) 결성식 결의문 중에서 찾을 수 있다. "하나. 우리는 노동운동의 도덕적 건강성 회복을 위해 나로부터 혁신할 것을 결의한다. 하나. 보건의료노조 탈퇴가 기업별노조로의 회귀를 의미하지 않았듯이, 건강한 산별노조 건설을 위해 주력할 것을 결의한다. 하나. 자본의 지배와 정권의 탄압으로부터 자주적인 노동조합으로 거듭날 것을 결의한다. 하나. 다수결에 의해 강요되는 절차적 민주주의가 아닌 서로의 차이를 인정하고 충분한 토론과 설득 속에 함께 할 수 있는 노동조합을 만들어 나갈 것을 결의한다. 하나. 위로부터의 지침이 아닌 아래로부터의 운동, 현장조직력 강화를 중심으로 한 강한 노동조합 건설을 위해 노력할 것을 결의한다. 하나. 기업과 업종을 뛰어 넘어, 조직-미조직을 뛰어 넘어, 정규-비정규를 뛰어 넘어 전체 노동자가 단결하기 위해 연대할 것을 결의한다."

2005년 4월 1일 서울대병원지부는 제83차 대의원대회에서 보건의료노조 탈퇴 및 공공연맹 가맹신청 결의를 하였다. 4월 6일 '서울대병원지부노동조합' 설립신고서를 발급받았고 6월 20일 공공연맹은 서울대병원지부의 가맹 승인을 하였다. 서울대병원지부노조의 공공연맹 가맹은 민주노총 잔류를 의미하는 것이었다. 산업별 구조나 업종별 조직의 정체성을 새롭게 구상하고 평가해야 한다는 의미이기도 했다. 보건의료노조가 공공연맹에 대해 산별 구획 문제를 위반하였다며 문제제기하였으나, 서울대병원 노동자들은 민주노조운동의 역사와 올바른 조직운영 기풍을 유지하겠다는 의지를 천명한 것이다.

그 해 10월 21일부터 22일까지 합동간부수련회를 열고 서울대병원노조, 충북대병원노조, 강원대병원노조, 동국대병원노조, 울산대병원노조, 제주대병원노조, 제주의료원노조 간부 75명이 모여 병원노동조합협의회(준)를 발족하였다. 이들은 산별 탈퇴 이유를 다시 확인하고 산별노조 지향점을 명확히 하여, 연대활동을 통해 올바른 산별활동 구상과 내용을 모색하였다. 협의회 준비위는 공공연맹 가맹 승인이 되면 연맹 내에 가칭 '의료분과' 또는 '소산별노조'로 전환하는 것으로 하였다. 그리고 이를 실현하기 위한 하반기 투쟁을 공동으로 모색하였다.

2006년 1월 11일에 공공연맹 중집에서 울산대병원, 충북대병원, 강원대병원, 제주대병원, 제주의료원, 동국대병원, 한라병원 노조에 대한 가맹이 승인되었다. 이를 이어 2월 9일에서 10일까지 열린 수련회에서 건강한 산업노조 건설을 위한 전국병원노동조합협의회(병노협)를 결성하여 출범하였다. 병노협 참가조직은 강원대병원노조, 경북대병원노조, 동국대병원노조, 서울대병원노조, 울산대병원노조, 제주대병원노조, 제주의료원노조, 한라병원노조, 충북대병원노조, 한동대선린병원노조, 서귀포의료원노조, 한마음병원노조로 총12개 노조 5천여 명이었다.

병노협은 2006년말까지 산업노동조합건설을 목표로 하는 과도기적 조직임을 밝히고, 보건의료노조의 관료화와 절차적 민주주의만을 내세운 중앙집중 조직의 문제점을 비판하면서 자신들이 건설할 산업노조는 자주민주통일의 원칙을 지키며, 계급적 단결을 실현할 수 있는 노동조합, 조직을 확대강화하고 효율과 집중하는 조직임을 천명하였다. 그러한 정신을 조직체계에 구현하였는데, 병노협은 협의체를 뛰어넘는 구역별 조직체계 구성으로 산업별 노조의 지역체계를 확실히 구축하려는 모습을 보였다.

보건의료노조를 탈퇴한 노동조합들이 새로운 산업노조를 고민하고 건설하게 된 것은 역사적으로 경험한 연대의 필요성, 보건의료노조의 비민주성에 대한 반작용에서 출발하였다. 조직을 만드는 데 앞장 선 간부는 이렇게 말한다.

연대의 필요성은 역사적으로 형성되어 온 것이 있고. 또 하나는 탈퇴 후에 보건의료노조가 가만있지 않고 탄압을 하면서 반작용을 한 측면도 있죠. 노동조합으로부터 탄압을 받은 것이기 때문에, 오히려 지향이 같은 조직 간의 연대 울타리, 이런 것이 어떤 때보다 강했고. 그러면서 제대로 된 노조는 뭐냐, 라는 고민을 수없이 하게 되었던 거죠. 오히려 더 절실한 연대가 필요했었다, 라고 봐요. 처음에 노조를 만들었던 1987~1988년도에 서울대병원노조가 병원노조의 맏형이다, 자기네들 스스로도 그런 얘길 했고 그런 역할을 하면서 주도적으로 다른 노조도 이끌어갔다고 하면, 2004년 탈퇴 이후에는 노동조합에 대한 전망을 갖기 어려웠던 상황이었죠. 왜냐하면 그렇게 열심히 해왔던 조직의 결과가 보건의료노조였는데 그런 일을 당했으니. 간부들로서는 새로운 지향과 전망을 만들어야 된다는 과제가 있고 한편으로는 힘들고 어려운 것도 같이 있고. 가장 가까이에서 문제의식을 같이 공유하고 있는 병원노조 간에 의료연대노조를 만든 거죠. 그리고 기업별 조직으로 연대가 가능하다는 생각은 하지 않았죠. 노조운동 방식이나 요구 관철하는 방식을 볼 때 다른 업종 내에서 해결하기는 어렵다는 생각이었기 때문에. 근데 어려운 점은 보건의료노조는 다수의 노조고 쪽수 차이가 있잖아요. 그리고 보건의료노조가 현장활동을 어떻게 하는지는 몰라도 대외활동 특히 정치활동을 많이 하니까 대표성을 가지는 것으로 인식되니까 의료연대가 올바른 문제의식을 얘기한다 해도 어려운 점이 많이 있어요. 그럼에도 불구하고 그동안 가져왔던 노동조합에 대한 정체성 그리고 지향 이런 걸 어떻게 살릴거냐, 이런 것들을 중심으로 활동하게 되는 거죠. (구술자 P)

전국병원노동조합협의회에 모인 조합원들은 '건강한 산업노동조합 건설'을 주요 기치로 내세웠는데, 그들이 구상한 새롭고 건강한 산별노조는 어떤 것일까. 병노협 출범 대의원대회 자료집에 실린 조직의 지향을 보면 그 내용이 보인다.

> 우리는 보건의료노조의 경험에서, 조직의 힘이 중앙으로 집중된 상태에서 중앙지도부의 잘못된 결정이 얼마나 대중을 기만할 수 있는지 분명하게 확인하며, 잘못된 산별노조의 관료적이고 비민주적 행태로부터, 화석화되어가는 현장을 지키고 제대로 된 산업노동조합을 건설하기 위하여 탈퇴하였다. 노동조합의 주체는 조합원임을 항상 자각하고 조합원들로부터 선임된 조합의 간부들은… 조합원 위에 군림하지 않는 올바른 기풍을 세워가야 한다. 전국병원노동조합협의회는 투쟁과제와 조직과제를 실현하기 위해서 현장 조직을 강화하는 것이 기본이라는 것을 인식하고, 노동자의식 향상을 통한 현장조직 강화에 매진해야 한다. 아울러 전국병원노동조합협의회는 신자유주의 세계화에 맞서 전 세계 노동자들과 함께 투쟁해 나갈 것이며, 각지에서 투쟁하고 있는 노동자들과 연대하는 것을 당연하게 여기고, 노동해방을 위한 투쟁전선에 앞장서 나갈 것이다.[8)]

전국병원노동조합협의회가 지향했던 건강한 산별노조란 자주 민주 투쟁의 원칙을 지키며, 계급적 단결을 실현할 수 있는 노동조합이었다. 노동조합의 자주성은 조합원의 의식향상을 통한 투철한 계급의식과 조직에 대한 관심으로 확보되고 유지될 수 있다는 것이었고, 산별노조의 민주성은 조직 민주주의를 확대해 관료화를 방지하는 것은 물론, 현장 민주주의에서 한걸음 더 나아가 노동자 대중이 사회세력화에 바탕이 될 사회정치적 민주주의로까지 지속적으로 확장해가야 하는 것이었다. 결국 산별노조 건설은 노동자들을 갈라놓는 분열구조를 깨고, 정규직 노동자들과 비정규, 영세 중소사업장 노동자들을 포함하는 전체 노동자의 단결을 만들어가는 길이다. 산별노조 건설을 통해 전체 노동자들이 함께 하는 계급적 투쟁을 만들어 가야 한

8) 전국병원노동조합협의회, "전국병원노동조합협의회의 지향과 산업노조건설", 『출범 대의원대회 자료집』, 2006.2.9

다는 것이었다.

조직체계 전략은 "기업별 중심성을 무너뜨리면서 산업별 단결을 구축할 수 있는 체계, 현장조직 공백을 극복하고 현장조직 강화로 이어질 수 있는 체계, 미조직 노동자 조직화에 유력한 수단이 될 수 있는 체계, 지역골간조직을 지구별 현장위원회로 하는 체계"였다. 이러한 체계는 현장의 조직력을 활성화시키는 전략과 함께 구상되었다. 현장위원의 역할과 권한은 해당구역 조합원의 고충처리를 수집하고 해당 현장위원회에 보고하고 해당 현장위원회, 지역지부와 함께 이를 해결하는데 책임지고 나서는 것이었다. 특히 현장위원은 지역 지부대의원을 겸할 수 있고, 자신의 구역과 해당직종, 나아가 지역의 미가입 조합원을 조직하여야 한다. 왜냐하면 현장위원은 해당구역의 조합원을 대표하며, 해당 직종 현장위원회 지역지부가 소집하는 사업장현장위원회의에 참석하여 발언하고 결정에 참여할 권리를 갖고 있었기 때문이다. 그래서 현장위원은 사측과의 현장교섭을 수행하는 주체이며 사업장 현장위원회의 선출에 의하여 노사협의회 의원으로 선출되어 활동할 수 있었다. 이러한 활동들은 모두 현장민주주의, 현장조직력 강화와 현장 고충처리 등의 사업과 직접적으로 연계시키는 것이었다. 이를 위해 현장위원의 임무도 주어졌다. '소정의 교육을 이수, 매년 정기교육을 실시, 해당 직종위원회에 참여하여 결의되는 각종 사항 수행, 기타 사업장 단위, 지역 단위의 각종 위원회 중 1개에 참여' 하는 것이었다.

전국병원노동조합협의회는 구역별 조직체계로 보건의료노조와는 다른 새로운 산별노조를 만들어 나가기로 하였다. 구역별 조직체계는 산별노조의 지역체계를 확실하게 구축하려는 과정으로 볼 수 있다. 그 방식은 다음과 같았다. "①큰 사업장(예 서울대병원)은 몇 개의 구역을 두고 지역 중소 병의원은 몇 개 병의원이 하나의 구역으로 묶는다. 구역별 현장위원회를 골간으로 한다. ②조합원이 2,000명 초과할 경우, 운영위원회를 골간조직으로 구성하고 현장위원회별로 지역지부 임원과 운영위원이 조직책임을 맡는다. 현장위원회의 소집 및 각종 회의 소집의 권한은 지역지부 지부장에게 있다. ③지역지부 직종위원회를 특별위원회 형식으로 구성하여 직종과 관련한 정책의 견수렴과 미조직 노동자 조직의 역할을 부여한다. ④현장조직은 조합원 20~50명에 한 명씩 현장위원을 선출하고 현장의 문제를 현장위원을 통해 지역지부 집행부에 직접 연결한다. 현장문제는 구역별 현장위원회의 논의를 통해 해결한다. 조합원의 고충처리문제와 노사협의회, 현장협약 등의 문제는 현장위원회에서 논의하고 해결한다. ⑤대형 사업장 내에 몇 개 구역 현장위원회가 존재할 경우, 사업장 전체의 문제를 논의할 때는 사업장 전체 현장위원회를 지역지부장이 소집하여 논의할 수 있다."

이러한 구상이 온전히 반영되어 조직이 운영되었던 것은 아니지만 새로운 산업노조 건설을 위한 활동을 통해 의료연대노동조합이 건설되었다.

2) 새로운 산업노조, 의료연대노동조합 건설

2006년 7월 18일부터 21일까지 병노협 산하 조합원들은 공공보건산업노조(가칭) 건설을 위한 조직전환 투표를 실시하였다. 76.6%의 투표율을 보였고 88.5%가 조직전환에 찬성하였다.

조직형태변경투표 결과

사업장	제적 조합원	투표자 수	찬성	반대	무효
충북대병원	403	339(84.1)	292(86.13)	46(13.56)	1(0.29)
동국대병원	134	130(97)	117(90)	12(9.2)	1(0.8)
울산대병원	720	630(87.5)	470(74.6)	153(24.29)	7(1.11)
서울대병원	2,047	1,569(76.6)	1,389(88.5)	173(11)	7(0.5)
경북대병원	774	665(85.9)	551(82.8)	107(16)	7(1.2)
청구성심병원	44	40(90.9)	40(100)	0	0
강원대병원	204	168(82.4)	147(87.5)	18(10.7)	3(1.8)
경상대병원	244	209(86.5)	201(96.1)	8(3.8)	0

이러한 투표결과는 보건의료노조에서 탈퇴한 후 기업별노조로의 회귀가 아니냐는 일각의 부정적인 시각을 불식시키고, 제대로 된 산별노조운동을 하겠다는 조직적 결의이자, 조합원들의 결단이었다.

대의원대회에서는 그 명칭을 의료연대노동조합으로 결정하고 2006년 9월 1일 출범식을 하였다. 기업과 업종의 담장을 허물고 지역 중심의 산업노조, 대형병원·중소병원·정규직·비정규직 노동자가 하나 되는 산업노조의 발을 내딛은 것이다. 노동자들은 출범결의문에서 다음과 같이 결의하였다.

> 우리는 건강한 노동조합운동의 복원을 위해 전국병원노동조합협의회를 결성하고 조합원들의 힘과 지혜로 약 10여 년 만에 다시금 산업노동조합을 결성하였다. 기업과 업종을 넘어 지역을 중심으로, 현장으로부터의 민주주의를 확립하고, 자본과 권력으로부터의 자주성을 지켜나가는 노동조합, 중소사업장 및 비정규직 조직화를 통해 전체 노동자의 단결을 실천하는 노동조합, 소수의 의견을 존중함으로써 다양한 의견을 조직발전의 동력으로 삼는 건강한 산업노동조합 건설의 염원을 담아 우리는 힘찬 새 출발을 하고자 한다. …보건의료

부문의 새로운 산별노조가 지향해야 할 과제가 결의되었다. 첫째, 우리는 기업을 넘어 지역을 골간으로 중소사업장 및 비정규직 노동자의 조직화에 방점을 둔 산업노조 운동을 실천해 갈 것임을 결의한다. 둘째, 상층 지도부에 의해 획일화되어지는 운동이 아닌 현장을 중심으로 한 다양한 의견들을 조직발전의 동력으로 삼는, 살아 숨 쉬는 운동을 실천해 갈 것임을 결의한다. 셋째, 자본과 권력으로부터의 자주성을 지키며, 관료주의를 경계하고, 현장 민주주의를 실천해 갈 것임을 결의한다. 넷째, 현장 구조조정 저지, 공공의료 강화, 2006년 임단투 승리를 위해 공동투쟁할 것을 결의한다. 다섯째, 한미FTA저지, 노사관계로드맵 분쇄, 비정규직 개악안 저지 등 반 신자유주의 투쟁과 아래로부터 연대를 위한 현장 중심의 강력한 투쟁을 조직할 것을 결의한다.

3개월의 활동을 한 후 의료연대 노동자들은 또 다른 선택을 하였다. 그것은 보다 큰 대산별 노조를 건설하기 위한 결정이었다. 보건의료부분이라고 하는 것 자체가 업종의 수준을 넘지 못한 상태에서 산업별 조직으로 결집되었는데, 의료연대는 그러한 업종의 수준을 넘어서는 소위 공공부문 대산별로 나아가는 대장정에 함께 참여하였다. 2006년 11월 28일, 의료연대노조 제2차 대의원대회에서 공공서비스노조(가칭)로의 전환에 따른 규약변경 투표를 진행하여 총 대의원 74명 중 45명(60.81%)이 투표에 참여하여 찬성 35(77.8%), 반대 9명(20.0%), 무효 1명(2.22%)으로 가결되었다.

2006년 11월 30일, 공공서비스노조가 발기인 133명이 참석한 상태에서 출범하였다. 서울대병원노동자들이 이제 공공서비스노조 조합원으로 변하게 되었다.

그리고 2007년 4월 13일에는 서울대병원분회, 간병인분회, 청구성심병원분회, 한국음주문화연구센터분회로 구성된 의료연대 서울지역지부가 출범하였다. 지역조직을 기반으로 하는 산업노조를 실현하기 위한 출발을 한 것이다.

05

서울대병원노동조합 활동의 의의와 과제

1 서울대병원노동조합 활동의 의의

1) 자주성, 민주성을 견지한 노동조합

서울대병원노동조합은 대중과 함께 토론하고 결정한다는 현장민주주의의 핵심을 꾸준히 실천해 왔다. 임단투 요구안 마련을 위한 의견 수렴, 투쟁 사안에 대한 현장 순회와 조합원 간담회, 그리고 대표적인 것이 조합원 임시총회 시 분임토의를 통해 토론하고 결정하는 과정이다.

노동조합 활동 초기 조합원 임시총회를 진행할 때는 분임토의가 잘 되지 않아 파업투쟁에 대한 상황공유나 의사결정 과정에서 소외되는 문제를 제기하기도 하였다. 그 이유는 파업대오 수가 1,000여 명이 넘어 의견수렴이 쉽지 않았고 공권력 침탈 위협에 파업상황이 긴박하여 잘 진행되지 못했고 집회나 농성투쟁의 성격이 강했기 때문이었다. 이런 문제점을 해결하기 위해 98년 임단협투쟁 조합원 임시총회부터 파업장에서 각 조직위별 부서별 현장 분임토론을 실제로 진행하여 현장조합원의 의견을 직접 반영하는 것을 시도하였다. 그 후 1999, 2000, 2001년의 구조조정 저지투쟁과정에서는 파업장에서의 조합원 현장분임토론이 명실상부하게 진행되었으며 중요한 역할을 하였다. 구조조정저지투쟁은 조합원의 자발적 투쟁결의와 집행부에 대한 조합원의 신뢰가 중요하다는 판단아래 교섭과 파업진행상황에 대한 정보를 매일 매일의 현장 분임토의에서 공유하고 조합원들의 의견을 수렴하고 투쟁결의를 모았다. 매일 매일의 분임토의의 결과는 파업대책본부 회의에서 공유하고 투쟁방침에 반영하였다. 2001년의 13일간의 총회투쟁과정에서 간부, 대의원대회의 결정사항과 현장조합원의 의견이 달랐을 때 파업현장에 참여한 조합원의 의견을 수렴하여 파업투쟁을 계속 진행하기도 하였다. 이런 조합원임시총회 운영방식은 이후 2004, 2007년 파업에도 이어졌다.

조합원들의 의견 수렴 과정에서 드러나지만 서울대병원노동조합이 민주성, 현장성을 견지할 수 있었던 것은 헌신과 성실성을 바탕으로 한 간부들의 활동이 있었기에 가능하였다. 서울대병원노동조합의 간부, 활동가 교육은 수련회와 교섭 교육 등 정기적 교육은 물론 봉투교육 등 일상적 활동 속에서도 이뤄졌다. 이러한 교육을 통해 습득한 이론은 현장 조합원과의 만남, 연대투쟁, 상급단체 활동을 통해 실천되었다. 조합원들의 의견수렴을 중요하게 생각하는 활동 자세는 임단투, 의료공공성 쟁취투쟁, 노사협의회 진행 등에서도 서울대병원에 대한 자주성으로 발현되었다. 임단협 기간에는 사용자와 따로 만나지 않기 등 자체 규율을 만들어 실천하기도 하였고 초기에는 조합원들의 교섭 참관을 확대하기도 하였다. 이처럼 노동조합 활동을 최우선으로 두었던 선배들의 활동은 후배들에게 고스란히 전해졌고 그 힘으로 서울대병원노동조합은 현장성, 민주성, 자주성을 견지할 수 있었던 것이다.

2) 의료공공성, 병원민주화 실현의 주체

한국사회는 1980년대 후반의 소위 3저 호황기(1986년~1988년)를 거치고 난 이후부터 신자유주의적인 정책들을 도입하기 시작하였고, 그러한 정책들은 김영삼 정권에 들어서서 세계화라는 이름 아래 본격화되었다. 그리고 김대중 정권과 노무현 정권은 신자유주의 정책의 구체적 내용, 즉 신자유주의 정책의 하드웨어(Hardware)와 소프트웨어(Software)을 구성하고 집행하였다. 노동자·민중들은 이 과정에서 최소한의 건강권조차 박탈되고 있다. 돈이 없는 사람은 아파도 병원에 가기 힘든 상황으로 내몰리고 있는 것이다. 이처럼 보건의료부문의 신자유주의 정책은 건강권을 둘러싼 사회적 갈등을 심화시키고 있다. 사회적 부의 양극화, 중간계층의 몰락, 구조조정 및 정리해고의 일상화, 그리고 청년실업의 고착화 등은 점차 건강권의 계급적 갈등을 심화시키는 요인으로 작용하지 않을 수 없는 것이다.

보건의료의 공공성 문제를 사회적 문제로 만드는 데 서울대병원노동조합의 역할이 컸다. 1987년 노동조합 결성 이후 공공병원으로서의 서울대병원의 위상을 각인하고 강조해 왔으며 그 위상에 맞게 환자들을 위한 병원민주화 요구들을 제기하고 쟁취해 왔다. 입원 · 영안실 비리 척결, 환자 보호자 편의시설 확보, 다인실 확대, 식당 외주화 반대, 패스트푸드점 입점 반대 등은 환자 보호자들과 함께 한 투쟁이었다. 특히 선택진료제 폐지는 전 조합원이 하나가 되어 임금보다도 더 중요한 요구로 설정하고 투쟁하기도 했다. 병원에 경쟁체제를 도입하는 데 대한 반대투쟁은 노동자들의 생존권을 수호하는 것임과 동시에 환자들이 질 좋은 의료혜택을 누리게 하는 투쟁이었다. 서울대병원노동조합은 이러한 투쟁을 위한 정책연구, 선전, 조합원토론을 꾸준히 실천하였고 매년 임단투의 요구로 자리잡아 조합원들은 의료공공성 제기를 '당연히' 핵심요구로 받아들이는 상황까지 만들었다. 간부들의 의식적 제기는 점차 병원노동자들의 자부심으로 자리잡은 것이다.

서울대병원의 민주화와 공공성 확보는 다른 병원에도 영향을 미쳤고, 서울대병원노동조합의 요구 또한 다른 병원 노동조합들에게 영향을 미쳐 보건의료부문의 공동요구로 자리를 잡게 되었다. 병원연맹이 의료공공성을 제기하면서 공동 임투를 전개하였고 보건의료노조는 제1요구로 삼아 교섭에 임하였다. 새로운 산별을 지향하면서는 그 지평이 더 확대되어 의료공공성을 사회공공성으로 확장하고 공공부문 노동자들과 함께 사회제도로 정착시키기 위한 투쟁을 전개하게 된 것이다.

서울대병원노동조합이 20여 년간 투쟁을 통해 쟁취한 의료공공성 관련 합의를 보면, 병원 내 담배판매금지 및 금연, 청탁 및 금품수수 없는 병원 만들기, 영안실 비리 척결, 병실 보호자용 장의자 설치, 선택진료비 반납, 진료비 지불시 카드사용, 보라매 병원 선택진료비 인하, 진료비 세부 내역서 제공, 2인실 병실료 인하 및 TV시청 무료화, 다인용 병실 확보(120개), 삼성생명 창구 철거, 병원은 서울대학교병원설치법 및 의료법에 의거 '교육 · 연구 · 진료를 통한 의학발전과 국민보건향상 도모' 라는 국가중앙병원의 공공적 역할을 수행한다(불치성/난치환자 및 중증환자의 치료와 의료취약계층을 위한 의료서비스 확충 및 공공의료사업 확대, 표준진료지침 개발에 지속적으로 노력하고 현행 의료기관평가가 질적 평가가 될 수 있도록 지원, 올바른 의료전달체계 수립을 위한 역할, 현 병원장 임기 내 영리법인 도입 금지, 환자에게 제공하는 식사에 유전자변형농산물을 사용금지와 우리 농축산물 사용 원칙, 보라매병원은 서울시립병원으로서 시민 의료복지 증진, 저소득층 의료보장, 공중보건 활동, 특수질환자 건강증진 활동 등 공공의료 증진을 위해 노력), 본원의 간호사 1인당 환자 수(각 근무조당)를 줄이기 위해 연구 프로젝트를 시행하여 이사회 승인을 받아 인력 충원을 통하여 2010년부터 단계적으로 개선, 보라매병원 4인실 병실료는 시립병원임을 감안하여 현행 상급병실료 차액의 20% 이상 인하하여 적용(단, 의료급여환자는 50% 감면), 중환자보호자 대기실의 환경, 시설, 집기비품 및 운영방식 등의 개선을 통하여 환경을 2008년 내에 개선토록 노력, 야간(22:00~익일 07:00) 주차시 주차비는 1일당 1,000원으로, 업무 관련 환자 통화 녹음 시 사전 동의, 병원은 국가중앙병원으로서 다음과 같이 공공적 역할을 강화하고 교육 · 연구 · 진료를 통하여 의학 발전과 국민보건 향상에 적극 기여, 의료급여환자 선택진료비의 50% 감면 적용, 어린이병원 입원환자 보호자 1인 식대 30% 감면 적용 등이다.

3) 보건의료분야의 노동권을 선도한 노동조합

서울대병원에서 일하는 노동자들은 이중의 그물망에 포위되어 있었다. 한 가지는 의료분야에서 일하기에 덧씌워진 '봉사와 희생'이었고, 다른 하나는 민간병원이 아닌 국가가 운영하는 국립병원이기 때문에 감수해야 했던, 공공의료 종사자라는 점이었다. 이런 이유로 서울대병원에 노동조합이 설립되었다는 사실만으로도 이 사회 기득권층의 맹렬한 공격이 시작되었다. 이 사회 공공의료는 제도적으로는 바탕조차 갖추어지지 않았으면서도 일하는 사람들의 희생만을 강요하는 정책이었다. 서울대병원 노동자들은 선언하였다. 의료공공성은 병원에서 일하는 노동자들의 노동기본권 보장에서 출발한다고 말이다.

서울대병원 노동자들은 자본과 권력, 언론으로부터 뭇매를 맞으며 맷집 좋게 일어서서 전진하였다. 공공부문의 노동자에게 투쟁에서 제일 힘든 것이 무엇이냐고 한다면 '여론전과 국민적인 냉대'일 것이다. 서울대병원 노동자들에게는 환자들을 내세우는 권력의 탄압이 가세하였다. '생명을 담보로' 자신들의 이익을 관철하기 위해 싸운다는 비난을 온몸으로 받으며, 우리가 이겨야 환자와 환자 가족들이 공공 의료의 혜택을 누릴 수 있음을 강조하면서 알아주지도 않는 투쟁을 하였다. 그 역사를 돌아보면 항상 승리만 있지 않았다. 상상을 초월하는 탄압 속에서 좌절하기도 하고, 피눈물을 흘리기도 했지만 피하지 않았다. 20여 년의 세월, 피하지 않고 보건의료분야 노동자와 노동조합의 선두에서 싸워왔던 것이다. 노동조합의 인정을 위해, 임금인상 쟁취를 위해, 단체교섭 쟁취를 위해, 부당해고에 맞서, 끊임없이 제기되었던 구조조정에 맞서, 그리고 민주노조 사수를 위해 투쟁하였다. 어느 것 하나 쉽지 않았지만, 서울대병원노동조합이니 해야 한다는 일념으로 앞장섰다. 이 땅의 공공부분과 보건의료 분야의 노동조합 건설과 투쟁에 모범으로 선도해 왔다고 자부할 수 있을 것이다.

4) 계급적 단결, 보건의료 산업별노조 건설의 주체

보건의료 노동자들은 1987년 6월항쟁과 7~9월 노동자 대투쟁의 중심에 서 있었다. 하얀 모자와 비상약통은 민주화를 위해 투쟁하는 다른 노동자·민중들과 함께 거리의 상징이었다. 민주주의를 위한 거리정치의 한복판에 보건의료 노동자들도 서 있었던 것이다.

서울대병원 노동자들도 노동조합을 결성하고 난 이후, 보건의료 부분에서 다양한 투쟁의 주체였다. 노동조합을 설립하는 것 그 자체만으로도 보건의료 노동조합운동의 길을 열어 제꼈다는 자부심을 갖고 있다. 서울대병원 노동자들은 노동조합을 중심으로 보건의료부문의 산별노조를 결성하고 강화하기 위한 투쟁, 정부와 병원의 신경영전략으로 표출된 구조조정 저지투쟁, 정부의 보건의료정책을 개혁하는 투쟁, 병원 및 의료정책의 공공성 및 민주성을 강화하기 위한 투쟁, 전체 민주노조 진영의 조직적 계급적 단결을 위한 연대투쟁, 비정규직의 철폐 및 조직화를 위한 투쟁, 그리고 정치적 사회민주화 투쟁 등에서 선도적으로 활동하였다.

서울대병원 노동자들은 이러한 투쟁의 역사를 기억하고 있다. 병원의 경영자들 앞에서 고개도 들지 못하고 허리 굽혀가면서 인사하고 지나가야만 했던 노동자들이, 스스로 노동자임을 선포하고 병원의 경영자들과 동등한 상태에서 자신의 권리를 주장하고 병원 경영자들의 문제점들을 제기하여 그것을 고치게 했던 투쟁의 역사인 것이다. 조합원들이 갖고 있는 자부심은 무엇이었을까. 한마디로 표현하면 자기 노동의 가치를 느끼고 당당해졌다는 것이다.

자기 삶의 주인이 된다는 게 컸던 것 같아요. 조합원들이. 그래서 자기 노동의 가치를 느끼게 됐다고 할까요. 관리자 앞에서도 당당해졌거든요. 그전에는 욕해도 아무 말도 없이 일하고 그랬는데, 당당함을 찾으면서 자신들이 노동의 주인이 되는 걸 느꼈던 것 같아요. 그러면서도 불안감이 있죠. 노동조합을 탄압할 때는. (구술자 D)

이러한 당당함과 자신감은 조직건설에서 나올 수 있었다. 단결의 필요성에 노동조합을 건설하고 연대의 필요성에 연합단체를 건설하였다. 그리고 더 나아가 산별노조 건설을 통해 보건의료 노동자들의 단결을 꾀하였다. 서울대병원노동조합은 1998년 보건의료노조 건설에 앞장섰고 간부들은 서울본부 활동의 실질적 주체였다. 보건의료노조의 산별협약이 지부의 투쟁을 가로막는다는 문제제기와 조직운영의 비민주성을 제기하며 조직을 탈퇴한 후에는 새로운 산업노조와 지역조직 건설에 매진하였다. 의료연대 건설을 시작으로 서울대병원노동조합이 구상하였던 산별노조의 상이 현실화되기 시작하였는데 그 핵심은 서울지부 건설과 미조직 · 비정규직 조직화를 위한 활동이었다. 서울대병원 노동자들은 서울지역의 중소영세병원 노동자 조직화, 병원에서 다양한 노동을 하는 비정규직 노동자와 함께 서울지역지부 활동을 이끌어가고 있다. 더 나아가 공공운수사회서비스노동조합의 일원이 됨으로써 공공부문 노동자의 계급적 단결을 실천하고 있다.

2 과제

1) 의료공공성 확대

보건의료 노동자들은 건강권이 보장되는 새로운 세상을 만들어 나가는 주체이자 그러한 세상으로부터 혜택을 받게 될 대상이다. 건강권 보장은 서울대병원 노동자들만의 희망이 아니라 노동자 민중들의 희망이다. 노동자 민중의 건강권 확보는 어디에서 시작되는가. 20여 년 동안 서울대병원 노동자들이 외쳐왔듯 서울대병원의 공공성 확보, 보건의료체계의 공공성 확보에서 시작될 수 있다. 서울대병원의 공공성 확보를 위해서는 병원에서 일하는 노동자들 간에 경쟁을 도입하는 제도를 없애야 하고 노동자 재교육, 인력충원 등을 통한 노동조건 개선이 필요하다.

그런데 지난한 투쟁을 하면서 세월이 지났어도 간호사들의 노동조건은 그리 나아지지 않았다. 2008년 12월, 전국공공서비스노조는 소속되어 있는 병원 중 조사가 가능했던 7개 일반병동 소속 간호사 603명을 대상으로 설문조사를 하였는데, 그 결과로 나타난 가장 큰 문제점은 일반 간호사들의 직무 스트레스였다. 직무 스트레스에서 가장 심각하게 느끼는 것은 휴식부족(93.2%), 여러 가지 일을 동시에 해야 하는 다기능화(98.5%), 그리고 현저하게 늘어난 업무량(84.5%)이었다. 이러한 현상의 원인이자 동시에 결과라고 할 수 있는 측면, 즉 일이 많아 항상 시간에 쫓기며 일한다고 느끼는 이들이 전체 응답자의 91.1%였다. 2010년 5월 전국공공서비스노동조합 의료연대분과·사회공공연구소가 낸 「환자 안전과 간호사 건강보장을 위한 간호사 업무환경 실태조사」 보고서에 따르더라도, 간호사의 이직률이 매우 높은 반면, 매년 1만 명 이상의 신규면허소지자가 배출되면서 신규 간호사를 모집하고 채용하는 과정이 일방적으로 병원에게 편리하게 이루어지고 있다. 이러한 열악한 노동조건은 간호사 이직률을 높게 만들었고 노동조합 조직력의 약화뿐 아니라 의료의 질 저하를 낳고 있다. 이처럼 서울대병원노동조합이 일할 맛 나는 노동현장을 만들어야 하는 이유와 공공의료, 노동자 민중의 건강권 실현은 상통하고 있다.

보건의료체계의 공공성 확보를 위해 의료보험제도, 예방의학 시스템 등을 노동자 민중의 관점에서 재정비하여야 한다. 서울대병원노동조합이 의료연대 차원의 정책 개발과 실천에 힘을 실어야 하는 이유다.

결론적으로 서울대병원 노동자와 서울대병원노동조합의 희망은 노동현장 밖에 있는 것이 아니라, 자신의 노동현장에 이미 존재한다. 그동안 외쳐왔던 의료공공성, 돈보다 생명이 존중되는 사회 속에 함축되어 있는 것이다. 조합원을 중심으로 한 노조, 강한 현장을 만들어가는 것이 희망을 일구는 일이다.

2) 새로운 산업노조 정착

한 간부는 미조직 · 비정규직 노동자 조직화 사업을 사업장 규모, 조건을 넘어 하나의 조직, 하나의 목표를 향한 열망을 가지고 바라보자고 한다. 그것은 지원 연대를 넘어 나와 조직의 목표가 되어야 가능하다는 것이다.

병원노동자들의 역사를 만들어왔듯 의료연대 서울대병원 노동자와 현장 간부들은 지금도 미조직 비정규직 노동자와 함께 희망을 향해 나가는 중심에 있다.

영세 노동자나 미조직 노동자들과 함께 해야 된다는 생각을 적극적으로 하는 경우가 쉽지 않지만 실제 이거를 어느 정도 중요하게 여기고 가느냐, 그리고 지금 사업이 몸과 마음에 얼마만큼 함께 하느냐가 산별노조 운동에서는 제일 중요하다고 봅니다. 미조직, 비정규직 조직화가 따로 있는 것 같지는 않아요. 노동조합운동을 어떻게 보느냐 하는 문제와 연관이 되어있는 거죠. 예를 들면 비정규직노동자를 지원해야 된다고 생각하면, 절대 못하는 거죠. 왜냐, 지금 정규직 노조도 힘들잖아요. 현장 조직도 많이 약화돼있고. 이런 상황에서 다른 데도 지원하고 연대한다고 생각하면 여력이 남아야 할 수 있는 게 되니, 그렇게 접근하면 쉽지 않은 거죠. 노동조합 존재 이유가 뭔지를 보면서 기업이나 규모나 조건에 따라서 따로따로가 아니라 함께 하는 노동조합을 만들겠다는 열망 때문에 활동한다고 생각을 하면, 이게 별도의 일이 아닌 게 되는 거죠. 그런 면에서 의료연대분과의 간부들이 어떨 때 보면 안쓰럽기도 하고, 어떻게 보면 대단하다 싶기도 하고 그래요. 특히 서울대병원 현장조직 일도 많은데 그런 조건에서도 의료 노동자들이나 간병 비정규 영세 노동자 문제가 남의 문제가 아니라 자신의 문제라고 인식하고 활동하는 거 보면서 대단하다는 생각이 들어요. (구술자 P)

미조직 · 비정규직 조직화 실현을 위해서는 산업노조가 정착 되어야 한다. 그 핵심은 지역조직의 기반을 확고히 하는 것이다. 이 지역조직을 어떻게 운영하느냐가 현장 조직력을 살리고 관료화를 막는 관건이다. 이미 서울대병원노동조합에서 새로운 산업노조를 구상할 때 고민하였던 체계로, 지역조직은 몇 개의 구역으로 나눠 현장위원회를 두고 이를 골간으로 하는 사업을 전개해야 할 것이다. 현장위원은 현장의 의견을 수렴하고 현장위원회에서 논의하는 구조를 정착시켜야 한다. 지역조직에 직종위원회를 구성하여 정책마련, 의견수렴, 미조직노동자 조직화 역할을 담당해야 한다. 이는 이미 서울대병원노동조합에서 주도적으로 만들어 경험하였던 간호사위원회준비위원회의 의미를 현재의 산업노조 속에서 살려내는 것이기도 하다. 그동안의 조직변천과 활동 경험 속에서 서울대병원노동조합은 올바른 산업노조에 대한 다양한 상을 갖고 있고 각 구상이 갖는 장점과 한계도 파악하고 있다. 이제 이를 조합원들과 함께 현실화하는 것이 과제일 것이다.

3) 현장 조직력 강화

희망은 과거에 대한 반성과 평가로부터 힘을 가질 수 있다. 노동자 의식, 노동조합의 어려움을 이야기하려면 왜 그렇게 되었는지 돌아보아야 한다. 한 간부는 이렇게 이야기한다. 노동조합이 변화된 조합원들의 생각, 신규조합원들의 의식에 조응하지 못했고 병원의 개별 조합원 탄압을 막아내지 못한 것이 큰 원인이라는 것이다.

저희가 조합원들의 변화를 제대로 잡지 못한 게 아닌가라는 생각이 들어요. 저희가 오래된 노동조합인 만큼 상당히 보수화된 조합원들이 많아요. 그 속에서 조합원들에게 새로운 자극을 해주지 못했고 또 하나 큰 축을 차지하는 간호부를 조직하지 못했어요. 학교에서부터 계속 치고 들어오는 방해공작, 간호부 탄압을 저희가 적절히 풀지 못한 상태에서 간호사들의 참여율이나 의식이 상당히 떨어졌죠. 사실 간호사들에게는 보수화라는 말을 쓸 수도 없는 상황이에요. 또한 새롭게 들어오는 아무것도 모르는 천진난만한 간호사들을 상대하는 것도 잘 못하지 않았나 생각하는데, 이게 간호부 무력화에 영향이 컸던 것 같아요. 개인적인 반성까지 같이 하면, 의식화를 간과하니까 이렇게 된 게 아닌가 싶어요. 조합원들한테 뭘 교육해야 될지 갈피를 못 잡고 교육과 선전의 중요성을 실무자인 나 스스로 잘 모르고 하니까 사업에서 항상 현안에 밀린 거죠. 사업을 해치우는데 급급했지. 노동조합이 많은 고민들을 해결하기 위해 어떤 대안을 제시하고 그거를 실행에 옮겼는가? 많이 부족하다 생각하거든요. 교육사업의 예이지만, 조합원들 반응 같은 걸 확인조차 못했죠. 물론 형식적인 평가서는 해왔던 대로 했지만. 변화되는 조합원들에 대해서 우리가 어떻게 변화할 것이냐 원칙을 가지고 중심을 가지되 어떤 식으로 모양을 바꿔서 다가설 것이냐 이런 거에 대해서 고민을 하지만 실제로 대안을 내지 못하는 고질적인 문제가 있는 것 같아요. (구술자 K)

예전에는 노조활동을 하기 조금 더 좋은 조건이었다. 노조를 만들 당시 사회 전반에서 민주화를 요구하는 분위기도 고조되어 있었고 조합원들도 자신의 정체성과 권리를 찾는 데 많이 참여했으며 간부들은 젊음을 바칠 각오가 충만했다. 하지만 지금은 많은 것이 변했다. 자본은 사회 전체를 이기주의, 경쟁으로 물들였고 그동안의 노조활동과 투쟁을 경험하면서 조합원들이 노조에 거는 기대감, 참여도가 달라졌다. 간부들은 점점 지쳐갔다. 하지만 노동조합 초기 무에서 유를 창조하던 때를 생각하면서 그 정신이 무엇이었는지 새긴다면 희망은 여전히 존재하고 있는 것이다. 노조가 내실을 다지는 활동을 중심에 두고 관료화를 없애며 활동하는 간부들 스스로 즐거움을 찾을 수 있어야 한다는 것이 어려운 시기를 거쳐 온 선배 노동자의 조언이다.

그때는 모든 것을 헌신해서 할 수 있던 시대였기 때문에 우리는 최선을 다해서 열정적으로 했던 거 같아요. 그리고 그만큼 시대가 받쳐줬고. 근데 지금은 사람들이 이기적인 거 개인적인 거가 많이 생겼잖아요. 전반적으로 사람들에게 헌신하고자 하는 마음이 생기려면, 받침이 있어야 되는데 받침이 안 되기 때문에 더 포기한 부분도 생기고, 그래서 활동이 더 침체돼 보이고 안 하는 것처럼 보이는 것 같아요. 우리는 옛날에 열정을 가지고 했지만, 지금은 또 각자 자기 생활에 안주해서 살잖아요. 분위기가 안 받쳐주기 때문에 이 사람들도 못한다, 이만큼 변했다는 것을 간부들도 이해해야 될 것 같아요. 어려운 거를 이겨내고 하는 거는 어쨌든 잘하는 거고 고마운 거거든요? 그렇지만 좀 더 열심히 해서 초창기 뜻을 놓치지 말고 계속 이어갔으면 좋겠다는 마음이 있죠. 29살에서 30살을 막 넘어가는 시기가 있었어요. 그때 노동조합 활동했던 60년생이 참 많았어요. 노동조합의 활동이 즐거웠기 때문에 그때 같이 부둥켜안고 우리 같이 30세를 지나간다고 얘기 했었는데. 지금 하는 친구들도 노동조합 활동을 즐겁게 지치지 않고 했으면 좋겠어요. 요즘은 조직체계가 그럴 수밖에 없어서이기도 하지만 내부보다는 외부적으로 활동하는 것들이 사실 많거든요? 내부를 다지는 거를 좀 해야 되지 않을까, 우리 사업장 말고 다른 사업장도 사실 마찬가지고요. 노동조합이 앞으로 살아나려면 내실을 다져야하지 않을까 싶어요. (구술자 I)

노동조합은 민주적이어야 되고 사측으로부터 독립성도 있어야 되고, 조합원들하고 같이 나가야 되고, 수직 상하관계가 아니라 수평관계로 운동을 해야 됩니다. 노동조합운동은 소통이 잘돼야 되잖아요. 소통이 잘 되려면, 각종의 분과, 예를 들면, 의료연대 분과, 보육교사 분과, 비정규직 뭐 교수 분과, 뭐 청소하시는 아줌마

분과, 뭐 하여튼 이런 다양한 것들이 있어가지고 이 사람들의 요구도 올라오고 올라온 요구 가지고 결정을 해야 하는 시스템에서, 논의가 활성화되고, 그러한 논의를 바탕으로 결정이 이루어지는 체계가 필요하죠. (구술자 E)

우리 시대 때 노동조합을 이끌어 갔듯이 요즘은 요즘 나름대로 요즘 아이들 같이 노동조합을 이끌어 간다고 생각하거든요. 그래서 저는 선배로서 노동조합에 가입하고 있는 끈만 놓지 않는다면 후배들을 도와주고 있지 않는가, 라고 생각을 해요. 우리 20년 전의 방식대로 지금 후배들한테 하라는 것도 말이 안 되는 거고요. (구술자 O)

현장조직력 강화를 위해서는 활동가 재생산과 재교육을 우선 실시해야 한다. 간부들의 활동이 현장의 분위기와 조직력, 노동조합에 대한 신뢰감을 확보할 수 있는 힘이 되기 때문이다. 간부와 활동가 양성 프로그램 도입, 대의원 활동시간 확보, 조직활동 강화, 직종간의 갈등 해소방안 등이 과제로 남아있다.

구술자 명단

구연업 : 구술자 A	김혜정 : 구술자 F	이영애 : 구술자 M
구홍욱 : 구술자 B	김희은 : 구술자 G	이향춘 : 구술자 U
김명구 : 구술자 S	서향숙 : 구술자 H	전귀늠 : 구술자 N
김미희 : 구술자 C	서효순 : 구술자 I	전찬례 : 구술자 O
김애란 : 구술자 T	송보순 : 구술자 J	최경숙 : 구술자 P
김유미 : 구술자 D	신은영 : 구술자 K	최선임 : 구술자 Q
김진경 : 구술자 E	윤봉자 : 구술자 L	현정희 : 구술자 R

참고문헌

서울대병원노동조합, 「활동보고」 (각 연도)
서울대병원노동조합, 회의자료 · 선전홍보자료 · 교육자료 · 정책연구자료
전국보건의료산업노동조합, 「성추행 사건 진상조사 보고서」 (2000)
전국보건의료산업노동조합, 회의자료 (2004~2005)
간호사위원회준비위원회, 「참간호」 (합본호)
「한국일보」, 「한계레신문」, 「동아일보」

부록1_ 연도별 임원현황

구분	기준일(임기)	직 책	성 명	비 고
노조 1대(초대)	1987. 7. 31 ~ 1989. 2. 12	위원장	전덕례	
		부위원장	서효순	
		부위원장	최방식	
		사무국장	최성숙	
		총무부장	김명구	
노조 2대	1989. 2. 13 ~ 1991. 2. 26	위원장	김유미	
		부위원장	김태용	
		부위원장	서효순	90년 임투전
		부위원장	이후민	
		사무국장	김경석	
		부위원장	김경석	
		부위원장	서향숙	90년 임투후
		부위원장	송보순	
		부위원장	신훈철	
		부위원장	안지희	
		사무국장	-	
노조 3대	1991. 2. 27 ~ 1992. 10. 28	위원장	김유미	
		부위원장	김경석	
		부위원장	김명구	
		부위원장	서향숙	
		부위원장	신훈철	
		사무국장	안지희	
노조 4대	1992. 10. 29 ~ 1994. 10. 26	위원장	김남호	
		부위원장	김복선	
		부위원장	김애란	
		부위원장	송보순	
		부위원장	안지희	
		부위원장	주세익	
		사무국장	구본균	
노조 5대	1994. 10. 27 ~ 1996. 10. 31	위원장	송보순	
		부위원장	국중홍	

		부위원장	김애란	
		부위원장	최선임	
		사무국장	현정희	
노조 6대		위원장	현정희	
지부 1대		부위원장	구홍욱	
	1996. 11. 1 ~ 1998. 10. 22	부위원장	유행선	
		부위원장	최선임	
		사무국장	김희은	
지부 2대	1998. 10. 23 ~ 2000. 11. 24	지부장	최선임	"2년차에는 김태용, 유행선
		부지부장	김태용	이 부위원장으로, 김희은이
		부지부장	김희은	사무장으로 활동"
		부지부장	신훈철	
		부지부장	이명호	
		부지부장	현정희	
		사무장	유행선	
지부 3대	2000. 11. 25 ~ 2002. 9. 13	지부장	최선임	
		부지부장	김애란	
		부지부장	김태용	
		부지부장	유행선	
		부지부장	최양선	
		부지부장	현정희	
		사무장	이향춘	
지부 4대	2002. 9. 14 ~ 2004. 10.	지부장	김애란	
		부지부장	김진경	
		부지부장	박덕영	
		부지부장	유행선	
		부지부장	이향춘	
		사무장	이승아	
지부 5대	2004. 11. ~ 2006. 10.	위원장	김진경	
		부위원장	김애란	
		부위원장	윤태석	
		부위원장	이승아	
		부위원장	이용한	

		부위원장	이향춘	
		부위원장	현정희	
		사무국장	오은영	
지역지부 1기	2006. 11. ~ 2008. 11.	지부장	김애란	"07.12.1 ~ 08.2.10 분회장 직무대행"
		분회장	김진경	"2007.12.1. ~ 요양휴직"
		부분회장	김혜정	
		부분회장	라옥란	
		부분회장	신은영	
		부분회장	윤태석	
		부분회장	이용한	
		사무장	오은영	"2008.2.11. ~ 분회장"
		부분회장	이향춘	07.8.13.
		부분회장	이미숙	07.12.10.
지역지부 2기	2008. 12. ~ 2010. 12.	지부장	김애란	
		분회장	오은영	"2009.6.1. ~ 요양휴직"
		조직부장	이승아	"2009.6.1.~ 분회장 직무대행"
		분회장		"2009.12.1. ~ 분회장 2010.8.1. ~ 간병휴직"
		부분회장	이향춘	
		부분회장	김혜정	
		부분회장	신은영	
		부분회장	윤태석	"2010.8.1. ~ 분회장 직무대행"
		부분회장	최은영	
		부분회장	함석원	
		사무장	이미숙	
		부분회장	라옥란	2009.12.1.
		부분회장	안세영	2010.5.10.

날 짜	내 용
1987.7.31	노동조합 결성총회(40명) : 전덕례 초대위원장 선출
8. 1	설립신고서 제출(종로구청)
8. 4	노조 소식지 제1호 배포
9.11	노동조합 현판식(병원 입구)
9.22	단체교섭-결렬, 위원장 단식 상집간부 침묵시위
9.26	단체교섭 합의서 조인, 노동조합 사무실 입주식
9.28	풍물패 구성
10. 3	조합원 등산대회(도봉산)
11 .6	대의원 선거 실시
11.13	전 조합원 결의대회
11.30	전 조합원 임시총회-철야농성
12. 1	오전7시부터 무기한 임시총회 개최
12. 7	임시총회 7일째, 단체협약 및 임금교섭 합의
12.26	단체협약과 임금인상 합의서 조인
1988. 2.17	제6차 단체교섭-합의
3.27	병노협 창립보고대회 및 문화대동제 참가(한양대 한마당)
4.23	3년치 미지불수당 법원 제소(1,021명)
7. 1	조합원 경조비 지급 시행
7.20	제2년차 대의원 선거실시(간호부, 급식과 제외)
7.27-8.1	노조설립 1주년 기념행사주간, 총회 및 기념제
8. 7	여름수련회(2박3일) 1기 출발(춘천 위도)
8.20-21	제2년차 정기대의원대회
12.14	쟁의발생신고(서울지방노동위원회)
12.28	쟁의행위 찬반투표 및 개표
1989. 1. 5	제11차 임금인상 단체교섭,임시대의원대회-임금인상 교섭타결
1.26	제7차 임시대의원대회/이사회의장 방문,침묵시위(차등임금인상안철회)
2. 3	위원장선거 및 개표 : 제2대 김유미 위원장 선출
2. 8	제2차 정기대의원대회
2.23	영등포병원 단체협약 보고대회
5.17	제2차 전조합원 임시총회
5.26	쟁의발생신고, 근로기준법 위반 고발
6.8-9	쟁의행위 찬반투표

6.13	단체협약 갱신 조인식
7. 3	제3기 대의원선거 및 개표
7.27 – 8.1	창립기념 주간, 전시회 및 길놀이, 초청강연, 기념식
8.25	제3차 정기대의원대회
12.30	긴급 임시대의원대회, 원장의 노조간부 폭행사건 발생, 교섭대표 상집간부 철야농성
1990. 1. 3	시무식 · 신년하례식 참가–원장공개사과 요구
1.19	'90년 임금인상 및 병원민주화 쟁취대회
1.22	제10차 연장 임시대의원대회, 직권중재에 회부됨.
1.24	임원 단식농성. 노동부 항의방문, 노조탄압 분쇄 전 조합원 결의대회
1.31	민주노조 사수 총단결 전진대회
2.7–9	쟁의행위 찬반투표
3.13	노조탄압분쇄를 위한 상집 · 대의원 철야농성
3.28	노조탄압분쇄 및 '90 임투결의대회
3.29	제4차 정기대의원대회
4. 6	부당노동행위 구제신청(전임자문제)
5. 2	전조합원 야유회(남이섬)
5.26	직권중재 거부 행정소송 제기
7.30–8.1	창립3주년 기념 전시 및 판매(노동조합 3년 사진전, 만화전시, 공해추방 사진전, 병원노동조합 활성화 기금마련 바자회)
8.4–13	여름물놀이(무창포해수욕장) 5백여명 참여
8.24–25	제5차 정기대의원대회
9.14	급식과 작업거부, 철야농성 시작
9.21	급식과조합원 85명 고소에 대한 진상보고대회(2층로비)–400명 참가
9.28	부당감정인사 철회 승리 결의대회, 제14차 임시대의원대회
10. 4	공권력(전경 4개 중대)투입, 위원장 및 조합원 63명 연행, 상집 철야농성
10. 5	전조합원 비상 임시총회, 비상 대의원대회 개최
10. 8	대의원 2층 철야농성 돌입, 급식과 조합원 전원 복귀, 부당인사 철회와 구속동지 석방투쟁 결의 대회 개최
10.10	상집부서 부원 대의원 철야농성에 합류
10.26–27	임시대의원 대회–단체교섭 요구안 확정
11. 5	단체교섭 개막고사
12.18	구속동지 석방기금마련 일일찻집
1991. 1. 4	시간외 근로수당에 대해 노동청 진정

2. 5 – 7	제3대 위원장 선거 실시 : 김유미 위원장 옥중 당선
3.22	제6차 정기대의원대회
3.27	전 조합원 교육실시
3.29	확대 간부수련회
4. 4	'91임투 및 송보순동지 석방환영 보고대회
4.10	'91임투 승리 전진대회
5. 8	고 강경대군 살인규탄 및 91 임투승리를 위한 상집간부 철야 농성 (3일간)
6.11	급식과 3년치 미지불 수당 지급 완료
6.17	'91임금인상 단체교섭 조인식
7.10	위원장 석방 환영 잔치
7.11–12	제5대 대의원 선거
7.27–8.1.	노조창립 4주년기념주간 탁구대회, 영화상영, 기념식
8.19	5대 대의원 교육(8.19–8.21)
8.23–24	제7차 정기대의원대회
9.18	단체협약 합의안 조인
10.26	소식지 창간호 발행
1992. 2.28	제8차 정기대의원대회
3.12	부당해고 저지 및 '92임투 승리 결의대회
3.23	서향숙 부위원장, 송보순 조사기획부장 해고
8. 1	노동조합 창립 5주년 기념식
8. 4	제1기 노동조합학교 수료식
8.28 – 29	제9차 정기대의원대회
10. 5 – 7	위원장 선거실시 : 김남호 위원장 선출
10.21	노동조합 사무실 이전
10.29	제3, 4대 집행부 이 · 취임식
1993.2.12–13	제10차 정기대의원대회
3.18	제2기 노동조합학교 개강, 제3회 문화교실
6.13–15	7대 대의원선거
6.28–7.1	'91임금합의사항 이행과 해고자 원직복직을 위한 상집간부 철야농성
7. 1	임투승리결의대회
7.2–3	제11차 정기대의원대회
7.12	쟁의 발생신고 및 쟁의대책본부 발대식
7.21–23	쟁위행위 찬반투표

7.28	조합원 임시총회
7.29-30	잠정합의안 찬반투표
7.31	'93임금협정서 조인식, 노동조합 창립 6주년 기념식
10.11-13	제5대 위원장 선출 : 송보순 당선
10.14-15	대의원수련회
11.26-27	정기대의원대회
4. 7	임투전진대회 (2층로비)
4.21	제4기 노동조합학교 개강
4.26-28	상집간부 철야농성
4.27	규탄집회(2층로비)
6.12-14	8대 대의원선거
7. 8-9	정기대의원대회(숭실대)
7.12	쟁의발생신고
7.17-19	쟁의행위찬반투표
7.21	총력투쟁 결의대회
7.28	임시총회, 잠정 합의
8. 1	노조 창립 7주년 기념식
8.2-3	잠정합의안 찬반투표
8. 4	'94임금 및 단체협약 조인식
1995. 1.26	제14차 정기대의원대회(-27)
4.13	'95 공동투쟁 전진대회 (유림회관)
4.25	보라매병원 조합원수련회, 제9대 대의원 선거
5.25	현대자동차, 한국통신 노동운동 탄압규탄 및 '95공동투쟁 승리를 위한 상집간부 철야농성(2박 3일)
6.13	전 조합원 총력투쟁 결의대회
6.21	잠정합의안 찬반투표 : 총조합원 2,074/투표대상 1,983/투표자수 1,479(74. 6%)/찬성 1,129(76.3%),반대 343(23.2),무효 7(0.5%)
6.23	'95 임금, 단협, 제도개선 합의사항 조인식
10.25	제60차 임시대의원대회-원직복직 마무리, 임금체계 개선, 민주노총건설 참여 방안
12.28	아침 홍보, 전조합원 결의대회,실무교섭,부원,소모임반원 송년회
1996. 1.26	제16차 정기대의원대회(1박2일) - 96'사업계획 검토, 특별사업 결의 예산, 결산검토
2. 6	조합원 하루교육 개최
4.10	대의원 선거

4.24	96공투 전진대회 (고대에서 80여 명 참가)
4.30	노동절 기념식 및 대각선 교섭 선포식 (160여 명 참석)
6.11	제68차 임시대의원대회-'96요구안 쟁취 결의 및 쟁의발생 신고 선포식 (250여 명 참가)
6.18	쟁의행위 찬반투표
6.19	제69차 임시대의원대회 – 잠정합의안 찬반투표
6.27	96임,단협 임금체계, 의료서비스 개선을 위한 단체협상 조인식
10.16-18	제6대위원장 선거 : 현정희 당선
11. 1	노동조합 5, 6대 집행부 이취임식
11. 6	제72차 임시대의원대회(노개투-쟁의발생 결의)
12.27	노개투 총파업 돌입
1997. 1. 7	노개투 2단계 총파업 돌입 (총 5일째)
1.17	무노동무임금 분쇄를 위한 점심시간 집회, 제76차 임시대의원대회
1.24	제18차 정기대의원대회 (-25일, 화성 그린파크)
2.28	민주노총 4단계 총파업-임시총회 개최, 제78차 임시대의원대회
4.28	제11대 대의원 선거 (~30일)
5. 6	무노동무임금 분쇄 및 97공투 승리를 위한 철야농성(~8일)
5. 8	무노동무임금 분쇄 및 97공투 승리 출정식
7. 2	쟁의발생결의 및 총력투쟁 선포 대의원, 간부 철야농성(2박3일)
7. 8	쟁의행위 찬반투표(투표율 86.2%, 찬성율 74.83%)
7.15	총회투쟁 전야제(400명) / 85차 임시대의원대회
7.16	임시총회(07:00-09:30) / 86차 임시대의원대회
7.22	잠정합의안 찬반투표(2일간)(투표율 70.4%, 찬성율 90.03%)
8. 1	노동조합 창립 10주년 기념식
8.22	제19차 정기대의원대회(1박2일)
1998. 1.16	제20차 정기대의원대회(97년사업평가 및 결산 / 규약변경) 1박2일
1.22	임금삭감기도, 기만적 병원개선 규탄 및 노동자 경영참가 촉구대회 200여 명 참석
2.10-13	산별관련 전조합원 찬반투표 (투표율 70%, 찬성율 86.9%)
2.27	전국보건의료노동조합 출범
3.27	본부 정기대의원대회
4. 2	1대 지부대의원 선거(-4일)
6.30	쟁의행위 찬반투표 (30일-2일)
7. 9	임시총회 돌입 700여 명(07:00-17:00)
7.18	'98년 임단협 조인식

8.21	정기대의원대회(-22일)
10.20	제2대 대표자 선거(-23일)
11.10	제2대 집행부 이취임식
1999.1.29	정기대의원대회(-30일)
2.21	2대 대의원 선출(-24일)
2.27	산별노조 1주년 기념식
3. 5	본부 정기대의원대회(-6일)
5. 4	쟁의행위 찬반투표(-7일) / 단체복입기
5.12	16차 임시 지부대의원대회 / 전야제 600명 집결
5.13	임시총회 800명 집결
5.18	잠정합의안 찬반투표(-20일) (투표율:68%, 찬성율:82%)
6.5	99투쟁 조인식
6.15	파업유도 · 공작정치 규탄 및 책임자 처벌 간부철야농성
7.9-10	3차 정기대의원대회
11.2-4	3대 지부 대의원 선거
11.7	보건의료인대회(의료보험 통합, 의약분업 실시 촉구)
12.29-30	2차 무기한 철야농성
2000.1.28	정기대의원대회(-29일까지)/조합원 임시총회
2.10-11	본조 대의원대회
3.21-23	산별노조 본조 및 본부 파견 대의원 선거
4. 8	보라매 대의원수련회
4.26	제27차 임시대의원대회/조합원결의대회
5. 9	본부 조합원 총력투쟁 결의대회
5.30	제29차 임시대의원대회/임시총회 전야제
5.31	임시총회 돌입(800여 명)
6. 1	임시총회 2일째(1000여 명)
6. 2	임시총회 3일째(1000여 명)
6. 3	임시총회 4일째(1200여 명)
6.4-8.11	체포영장 발부자 명동성당 농성돌입-69일
8.25-26	제5차 정기대의원대회(상반기 평가 및 하반기 계획, 추가경정 예산)
10.30-11. 1	4대 지부 대의원선거
12.21	3대 집행부 출범식
2001.2.9-10	제6차 정기대의원대회

2.16	정부의 구조조정반대와 병원의 부당노동행위 분쇄를 위한 전조합원 결의대회-250여 명 참가
3.29	第37차 임시대의원대회-투쟁본부 발대식 및 2001투쟁 승리를 위한 결의대회(시계탑 앞)
9.22	대의원 수련회(참가인원: 14명)
2002. 5. 7	출정식
5. 8	보라매병원 총력투쟁 결의대회
5. 9	第51차 임시대의원대회/ 조합원 결의대회
5.14-19	쟁의행위 찬반투표
5.22	총회 전야제
5.23	총회 투쟁 돌입
2003. 1.27	산별노조 창립3주년 기념 전시회(그림, 서예, -31일)
2.14	第10차 정기대의원대회(14-15)
3. 6	본부정기대의원대회
3.20	본조 정기대의원대회(20-21)
7. 3	第68차 임시대의원대회 / 전조합원 총력투쟁 결의대회
7. 9	쟁의행위 찬반투표(-11일)
7.16	총회
7.22	잠정합의안에 대한 찬반투표(-23일)
7.25	2003년 임단협 조인식
9. 5	第11차 정기 대의원대회(-6)
2004.2.13	第12차 정기대의원대회(13일~14일)
2.26	보건의료노조 정기대의원대회(26일~27일)
4.21	第75차 임시대의원대회 - 원직복직 쟁취! 산별교섭 촉구! 2004투쟁 승리!를 위한 중식집회
6. 9	산별 총파업 전야제 / 第78차 임시대의원대회
6.10-7.23	산별총파업 1일 - 44일
7.27	산별, 지부잠정합의안, 산별조건부 탈퇴 조합원 찬반투표(27일~29일)
8. 9	조인식(오후 4시)
9. 9	第13차 정기대의원대회-(9~10일/서울대치과병원)
9.15	보건의료노조 조직명예훼손으로 김애란 지부장 징계 결정
10.22	第80차 대의원대회 / 第5대 지부대표자 선거 당선 공고(김진경-김애란)
2005. 4. 1	지부 第83차 임시대의원대회에서 보건의료노조 탈퇴 및 공공연맹 가맹신청 결의
4. 6	서울시청 '서울대병원지부노동조합' 설립신고서 발급

6.20	상급단체, 공공연맹 가맹 승인
8.10	제7차 대의원대회 '9월 7일' 파업 결의
8.19	서울지방노동청 '서울대병원근골격계질환 예방관리프로그램' 시정명령
9.28	7월 22일 산재신청한 소아수술장 간호사 산재승인
11. 3	국가인권위원회 '부당해고된 어린이병원 간호사에 대한 간호부 인권침해 인정 및 병원장 불합리한 관행시정' 권고안 내림
11.23	소아중환자실 간호사 '중환자실 과중한 노동강도' 로 인한 산재 인정
2006. 2. 9	보건의료노조를 탈퇴한 10개 사업장을 포함한 12개 사업장 전국병원노동조합협의회 결성
7.13-12.8	제1차 공공의료 · 임금 · 단체교섭 갱신을 위한 투쟁
7.18-21	산업노조 전환 조합원 투표 : 병노협 85.5% 찬성
9. 5	의료연대노동조합 출범: 이장우 위원장, 최은영 사무처장 당선
11. 1-3	비정규개악법안 저지 투쟁
11.3	전국공공서비스노동조합 건설 및 가맹
2007.1.31	서울대병원분회 비정규직 소식지 발행
2.21-23	공공노조 임원선거 및 지부, 분회장 선거
4.7-	한미FTA 무효화 투쟁
4.13	공공노조 의료연대 서울지역지부 출범식
6.22	간호부 조합원이 만드는 간호부 소식지 발행
7. 2	서울대병원 비정규직노동자 부당해고 투쟁
10.2-10.5	서울대병원분회 쟁의행위찬반투표 실시
10.14	공공노조 의료연대 성원개발분회 파업 연대
10.10-10.15	서울대병원분회 총파업
11.27-29	공공노조 대의원선거
2008.1.29-31	서울대병원분회장 보궐선거
5.19-21	보라매병원 일방적 업무외주 철회 및 사무직 구조조정 저지를 위한 철야농성
5.29	보라매병원 일방적 업무외주 철회! 사무직 구조조정 저지! 2008 임단협 투쟁승리를 위한 전조합원 전진대회
6. 2	보라매병원 공공성 회복을 위한 CCTV및 부대시설 철거!! 적정인력 확보와 작업환경 개선을 위한 전조합원 중식집회
6.22-25	광우병 쇠고기 협상 전면 무효화! 물, 전기, 가스, 철도, 교육, 의료 사유화 전면폐기! 한반도 대운하 반대! 기름값, 물가폭등 저지를 위한 민주노총 총파업 전조합원 찬반투표
8. 8	국립대학 재정회계법 폐기! 성원개발 사측의 일방중재 철폐! 08투쟁승리를 위한

	전조합원 결의대회
9.3-	노사합의 파기한 성원개발과 원청 역할 방기하는 서울대병원규탄 및 2008년 투쟁승리를 위한 '무기한 철야농성'
10. 1	강제사직 종용한 강00수간호사 진상조사위원회 구성
10.14	서울대병원 직원식당 직원 37명 의료연대 서울지역지부에 가입
10. 3	서울대병원 직원식당 고용승계 외면하는 서울대병원과 CJ프레시웨이 조합원 결의대회(시계탑)
11.26-28	공공노조 4대 대의원 및 제2대 의료연대서울지역지부 선거(지부장 김애란, 분회장 오은영 당선)
2009. 1. 7	보라매병원 조합원 신년회
1.20-1.22	서울대병원 구조조정 저지와 노조파괴 행위 규탄 및 직원식당 운영 책임촉구를 위한 철야농성
1.22	서울대병원 구조조정 저지, 노조파괴 행위 규탄 및 직원식당 운영 책임촉구를 위한 결의대회
2.26~2.27	의료연대서울지부 정기대의원대회(마석 오덕훈련원)
3.18~3.20	ERP도입 · 팀제 · 성과급제 절대반대/CCTV · 부대사업 등 합의파기 규탄 인권침해하는 '직원감시단' 구성 규탄/하청노동자 임금삭감 · 인원축소 규탄/예산절감을 이유로 환자 · 직원 안전을 위협하고, 외래통폐합을 통한 구조조정 시도하는 서울대병원 규탄 철야농성
4.29	공공의료강화! 고용안정 쟁취! 실질임금 확보! 노동기본권 사수! 09년 투쟁승리 결의대회
5. 7	환자, 노동자, 사회시민단체가 함께 하는 의료민영화 반대 증언대회(오전 10시, 시계탑)
6. 1	이승아 분회장 직무대행 시작(오은영 분회장 요양휴직)
6.3~6.26	'비정규직 해고 철회,업무외주 철회'를 위한 전조합원 리본달기, 1인 시위, 선전전
6.26~6.27	MB악법 폐기_사회공공성 강화_의료민영화 저지 공공노동자 결의대회
6.30	인사위원회 저지-일방적인 비정규직 면접 강행 규탄
7.15	신규초임 삭감안 폐기!!! 의사성과급 · 팀제 · 업무외주 반대!! 비정규직 해고 철회!! 하청노동자 생존권 보장!! 서울대병원 규탄과 09년 임단협 투쟁승리를 위한 전조합원 결의대회
8.20	09년 임단협 투쟁승리를 위한 조합원 결의대회
9. 3	조정신청 결의대회
9.6~9.9	2009년 제도개선 및 공공의료_임금_단체협약 갱신을 위한 쟁의행위 찬반투표(찬성: 82.5% 가결)
10.10	공공부문 노동자 결의대회

10.13	2009년 임단협, 공공의료 조인식
12. 1	이승아 분회장 전임업무 시작
12. 9	민들레분회 파업투쟁승리를 위한 공공노조 서울본부 집중 결의대회
12.14~	밀실야합 규탄!복수노조 유예와 전임자 임금지급 금지 저지를 위한 전조합원 리본 달기
2010. 1	'선택진료비 폐지' 투쟁, 직원 퇴출프로그램 도입 중단 투쟁
2.25~2.26	정기대의원 대회 개최: 09년 사업평가 및 결산/2010년 사업과 예산, 지부운영규정 개정
3. 8	'따뜻한 밥한끼의 권리' 캠페인 시작
3.13	시산제
4.12	조합원 열린교실: 현직교사에게 듣는 우리 아이와 소통하는 비법
5. 8	조합원 행사: '딸기도 따고 4대강도 지키고'
7.20	신규간호사 강제사직 관련 인사위원회 개최 : 진상조사와 재발방지 대책 요구. 병원은 해당 신규간호사 임용해지 통보.
7.21	서울대병원 청소노동자 노동환경 실태조사 결과 발표 기자회견 및 노동환경 개선 촉구 집회
7.28	청소노동자들의 노동환경 실태를 알리는 사진전 및 따뜻한 밥 한끼의 권리 캠페인단 선전전: 병원측 경비 동원해 폭력적으로 대응
8. 9	정희원 병원장, 민들레분회 이영분 분회장 면담: 청소노동자 휴게공간 마련 약속과 감염 예방 및 노동환경 개선 약속
9.1~9.3	3/4분기 조합원 하루교육(주제: '나의 요구를 우리의 요구로')
9. 9	8차 임시대의원대회와 2010년 임단협 투쟁승리를 위한 결의대회
9.15	개악안 철회 및 임단협 투쟁승리를 위한 농성장 본관 1층 로비에 설치
9.17	조합원 열린교실: '병원이 던진 개악안을 해부한다'
9.30	2010년 임단협 투쟁승리를 위한 결의대회
10. 5	9차 임시대의원대회:투쟁기금 3만원, 1/N(기본급 4.5%)결의
10. 7	민주노조 사수!개악안 철회를 위한 중식 결의대회
10.13	개악안 철회를 위한 단체행동 시작(PC에 요구안 깃발 달기, 의료민영저지,민주노조사수,개악안 전명철회를 위한 전조합원 빳지달기)/보라매병원 전조합원 결의대회
10.14	전조합원 결의대회
10.21	10차 임시대의원대회: 병원안 수용 가결/ 잠정합의
11.3~4	의료민영화 저지!공공기관 선진화 분쇄!민주노조 사수!생활임금 쟁취!비정규직 철폐! 2010년 제도개선 및 공공의료-임금-단체협약 갱신을 위한 잠정합의안 찬반투표
11.15	2010년 임단협 조인식
12.8~10	지부 대의원 선거